기 초 가 탄 탄 해 지 는

DNS 실전 교과서

(주)일본 레지스트리 서비스(JPRS)

와타나베 유이, 사토 신타, 후지와라 가즈노리 지음 / 모리시타 야스히로 감수 / 이민성 옮김

제이펍

차 례

기 초 편

CHAPTER 1

DNS가 만들어진 배경 1

CHAPTER

2

도메인 이름의 등록 관리 구조와 관리 체계 **27**

CHAPTER

3

DNS의 이름 풀이 ——————————————————————— 57

CHAPTER
6

도메인 이름 관리하기:
권한이 있는 서버의 설정 ——————————————— 121

CHAPTER

9

DNS에 대한 사이버 공격과 그 대책 ———————— 213

CHAPTER
10

보다 나은 DNS 운용을 위하여 ————————— 243

CHAPTER

14

DNS에서의 프라이버시 개요와 구현 상황 ——— 319

추천사

예전에는 전철이나 버스 안에서 책이나 신문을 보는 사람들을 자주 봤습니다만, 지금은 스마트폰이나 태블릿을 보지 않는 사람을 찾기는 어려운 시대가 되었습니다. 자신의 생활을 윤택하게 하기 위해서 스마트 디바이스를 잘 활용합니다만, '사용법만 알면 어떤 구조인지는 몰라도 되는 시대가 되어 버린 것은 아닐까?'라는 의문이 이 책을 만들게 된 계기였습니다.

이 책은 인터넷 기술을 다루는 초보자나 새로이 인터넷 기술을 기초부터 다시 배우고 싶은 기술자를 대상으로, 인터넷을 지탱하는 구조 중 하나인 DNS에 관한 관련 지식을 포함해 기초부터 해설하는 것을 목적으로 하고 있습니다. 이 책은 3부 14장으로 구성되어 있고, 제1부 기초편에서는 도메인 이름이나 DNS 구조가 탄생한 배경, 인터넷 도메인 이름의 관리 운용 체계나 DNS가 제공하는 이름 풀이의 기본적인 구조를 해설하고 있습니다. 도메인 이름이나 DNS 구조를 처음 접하는 분은 제1부부터 읽어 나가면 좋겠습니다.

제2부 실전편에서는 한 발자국 더 나아가 DNS 운용을 처음 접하는 사람을 대상으로 DNS를 동작시키기 위해 필요한 기본적인 설정이나 동작 확인을 위한 도구의 사용법, 지속적인 운용을 위해 필요한 주의사항 등에 대해 구체적인 설정 예시를 들어서 해설하고 있습니다.

제3부 응용편에서는 DNS를 더 안정적으로 운용하기 위해 필요한 노하우를 중심으로 해설하고 있습니다. 특히 후반부에서는 최근 화제인 프라이버시 보호를 DNS의 관점에서 표준화 상황에 근거하여 해설하고 있습니다.

기술 전문서를 완독하는 것은 꽤 어려운 일입니다. 이 책에서는 가능한 한 완독할 수 있도록 곳곳에 관련 지식이나 일화를 소개하는 칼럼을 마련했습니다. 읽는 도중에 기분 전환이나 흥미를 더 넓히는 계기가 되도록 자유롭게 활용해 주시면 좋겠습니다.

이 책을 계기로 인터넷을 지탱하는 '구조'에 흥미를 느끼는 분이 한 명이라도 늘기를 바랍니다.

일본 레지스트리 서비스 기술본부장 **미타무라 켄지**

감수자의 글

최초의 DNS는 지금으로부터 30년이 넘은 1983년에 만들어졌습니다. 제가 처음 만진 BIND 4.8.3도 지금으로부터 28년 전인 1990년에 만들어진 DNS 소프트웨어입니다. 그리고 DNS는 현재도 인터넷을 지탱하는 중요한 구조입니다.

그런데도 초보자용으로 DNS를 처음부터 이해하기 쉽고 정확한 내용을 체계적으로 해설한 '교과서'라고 부를 만한 것은 거의 없었습니다. 이유는 간단한데, 만들려고 하면 매우 수고스럽기 때문입니다.

구조를 처음부터 해설하기 위해서는 초보자도 잘 따라올 수 있게 예시나 그림을 많이 이용해야 합니다. 교과서니까 거짓말을 쓸 수 없기에 예시, 그림 및 서술은 이해하기 쉽고 정확해야 합니다. 그리고 이런 초보자용 전문서를 끝까지 읽게 하기 위해서는 내용을 간결하게 정리해야 합니다. 즉, '이해하기 쉽고, 정확하며, 해설이 간결하고, 흥미를 느껴 끝까지 읽도록 하는' 것이 필요합니다.

또한, DNS의 운용에서는 기술적인 내용에 더해, 도메인 이름의 관리 체계나 도메인 이름 비즈니스, 상표, 상호와의 관계에 관한 지식도 필요합니다. 이 요소들도 담으면서 이해하기 쉽게 간결하게 정리하는 것은 큰 도전입니다.

이 책의 필자 및 감수자에게 있어 그 도전은 경험해 보지 못한 것이었고, 생각보다 훨씬 긴 시간이 필요했습니다. 그래도 결국에는 출판에 성공했습니다.

이 책은 DNS의 요소, 구조, 설계, 구축, 운용에 대해서 최대한 알기 쉽게 해설하는 것을 목적으로 하고 있습니다. 그렇기에 기초편에서는 최대한 쉬운 표현을 썼고 해설이 애매해지거나 장황해지지 않도록 주의하여 단어를 선택했습니다. 특히 오해하기 쉬운 재귀적 질의와 비재귀적 질의라는 용어의 사용을 피하고 '나 대신에 이름 풀이를 해줘'가 질의에 붙었는지 안 붙었는지의 차이로 설명하고, 실전편에서 그것들이 재귀적 질의와 비재귀적 질의로 불리는 이유를 설명했습니다.

실전편에서는 DNS의 설계, 구축, 운용에 더해 동작 확인 방법과 그 해설에도 중점을 두었습니다. 비슷한 책이나 웹 사이트에서는 그다지 다루지 않는 외부 이름이나 CNAME을 포함해 인터넷의 많은 도메인 이름을 실제로 동작시키고 있는 이름 풀이의 흐름을 구체적인 예를 들어 실제로 출력되는 결과를 게재하는 형태로 해설했습니다.

응용편에서는 실전편에서 해설하지 않은 DNS의 운용 노하우에 더해, DNS에서의 프라이버시와 최신 구현 상황을 해설했습니다. 프라이버시에 관한 변화는 DNS 이름 풀이의 기본 동작이나 기본적인 통신 수단을 변경하는 것이고, DNS 그 자체의 구성에도 앞으로 큰 영향을 미칠 것으로 생각하기 때문입니다.

이 책에서는 권한이 있는 서버 또는 DNS 리졸버의 구체적인 설정 방법, 예를 들면 named.conf 또는 자동 시작을 위한 설정 방법은 의도적으로 제외했습니다. 이것들은 개별적인 구현에 관한 내용이고, DNS의 개요나 구조를 설명하는 이 책의 목적에는 맞지 않다고 판단했기 때문입니다.

또한, 이 책에는 난이도나 분량을 고려해서 굳이 기술하지 않은, 그리고 하지 못한 내용이 많이 있습니다. 예를 들면, NS 리소스 레코드를 부모와 자식 양쪽에 설정하는 이유, 권한이 있는 서버가 되돌리는 여섯 종류의 응답, 응답의 압축, ENDS Client Subnet, Empty Non-Terminal의 취급 등에 대해서는 기술하지 않았습니다.

그리고 DNSSEC과 DNS 쿠키는 개요의 소개에 그치고 구조의 상세 내용이나 운용은 다루지 않았습니다. 여유가 생기면 이런 기술들도 RFC를 참고하면서 공부를 해 보시기 바랍니다.

마지막으로, 경험해 보지 못한 도전에 시행착오를 반복하면서 앞으로 나아가는 필자, 감수자의 작업 지연을 끈기 있게 기다려 주신 편집자와 초보자의 입장에서 유용한 의견을 많이 주신 SB 크리에이티브의 토모야스 켄타 님과 이 책의 간행을 위해 끝까지 조언과 지원을 해주신 사내 외 모든 관계자들에게 감사의 말씀을 드립니다.

DNS의 정확한 지식은 인터넷 그 자체에 관한 이해와 안정적인 운용에 직결됩니다. 이 책이 DNS를 배우는 독자 여러분을 도울 수 있기를 바랍니다.

유난히 덥고, 또 뜨거웠던 올해 여름을 떠올리며 JPRS 도쿄 본사에서

모리시타 야스히로

이 책은 기초편, 실전편, 응용편 3부로 구성되어 있습니다.

기초편에서는 DNS를 처음 배우는 분을 위해 도메인 이름과 DNS가 만들어진 배경, DNS의 구조 및 관리 체계, DNS를 구성하는 3개 요소의 역할, 이름 풀이의 구체적인 동작에 대해 설명합니다.

실전편에서는 기초편에서 배운 구성 요소를 동작시키고 운용하기 위한 설계와 설정, 동작 확인과 감시, 사이버 공격과 그 대책, 신뢰성 향상을 위해 유의할 점에 대해 설명합니다.

응용편에서는 실전편에서 다루지 않은 DNS의 설정, 운용에 관한 노하우와 주의점, 권한이 있는 서버의 이전(DNS의 이사), DNSSEC의 구조, DNS에서의 프라이버시 개요와 구현 상황에 대해 설명합니다.

각 장의 내용

이 책의 각 장의 내용은 다음과 같습니다.

제7장 서비스 제공하기: 풀 리졸버의 설정

이름 풀이 서비스를 제공하는 DNS 리졸버 설정과 퍼블릭 DNS 서비스를 설명합니다.

제8장 DNS 작동 확인

DNS를 운용하거나 트러블슈팅을 할 때 필요한 작동 확인과 감시에 대한 기본적인 사고방식, 명령줄 도구, DNS 확인 사이트, 감시 항목과 대표적인 도구를 설명 및 소개합니다.

제9장 DNS에 대한 사이버 공격과 그 대책

DNS를 노리거나 발판으로 사용하는 등 다양한 사이버 공격에 대해서 공격 수법과 그 대책에 주목하는 형태로 분류 및 설명합니다.

제10장 보다 나은 DNS 운용을 위하여

DNS 운용의 신뢰성을 높이기 위해서 고려해야 할 항목과 DNS 설정 및 운용에 관련한 잠재적인 위험을 설명합니다. 또한, 캐시 포이즈닝에 대해 내성을 높이는 기술인 DNSSEC과 DNS 쿠키의 개요를 소개합니다.

응용편

제11장 DNS 설정 및 운용 노하우

DNS 설정 및 운용에 있어 자주 접하는 트러블 및 설정 실수와 그 대처 방법, 노하우와 주의점에 대해 구체적인 예를 들어 설명합니다. 또한, 응답 사이즈가 큰 DNS 메시지에 대처하는 방법인 EDNS0의 운용과 주의점, 역방향 DNS의 설정과 현황을 설명합니다.

제12장 권한이 있는 서버의 이전(DNS의 이사)

존을 관리하는 권한이 있는 서버의 이전, 특히 호스팅 사업자 이전에 따른 권한이 있는 서버 이전 시에 고려할 항목과 작업할 때의 주의점을 설명합니다.

제13장 DNSSEC의 구조

DNS의 안정성을 높이는 DNSSEC의 구조를 설명합니다.

제14장 DNS에서의 프라이버시 개요와 구현 상황

DNS에서 프라이버시 상 우려되는 점을 언급하며 그것을 해결하기 위해 개발된 기술의 개요와 구현 상황을 설명합니다.

옮긴이 머리말

안녕하세요?

《DNS 실전 교과서》의 옮긴이 이민성입니다.

제가 이 책을 번역하게 된 계기는 DNS가 인터넷 활용에서 절대로 빠뜨릴 수 없는 존재이기도 하고 자유를 상징하는 것이라고 생각하기 때문입니다. 본문에도 나와 있듯이 인터넷을 하면서 수많은 사이트의 IP 주소를 다 외울 수 없기에 알아볼 수 있는 이름이 필요하게 되었습니다. 우리는 이런 이름과 IP 주소의 매핑을 통해서 더 쉽게 인터넷이라는 커다란 존재에 접근할 수 있었고, 그 결과 인류는 인터넷을 통해 눈부신 발전을 할 수 있었다고 생각합니다.

또한, 그 눈부신 발전은 자유라는 가치가 있었기에 가능했다고 생각합니다. 인터넷과 관련된 것은 본문의 칼럼인 'The Internet is for Everyone'의 생각처럼 누구의 것이 아닌 모두에게 열려 있어야 한다고 생각합니다.

처음 시도하는 번역서이기에 부족함이 있겠으나 양해를 부탁드리며, 아무쪼록 이 책을 통해서 이해하기 어려웠던 DNS와 조금이라도 더 친해지시기를 진심으로 바랍니다.

도움을 주신 분들

- 유치원 때부터 시작된 컴퓨터와의 인연을 만들어주시고 전폭적인 지지를 해주신
  할아버지
- KR 도메인과 DNS에 관한 문의에 친절히 답변해 주신 한국인터넷진흥원(KISA)의
  강상현 선임연구원님
- 부족한 실력이지만 믿고 번역을 맡겨주신 장성두 대표님, 담당자 김정준 부장님,
  교정자 김성남 님, 디자이너 성은경 님 등 관계자 여러분

다시 한번 하늘을 날 수 있는 자유가 오기를 기다리며

옮긴이 **이민성 드림**

김호준(CTNS)

DNS의 기초부터 운영에 관한 노하우, 공격 및 보안에 대한 설명까지 페이지 분량에 비해서 커버 범위가 넓고 설명 또한 쉽게 풀어나가는 것에서 저자의 내공이 느껴지는 책입니다. 명령어 실습을 통해 DNS 질의에 대한 구조와 방식을 직접 눈으로 확인할 수 있고 그림이 많이 포함되어 있어서 전체적으로 DNS를 이해하기에 좋았습니다. 특히 시스템/네트워크 운영을 시작하는 초보 엔지니어 분들에게 많은 도움이 될 듯합니다.

노승헌(라인플러스)

인터넷을 이해하기 위한 첫 단추로 DNS를 빼놓을 수는 없습니다. 하지만 의외로 DNS를 제대로 이해하지 못하고 있는 분들이 많습니다. 개발자, 시스템 엔지니어, 클라우드 담당자나 서비스 운영자까지 DNS에 대한 기초를 탄탄히 쌓고 싶은 분들에게 큰 도움이 될 책입니다. 책 전반부의 내용은 초심자 중심이지만, 중반부부터는 시니어 분들도 다시 한번 지식을 다지기에 좋은 내용들이 가득합니다. 개인적으로 CDN과 CDN 이해에 필수적인 DNS에 대한 책을 쓰고 싶었는데, 괜찮은 책이 먼저 번역서로 출간되네요!

🐾 양성모(현대오토에버)

예전에 아무것도 모르는 채로 무작정 DNS 서버 관리를 맡게 되어 인터넷으로 검색하며 알음알음 배웠던 것들을 이 책의 친절하고 자세한 설명을 통하여 짧은 시간에 다시 정리하고 명확히 할 수 있었던 것 같습니다. DNS를 이해하고 기술을 익히는 데 소모되는 시간을 상당히 단축할 수 있게 해주는 책이라고 생각합니다. 전반적으로 친절하고 자세한 설명이 좋았습니다.

🐾 황시연(SW개발자)

인프라 및 서버 개발을 할 때 DNS에 대한 지식이 필요합니다. 하지만 시중에 나온 기존 네트워크 책은 DNS에 대한 내용이 많지 않아 관련된 기술을 익히는 데 힘이 듭니다. 이 책은 DNS를 중점으로 쓴 책입니다. 개념에 대한 설명은 그림으로 함께 이해하게끔 되어 있어 DNS를 처음 배우는 분들도 이해하기가 쉽습니다.

제이펍은 책에 대한 애정과 기술에 대한 열정이 뜨거운 베타리더의 도움으로
출간되는 모든 IT 전문서에 사전 검증을 시행하고 있습니다.

Basic
Guide to
DNS

CHAPTER 1
DNS가 만들어진 배경

이 장에서는 도메인 이름과 DNS가 만들어진 배경과 목적, 계층화와 위임의 구성에
대해 예시를 들어 설명합니다.

이 장의 키워드

- 호스트
- 인터넷 프로토콜(IP)
- IPv6 주소
- 네이밍
- SRI-NIC
- 네임 스페이스
- 고유함
- 식별자
- TLD
- 서브 도메인
- 부모
- 표준화

- IP 주소
- 주소
- 이름과 주소의 매핑
- HOSTS 파일
- 계층화
- 분산 관리
- 도메인
- 라벨
- 2LD
- DNS
- 자식
- IETF

- 통신 프로토콜
- IPv4 주소
- 어드레싱
- 레지스트리
- 위임
- 트리 구조
- 도메인 이름
- 루트
- 3LD
- 이름 풀이
- 네임 서버
- RFC

※ 이후 장별 키워드 순서는 본문에서 제시된 순서를 따릅니다.

CHAPTER 1
Basic
Guide to
DNS

01
IP 주소와 이름의 관계

전 세계에 펼쳐져 있는 인터넷에는 다른 컴퓨터에 정보나 서비스를 제공하는 '서버'라고 불리는 컴퓨터나 일상생활에서 사용하는 컴퓨터와 스마트폰, 인터넷과 네트워크를 연결하기 위한 라우터 등 수많은 컴퓨터가 연결되어 있습니다. 이렇게 네트워크에 연결된 서버, 컴퓨터, 스마트폰, 라우터 등을 가리켜 **호스트(host)**라고 부릅니다.

인터넷에 연결된 호스트가 서로 통신할 때는 통신할 상대를 어떤 형태로든 지정해야 합니다. 또 상대방 호스트 입장에서 봤을 때 누가 통신을 해왔는지 모른다면 통신을 허용해도 되는지 안 되는지를 판별하기가 어렵습니다(그림 1-1).

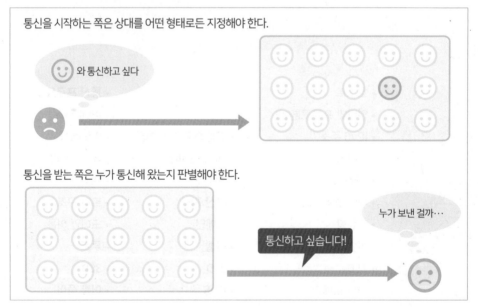

그림 1-1 호스트가 서로 통신할 때는 통신할 상대를 판별해야 한다

인터넷에서는 이 '통신하고 싶은 상대를 지정할 때'와 '통신해 온 상대를 판별할 때'에 **IP 주소**를 사용합니다. IP 주소는 인터넷에서 사용되는 **통신 프로토콜**, 즉 **인터넷 프로토콜(Internet Protocol, IP)**이라고 하는데, 통신할 상대를 식별할 때 사용되는 **주소(address)**입니다.

> ### COLUMN 통신 프로토콜이란?
>
> **프로토콜**은 필요한 규칙, 습관, 순서 등을 문서화해 체계적으로 정리한 약속을 말합니다. 컴퓨터 세상에서는 컴퓨터끼리 통신할 때 쓰이는 약속인 **통신 프로토콜**을 가리킵니다.
>
> 통신 프로토콜에는 어떤 상황에서, 어떤 형태의 데이터를, 어떤 순서로 보내는지가 구체적으로 명시되어 있어 통신을 원활하게 하는 중요한 역할을 합니다. 인터넷의 대표적인 통신 프로토콜 종류에는 통신 규격인 'IP'나 'TCP', 'UDP', 웹 콘텐츠 송수신에 쓰이는 'HTTP', 메일 전송에 쓰이는 'SMTP' 등이 있습니다.

현재 사용되고 있는 IP는 IPv4와 IPv6의 두 종류가 있습니다. 각각의 IP에서 사용되는 IP 주소는 다음과 같습니다.

- IPv4 주소 예시: 192.0.2.1
- IPv6 주소 예시: 2001:db8::1

이 예시를 보면 알 수 있듯이, IP 주소는 숫자의 나열(번호)로 되어 있어서 외우기 어렵고 틀리기 쉽습니다.[1] 또한, 호스트에 할당되는 IP 주소는 네트워크를 관리하는 쪽의 사정으로 변경되기도 합니다. 만약 변경된 것을 모르고 이전 IP 주소를 지정하게 되면 완전히 다른 상대와 연결될 수도 있습니다. 그렇기에 원하는 상대와 확실히 연결하기 위해서는 상대가 사용하고 있는 IP 주소를 그때그때 확인해야 합니다.

이러한 불편함을 없애기 위해 통신할 상대를 지정할 때 IP 주소를 그대로 사용하는 것이 아닌, 외우기 쉽고 사용하기 쉬운 **이름(name)**으로 상대를 지정하는 방법이 고안되었습니다. 그래서 이름으로 지정된 상대가 그 시점에 사용하고 있는 IP 주소, 즉 **이름과 주소의 매핑**을 연결할 때마다 확인하게 되었습니다.

---

1 IPv6 주소는 16진수로 표현되기 때문에 알파벳 a~f가 사용되지만, 이것도 번호입니다.

IP 주소는 인터넷에 연결된 호스트를 식별하기 위해 사용되는 주소입니다. 그렇기에 개별 호스트에 할당되는 IP 주소는 세상에서 유일하도록 관리되고 있습니다.

IP 주소 '202.11.16.167'과 같이 4개의 10진수를 점으로 연결한 형태로 표기된 것을 봤을 것입니다. 이것은 인터넷에 IP가 도입된 초기부터 사용되고 있는 **IPv4 주소**로, 2의 32제곱(32비트: 약 43억)의 크기(주소 공간)를 가지고 있습니다.

그 후 1990년대가 되어 미래에 IPv4 주소가 부족해질 것을 예측하여 더 큰 주소 공간을 가진 IPv6 주소가 만들어졌습니다. IPv6에서 사용되는 **IPv6 주소**는 '2001:df0:8:7::80'과 같이 16진수를 콜론으로 연결한 형태로 표기되며, 2의 128제곱(128비트: 약 340간)의 방대한 주소 공간을 가지고 있습니다. 1간은 1,000,000,000,000,000,000,000,000,000,000,000,000입니다.

이름으로 상대를 지정하기

이름으로 상대를 지정하는 것에 대해 조금 더 친숙한 예를 통해 살펴보겠습니다.

학교 선생님인 당신은 어떤 이유로 당신이 담당하지 않는 반의 학생에게 전달하고 싶은 것이 있어서 그 교실에 가서 학생을 불러야 합니다. 만약 학번밖에 모르는 경우라면 학번을 외워서 불러내기는 많이 힘듭니다. 그러나 학번과 이름이 매핑되어 있으면 그 학생의 이름을 알기 때문에 이름으로 부를 수 있습니다. 또한, 교실에 동명이인이 있더라도 학번과 이름을 매핑해 보면 다른 사람인 것을 알 수 있어서 한 명으로 추릴 수 있습니다 (그림 1-2).

인터넷에서도 이처럼 각각의 호스트에 이름을 붙여서 연결할 상대를 이름으로 지정할 수 있습니다. 그래서 그 이름과 IP 주소를 매핑하면 연결할 곳의 호스트를 하나로 추릴 수 있게 되는 것입니다.

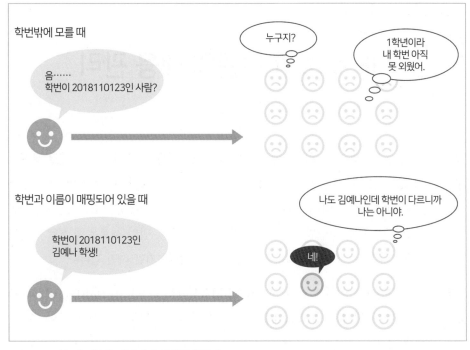

그림 1-2 번호와 이름을 매핑해서 상대를 추린다

COLUMN 일상에서 접할 수 있는 어드레싱과 네이밍

정해진 규칙에 따른 주소로, 통신할 상대인 송신자나 수신자를 지정하는 것을 **어드레싱(addressing)**이라고 합니다. 그리고 통신할 상대나 서비스에 해당 내용을 나타내는 **이름을 붙이고 주소와 매핑**하는 것을 **네이밍(naming)**이라고 합니다. 이 어드레싱과 네이밍에 의한 매핑은 인터넷 구조뿐만 아니라 더 가까운 곳에서도 작동하고 있습니다. 예를 들면, 조금 전 설명한 학번과 이름의 매핑도 그중 하나입니다.

또한, 최근 화제인 말을 걸면 응답해 주는 **스마트 스피커(smart speaker)**는 통신할 대상과 연결할 곳을 지정하고, 정해진 행동을 매핑해서 방의 전등을 켜거나 음악을 트는 등 구체적인 작동 방법을 지정합니다.

인터넷의 어드레싱에는 IP 주소가, 네이밍에는 앞으로 이 책에서 설명할 DNS가 사용됩니다. 이러한 기술은 30년 이상 인터넷을 지탱해 오고 있답니다.

02

IP 주소와 이름의 대응 관리

앞 절에서 설명한 바와 같이 인터넷에서는 IP 주소로 상대를 식별하지만, 실제로 통신할 상대를 지정할 때는 이름을 사용하면 편리합니다. 그래서 이름과 IP 주소의 대응을 하나의 표로 정리해 두면 상대를 지정할 때 그 표에서 이름에 대응하는 IP 주소를 찾기만 하면 되어 IP 주소를 일일이 외우지 않아도 됩니다(그림 1-3). 만약 새로운 호스트가 연결되거나 호스트의 IP 주소가 변경되는 경우에는 표를 갱신하기만 하면 됩니다.

인터넷 초기 시절에는 이를 위한 표로 'HOSTS.TXT'라는 텍스트 파일[**HOSTS(호스트) 파일**]에 인터넷에 연결된 모든 호스트의 IP 주소와 이름(호스트 이름)의 대응을 기재하여 전체를 관리했습니다.

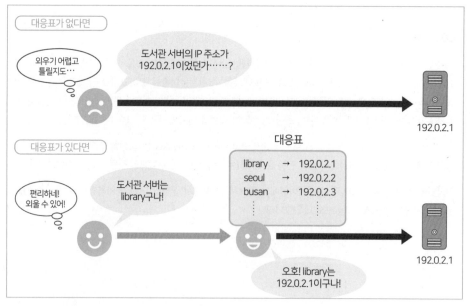

그림 1-3 이름과 IP 주소의 대응을 표로 정리하면 편리하다

이 방식은 현재도 많은 시스템에서 지원하고 있고 HOSTS 파일에 해당하는 파일이 존재합니다. 현재 사용되고 있는 HOSTS 파일의 예시를 그림 1-4에 나타내었습니다.

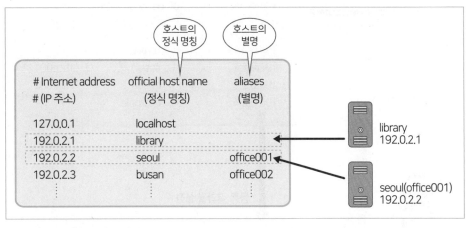

그림 1-4 **HOSTS 파일의 예시**

IP 주소는 인터넷 전체에서 공유되기 때문에 어느 기기가 어느 IP 주소를 사용 중인지 통일성 있게 관리해야 합니다. 그렇기에 HOSTS 파일은 이름이나 번호가 중복되지 않도록 하나의 조직에서 일원화 관리를 했습니다. 이처럼 인터넷 전체에서 공통으로 사용되는 이름이나 번호를 일원화 관리하는 조직을 **레지스트리(registry)**라고 합니다.[2]

인터넷이 시작되었을 무렵 HOSTS 파일은 미국 캘리포니아주 스탠퍼드 연구소(Stanford Research Institute)의 네트워크 인포메이션 센터(Network Information Center), **SRI-NIC**(에스알아이-닉)이 관리하고 공개했습니다. 당시 인터넷에 접속하고 싶은 조직은 SRI-NIC에 접속 신청을 했습니다. SRI-NIC이 각 조직의 신청 내용을 확인하고 심사해 주소를 할당하고 그 결과를 HOSTS 파일에 등록했습니다(그림 1-5). 그리고 HOSTS 파일을 인터넷에 공개하고 이용자는 그 파일을 다운로드해서 사용하는 방식이 기본이었습니다.

---

2 레지스트리의 역할은 2장에서 설명합니다.

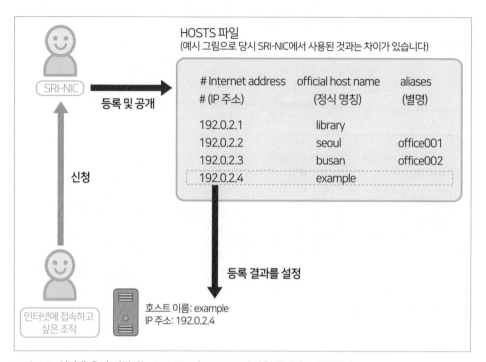

그림 1-5 인터넷 초기 시절에는 SRI-NIC이 HOSTS 파일을 관리하고 공개했다

CHAPTER 1
Basic
Guide to
DNS

집중 관리에서 분산 관리로

인터넷이 발전함에 따라 접속하려는 호스트의 수가 늘어나면서 SRI-NIC에 신청하는 양이 많아졌고, 신청부터 IP 주소의 할당, HOSTS 파일에 반영하기까지 시간이 걸리게 되었습니다. 인터넷에 접속하고 싶은 조직이 이대로 증가하게 되면 위와 같은 작업을 하나의 조직이 담당하는 관리 구조에 한계가 올 것은 누가 봐도 분명했습니다(그림 1-6).

한계를 돌파하는 좋은 방법이 없을까 해서 나온 것이 바로 **계층화**와 **위임**이라는 분산 관리 구조입니다. 어떤 것인지 구체적으로 살펴보겠습니다.

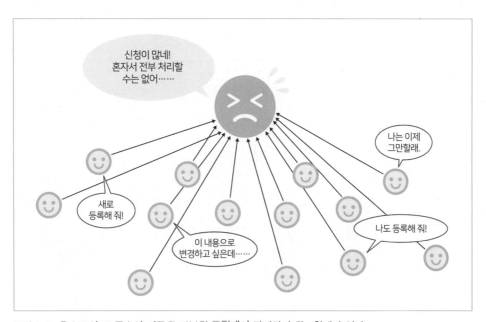

그림 1-6 호스트의 IP 주소와 이름을 하나의 조직에서 관리하기에는 한계가 있다

계층화와 위임

계층화와 위임이라는 사고방식은 회사처럼 규모가 있는 조직을 관리할 때 사용합니다. 일반적인 회사에서 관리 구조의 정점은 사장입니다. 만약 작은 회사라면 사장이 직접 직원 전체를 수평적으로 관리할 수 있겠지요. 오히려 그렇게 하는 것이 관리 면에서 편할지도 모릅니다. 그러나 회사의 규모가 커지면 사장 혼자서 전체를 관리하기가 어렵습니다.

이럴 때 회사에서는 보통 업무 종류에 따라 부서를 만들고, 각 부서의 역할을 정해 조직체계를 명확히 합니다. 이것이 '계층화'입니다. 그리고 각 부서의 부서장(관리자)을 정하고 부서장에게 관리를 맡깁니다. 이것이 '위임'입니다.

계층화와 위임에 의해 각 부서의 직원은 각 부서장의 관리하에 있으면서 각자의 업무를 수행합니다(그림 1-7). 계층화와 위임을 잘 사용하면 회사는 보다 유연하게 움직일 수 있게 됩니다. 이러한 계층화와 위임의 구조를 사용해서 호스트의 IP 주소와 이름을 관리해 보자는 것이 이 절의 취지입니다.

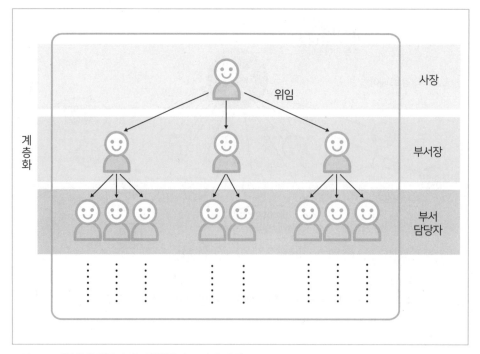

그림 1-7 계층화와 위임의 사고방식(회사 조직의 경우)

인터넷에서는 **네임 스페이스(name space)**[3]라고 불리는 하나의 공간을 전체에서 공유하고 있습니다. 그래서 네임 스페이스의 일부를 분할하고, 잘라낸 네임 스페이스를 신뢰할 수 있는 다른 사람에게 위임하는 구조가 채택되었습니다. 위임한 쪽에서는 그 네임 스페이스를 누구에게 위임했는지에 대한 정보만 관리하고, 그 네임 스페이스의 관리 책임은 위임받은 쪽이 갖게 됩니다. 이런 형태를 취함으로써 관리할 네임 스페이스와 그 책임을 여러 관리자에게 분할한 **분산 관리**가 가능해졌습니다(그림 1-8).

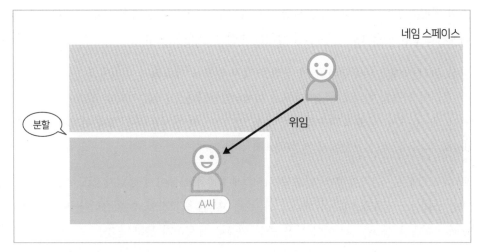

그림 1-8 네임 스페이스를 분할하고 위임해서 분산 관리를 한다

• 계층화와 위임의 장점

계층화와 위임을 도입하면 다음과 같은 두 가지 장점이 있습니다.

1. 관리를 분산하기 때문에 각 관리자의 부담을 줄일 수 있다.
2. 조직의 성장 및 변화에 유연하게 대응할 수 있다.

즉, 관리 범위가 커져서 관리가 어렵게 되면 그 범위를 필요에 따라 분할하고 새로운 관리자에게 위임하기만 하면 됩니다. 또한, 위임한 쪽에서는 그 범위를 누가 관리하는지(ㄱ

---

3 네임 스페이스는 각 요소에 고유한 이름을 붙여야 하는 범위를 말합니다.

림 1-8에서는 A씨)에 대한 정보만 관리하고, 그 범위의 관리는 위임한 곳의 관리자에게 맡깁니다. 그러므로 A씨의 관리 범위의 규칙은 A씨 자신이 결정할 수 있게 됩니다.

이름을 고유하게 하는 구조

02절 'IP 주소와 이름의 대응 관리'에서 설명한 것처럼 HOSTS 파일은 이름이나 번호가 중복되지 않도록 하나의 조직(SRI-NIC)이 일원화 관리를 했습니다. 이로써 이름과 IP 주소의 매핑은 인터넷 전체에서 같아졌으며, HOSTS 파일을 사용하여 이용자는 인터넷 어디에서도 같은 이름으로 같은 연결 상대를 지정할 수 있었습니다.

분산 관리 체계로 바뀌더라도 이 장점을 잃지 않도록 계층화와 위임에 의한 관리 구조는 관리의 정점을 하나로 두는 형태로 설계되었습니다. 이처럼 하나의 정점에서 가지가 뻗어 나가는 구조를 **트리 구조**라고 합니다(그림 1-9). 이 명칭은 뿌리에서 가지가 뻗고 자라나는 나무를 뿌리 입장에서 본 형태에서 유래합니다.

트리 구조에서는 가지가 뻗어 나간 쪽의 각 계층에서 이름이 중복되지 않도록 관리하여 네임 스페이스 전체의 이름이 하나가 되는, 즉 **고유함**을 보장할 수 있습니다. 인터넷에서 도메인 이름을 등록할 때 이미 사용 중인 이름을 등록하지 못하는 것은 인터넷 전체의 이름을 고유하게 해야 하기 때문입니다.

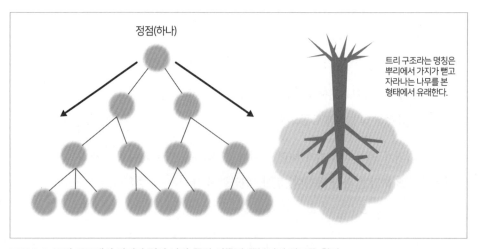

정점(하나)

트리 구조라는 명칭은 뿌리에서 가지가 뻗고 자라나는 나무를 본 형태에서 유래한다.

그림 1-9 **트리 구조에서 가지가 뻗어 나간 쪽의 이름이 중복되지 않도록 한다**

COLUMN 계층화와 위임에서 주의할 점

계층화와 위임을 도입해서 얻는 장점은 크지만 도입하고 운용할 때 주의해야 할 점이 있습니다. 이 '관리 범위를 분할해서 계층화하고 책임자에게 위임'하는 형태는 그 위임이 성립하는 것이 전제 조건입니다. 계층화와 위임에 의한 분산 관리를 실현하기 위해서는 각 계층을 담당하는 사람이 자신이 담당하는 부분을 잘 관리하고 책임을 다한다는 전제가 필요합니다. 예를 들면, 2020년 5월에 발표된 사이버 공격 'NXNSAttack'[4]은 자신이 관리하는 도메인 이름에 악의를 가지고 의도적으로 부적절한 설정을 해서 DNS를 공격합니다.

그렇기에 관계자들이 서로 협력할 수 있는 체계나 보안을 향상하기 위해 다양한 기술을 만들고 운용해 왔습니다. 이 책에서는 그러한 구조나 기술에 관해서도 설명합니다.

---

4 〈NXNSAttack: Recursive DNS Inefficiencies and Vulnerabilities〉, http://www.nxnsattack.com/shafir2020-nxnsattack-paper.pdf

04

도메인 이름의 구성

지금까지 계층화와 위임의 구조 그리고 트리 구조에 의한 관리의 장점을 설명했습니다. 인터넷에서는 분할된 각 네임 스페이스의 범위를 **도메인(domain)**, 그 범위를 식별하기 위해 붙여진 이름을 **도메인 이름(domain name)**이라고 부릅니다(그림 1-10).

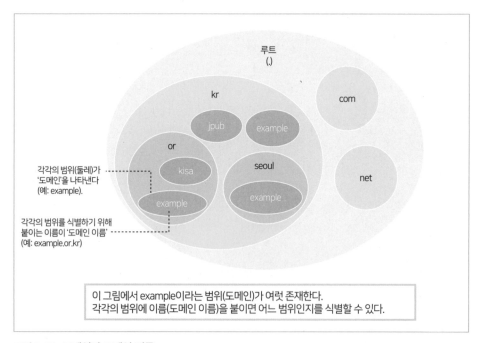

루트
(.)

kr

com

jpub

example

or

kisa

seoul

net

example

각각의 범위(둘레)가
'도메인'을 나타낸다
(예: example).

각각의 범위를 식별하기 위해
붙이는 이름이 '도메인 이름'
(예: example.or.kr)

이 그림에서 example이라는 범위(도메인)가 여럿 존재한다.
각각의 범위에 이름(도메인 이름)을 붙이면 어느 범위인지를 식별할 수 있다.

그림 1-10 도메인과 도메인 이름

도메인 이름이란?

각 계층의 이름을 중복되지 않게 관리하면 도메인 이름은 인터넷 전체에서 고유해집니다. 그리고 도메인 이름과 IP 주소를 적절히 매핑하면 도메인 이름을 인터넷 호스트를 특정하기 위한 **식별자**로 사용할 수 있게 됩니다.

도메인 이름은 웹 페이지의 URL이나 메일 주소의 일부로 사용됩니다. 예를 들면, 그림 1-11의 'kisa.or.kr'이나 'example.kr'이라고 쓰인 부분이 '도메인 이름'입니다.

그림 1-11 도메인 이름은 URL이나 메일 주소의 일부로 사용된다

이제부터 도메인 이름의 구성을 조금 더 자세히 살펴보겠습니다.

도메인 이름의 구성

도메인 이름은 문자열을 '.(점)'으로 연결한 형태로 구성됩니다. 각각의 문자열을 **라벨(label)**이라고 합니다. 사실, 도메인 이름의 마지막에도 점이 붙어 있는데 보통은 생략합니다. 이 도메인 이름의 마지막에 붙여진(생략된) 점은 계층 구조의 정점인 **루트(root)**를 나타내며, 루트를 기준으로 오른쪽에서 순서대로 다음과 같이 부릅니다(그림 1-12).

- **TLD**(Top Level Domain, 톱 레벨 도메인)
- **2LD**(2nd Level Domain, 세컨드 레벨 도메인)
- **3LD**(3rd Level Domain, 서드 레벨 도메인)

'.kr'이나 '.com'이라는 도메인 이름을 자주 보는데, 이것은 대표적인 TLD입니다. 실제 인
터넷에서 루트나 TLD가 어떤 형태로 관리되고 있는지는 2장에서 설명합니다.

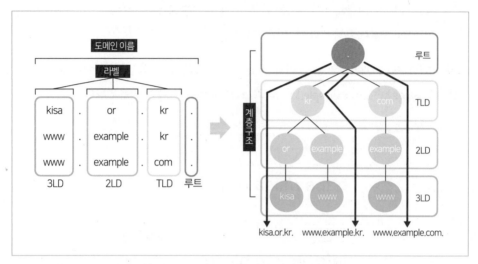

그림 1-12 도메인 이름은 루트를 기준으로 계층 구조를 점으로 연결한 형태가 된다

서브 도메인

어떤 네임 스페이스(네임 스페이스1)의 범위가 다른 네임 스페이스(네임 스페이스2)의 범위에 속
할 때 네임 스페이스1은 네임 스페이스2의 **서브 도메인(subdomain)**이라고 합니다(그림 1-13).

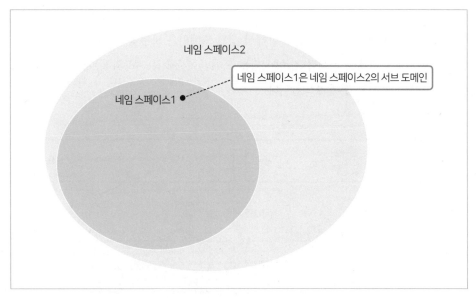

그림 1-13 서브 도메인

그림 1-14에 서브 도메인의 구체적인 예시를 나타내었습니다.

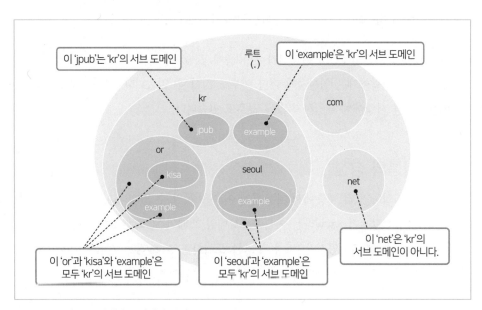

그림 1-14 서브 도메인의 구체적인 예시

예를 들면, 루트의 네임 스페이스를 분할해서 생긴 도메인은 모두 루트의 서브 도메인입니다. 또한, kr의 네임 스페이스를 분할해서 생긴 도메인은 모두 kr의 서브 도메인입니다. 그림 1-15에서 나타내는 것처럼 기준이 되는 도메인(예시에서는 루트와 kr)에 따라 서브 도메인의 범위가 바뀌는 것에 주의합니다.

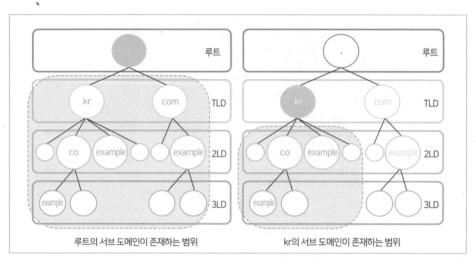

그림 1-15 기준이 되는 도메인에 따라 서브 도메인의 범위가 바뀐다

서브 도메인은 해당 도메인의 관리자가 자유롭게 만들 수 있습니다. 그리고 만든 서브 도메인을 다른 사람에게 위임할지에 대한 여부도 정할 수 있습니다. 따라서 서브 도메인을 만들어 다른 사람에게 위임하지 않는 경우도 있습니다.

도메인 이름의 장점

계층 구조를 도입하면 각 계층에서 자유롭게 이름을 붙일 수 있습니다. 예를 들면, 계층 구조를 도입하지 않으면 www라는 이름은 그 네임 스페이스(그림 1-16의 예시에서는 회사)에서 한 대만 사용할 수 있지만, 계층 구조를 도입하면 www라는 이름(라벨)을 회사의 각 부서에서 사용할 수 있게 됩니다.

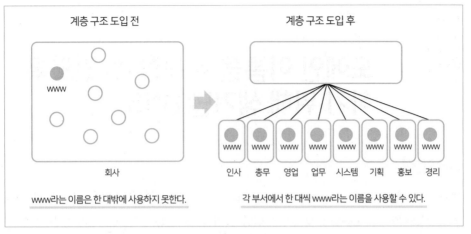

그림 1-16 계층 구조를 도입하면 자유롭게 이름을 붙일 수 있다

COLUMN 도메인 이름에서 주의할 점

인터넷 도메인 이름에 사용할 수 있는 문자열의 길이나 종류에는 제한이 있습니다. DNS의 사양에서는 라벨의 최대 길이를 63글자로 정하고 있고, 인터넷 호스트 이름의 라벨은 영숫자와 하이픈(-)만 사용할 수 있습니다(응용 편에서 설명할 국제화 도메인 이름은 영숫자와 하이픈 이외의 문자열도 사용할 수 있습니다). 또한, 호스트 이름 라벨의 대소 문자는 구별하지 않습니다. 이런 이유로 도메인 이름을 등록할 때 원하는 도메인 이름을 등록하지 못하는 경우가 있습니다.

또한, 악의를 가진 사람이 기업명이나 상품명을 먼저 등록하거나 비슷한 문자열로 된 도메인 이름을 등록해서 이용자를 곤란하게 만들기도 합니다. 인터넷에는 이런 행위로부터 이용자를 보호하기 위한 방안이 마련되어 있습니다. 이 내용은 2장에서 설명합니다.

CHAPTER 1
Basic
Guide to
DNS

도메인 이름을 사용할 수 있도록 하기 위해 생겨난 DNS

DNS란?

DNS는 'Domain Name System'의 줄임말입니다. 도메인 이름의 도입을 전제로 하여 개발된 시스템이기에 DNS도 계층화와 위임에 의한 분산 관리 구조를 채택했습니다(그림 1-17). DNS는 도메인 이름과 IP 주소의 대응을 관리하고 이용자의 요청에 따라 도메인 이름에 대응하는 IP 주소를 찾습니다. 이것을 **이름 풀이**라고 합니다. DNS의 기본은 각 계층의 관리자로부터 필요한 정보를 얻어 도메인 이름의 계층 구조를 따라가, 최종 목적인 IP 주소를 얻는 것입니다.

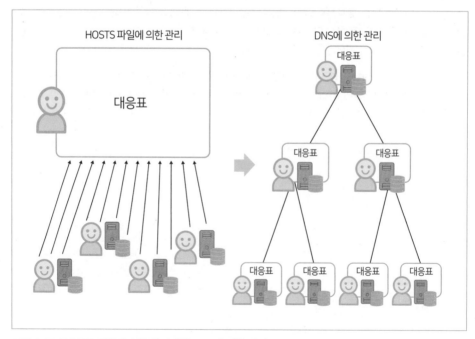

그림 1-17 HOSTS 파일에 의한 관리에서 DNS에 의한 관리로

도메인 이름 각 계층의 관리자에게 질의해서 위임이 이루어지고 있으면 '이 사람에게 위임하고 있다'는 정보를 얻습니다. 그리고 그런 과정을 반복하여 마지막 관리자에게 도달했을 때 필요한 정보(=IP 주소)를 얻습니다.

DNS 계층화와 위임의 구조

DNS 계층화와 위임의 구조를 간단하게 확인해 봅시다. 여기서는 'example.kr'이라는 도메인 이름을 예시로 듭니다.

DNS에서는 도메인 이름에 대응하는 형태로 관리 범위를 계층화하고, 위임해서 관리를 분산합니다. 위임에 의해 관리하게 된 범위를 **존(zone)**이라고 합니다. DNS에서 위임한 사람(위임자)과 위임받은 사람(위임처)은 **부모**와 **자식** 관계가 됩니다. 그림 1-18에서는 루트가 '부모', kr이 '자식'입니다.

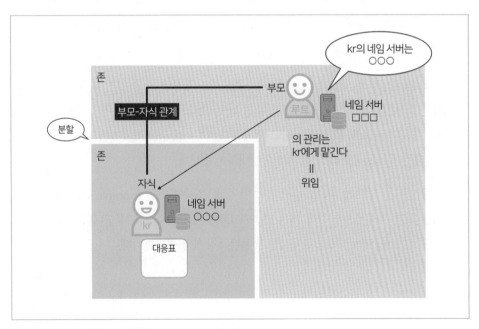

그림 1-18 **DNS 계층화와 위임**

존을 위임하기 위해서는 우선 서브 도메인을 만드는데, 서브 도메인은 위임자가 만듭니다. 예를 들어, kr에 서브 도메인을 만들고 다른 사람에게 위임합니다. 그러면 kr이 부모가 되고 kr로부터 위임받은 위임처는 자식이 되는 부모-자식 관계가 성립합니다. 그리고 각 존의 관리자는 **네임 서버**라는 서버로 정보를 관리합니다.

네임 서버가 관리하는 정보는 아래와 같이 두 종류입니다.

• 1) 존에 존재하는 호스트의 도메인 이름과 IP 주소

각 존의 네임 서버가 도메인 이름과 IP 주소의 매핑을 관리합니다.

• 2) 위임 정보

위임처(자식)의 네임 서버 정보로, 위임자(부모)의 네임 서버가 관리합니다.

2)는 '위임처는 이 네임 서버입니다'를 알려주는 정보입니다. 그림 1-18의 예시에서 루트는 kr이 어느 네임 서버에서 관리되고 있는지를 알고 있습니다. 즉, 부모는 자식의 위임 정보를 관리하고 위임처를 안내하는 역할을 하게 됩니다.

루트는 kr을 위임하고 있습니다. 즉, kr의 네임 서버 정보만 알고 있기 때문에 'example.kr'이라는 도메인 이름의 정보를 요청받으면 kr의 위임처를 안내합니다. 마찬가지로 그림 1-19에서 kr은 example.kr을 위임하고 있습니다. 즉, example.kr의 네임 서버 정보만 알고 있기 때문에 example.kr의 위임처를 안내하게 됩니다.

이처럼 위임처를 루트에서부터 순서대로 따라가, 최종적으로 example.kr의 IP 주소를 관리하는 네임 서버에 도달하게 되는 구조가 DNS 이름 풀이의 기본입니다. 이름 풀이의 자세한 구조는 3장에서, 보다 구체적인 작동은 4장에서 설명합니다.

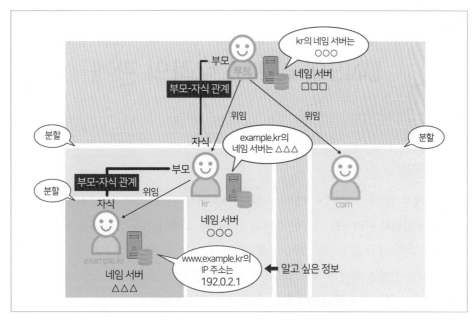

그림 1-19 **부모는 자식의 위임 정보를 관리하고 위임처를 안내하는 역할을 한다**

COLUMN   DNS의 기술 사양은 누가 어디에서 정하는가?

DNS의 기술 사양(프로토콜)은 누가 어디에서 정하는 걸까요?

인터넷 이용자끼리 공통으로 사용하는 구조나 규칙을 정하는 것을 **표준화**(standardization)라고 합니다. 표준화는 이용자의 편의성, 업무 효율화, 상호 연결성 등을 실현하기 위한 중요한 방법 중 하나입니다.

인터넷의 표준화 작업은 **IETF**(Internet Engineering Task Force)에서 합니다. IETF는 누구라도 개인 자격으로 참가할 수 있습니다. 의사 결정을 할 때는 회원이 직접 결의나 투표하는 것이 아닌, 참가자의 원만한 합의와 실제 작동이 중요시됩니다. IETF는 메일링 리스트를 이용한 의논 및 작업 외에 연 3회 회의가 열립니다.

메일링 리스트나 회의에서 주고받은 논의의 결과는 문서로 정리됩니다. 이 문서를 **RFC**(Request for Comments)라고 하며 인터넷의 기술 사양은 전부 RFC로 제안 및 발행됩니다. DNS의 기술 사양도 RFC로 발행되어 있습니다. DNS의 현재 기본 사양은 1987년에 발행된 RFC 1034와 RFC 1035입니다. 이후 사양 확장에 따라 수많은 RFC가 발행되었습니다.

이 책의 부록 A에서 DNS와 관련한 주요 RFC를 소개합니다.

CHAPTER 1
Basic
Guide to
DNS

DNS와 레지스트리의 관계

이름 관리의 분산화

1장 02절에서 설명한 HOSTS 파일에 의한 관리는 하나의 레지스트리(SRI-NIC)가 이름이나 번호를 일원화 관리하는 간결한 형태를 가집니다. 도메인 이름과 DNS를 도입하는 것으로 관리자의 부담을 줄이고 보다 유연한 관리를 실현할 수 있습니다. 그러나 이것은 동시에 도입 전에는 하나의 레지스트리가 이름을 관리하면 되었는데 도입 후에는 여러 레지스트리가 분산해서 담당해야 함을 의미합니다(그림 1-20).

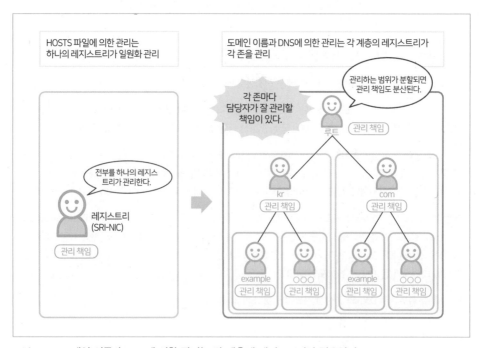

그림 1-20 도메인 이름과 DNS에 의한 관리는 각 계층에 레지스트리가 필요하다

이처럼 **도메인 이름과 DNS에 의한 계층 구조를 도입한 경우, 각 계층을 관리하는 관리자(레지스트리)가 필요합니다.** 각 레지스트리는 다음과 같은 두 가지 책임이 있습니다.

1. 자신이 맡게 된(위임받은) 존을 관리한다.
2. 존을 위임한 경우, 그 존을 위임받은 사람(위임처)이 누구인지를 관리한다.

레지스트리와 그 관계자의 연계 및 협조

분산화된 이름인 도메인 이름과 DNS가 전체적으로 원활하게 작동하기 위해서는 각 범위를 관리하는 레지스트리와 그 관계자가 연계하고 협조해야 합니다(그림 1-21).

2장에서는 도메인 이름과 DNS를 원활하게 작동시키기 위해 빠뜨릴 수 없는 등록 관리의 구조와 세계적인 관리 체계를 설명합니다.

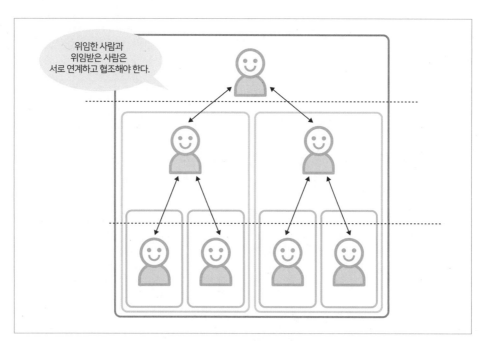

그림 1-21 각 레지스트리와 그 관계자는 연계하고 협조해야 한다

CHAPTER 2
도메인 이름의 등록 관리 구조와 관리 체계

이 장에서는 도메인 이름과 DNS를 원활히 작동시키기 위해 빠뜨릴 수 없는, 등록 관리의 구조와 세계적인 관리 체계를 설명합니다.

이 장의 키워드

- 레지스트리
- 레지스트리 데이터베이스
- 드롭 캐치
- Whois
- 커뮤니티 TLD
- 사이버 스쿼팅
- 인터넷주소자원에 관한 법률
- 레지스트리·레지스트라 모델
- 레지스트라
- 등록 대행자
- 지원 기구
- IANA

- 레지스트리 오퍼레이터
- 도메인 이름의 수명 주기
- 등록 정보
- ccTLD
- 지리명 TLD
- DRP

- 리셀러
- 인터넷 거버넌스
- ccNSO
- PTI

- 등록 규칙
- gTLD
- 브랜드 TLD
- UDRP

- 등록 대행자 제도
- ICANN
- GNSO

CHAPTER 2
Basic
Guide to
DNS

01

레지스트리란?

인터넷은 전체를 집중 관리하지 않는 분산 관리가 기본입니다. 1장에서 설명한 것처럼 DNS도 계층화와 위임을 통해서 각 조직에 의한 분산 관리를 실현하기 위한 구조 중 하나입니다.

그러나 인터넷에 연결된 호스트를 식별하기 위한 IP 주소(번호)나 도메인 이름(이름)과 같은 식별자는 예외적으로, 이용자가 혼란하지 않도록 통일되고 일원화된 관리를 해야 합니다. 그러한 일을 하는 조직을 **레지스트리(registry)**라고 하며 인터넷상의 번호나 이름을 할당하고 등록합니다. 이번 장에서는 레지스트리와 그 관계자에 의한 도메인 이름의 등록 관리 구조와 세계적인 관리 체계를 설명합니다.

> **COLUMN** 레지스트리와 레지스트리 오퍼레이터
>
> '레지스트리'라는 용어는 아래 두 가지 의미로 사용됩니다.
>
> 1) 식별자를 할당하고 등록 관리를 하는 **레지스트리 오퍼레이터**
> 2) 레지스트리 오퍼레이터가 취급하는 등록대장인 **레지스트리 데이터베이스**
>
> 이 책에서는 1)의 '레지스트리 오퍼레이터'를 레지스트리라고 지칭합니다.

IP 주소와 도메인 이름 관리의 차이

IP 주소와 도메인 이름은 그 특징으로 인해 할당 및 등록 관리에 대한 처리가 다릅니다. IP 주소는 한정된 자원을 인터넷 전체에서 공유하기 때문에, 이용 효율이나 공평한 할당과 같은 점을 고려해 세계적으로 일관성 있는 관리를 해야 합니다. 이를 위해 IP 주소 레지스트리는 규칙을 정하거나 레지스트리 간의 조정을 담당합니다.

한편, 도메인 이름은 하나의 네임 스페이스를 TLD마다 분할하고(TLD는 1장 04절 '도메인 이름의 구성' 참고), 각 TLD의 특색에 맞게 이용자의 다양한 요구에 부합하는 서비스를 운용할 수 있다는 유연성을 가집니다.

또한, 도메인 이름은 이용자에게 친근한 단체명, 서비스명, 상품명을 연상시키기 때문에 등록, 이용 중에 발생한 트러블, 분쟁을 해결하기 위한 구조도 필요합니다. 이 구조는 이번 절의 '도메인 이름과 상표권'에서 설명합니다.

이번 장에서는 도메인 이름 레지스트리의 중요성에 주목하고 그 역할을 살펴봅니다.

레지스트리의 역할

도메인 이름을 사용할 수 있도록 하기 위해서는 레지스트리에게 '이 도메인 이름을 사용하고 싶다'라는 등록 신청을 합니다. 신청을 접수한 레지스트리는 그 내용이 등록 요건에 부합하는지를 심사 및 확인하고 데이터베이스에 등록합니다. 이런 과정을 거쳐서 신청자는 그 도메인 이름을 사용할 권리를 얻게 됩니다.

등록한 도메인 이름에는 만료일이 설정되며, 그 **수명 주기**(life cycle)에 따라 운용해야 합니다(이 장의 칼럼 '도메인 이름의 수명 주기' 참고). 레지스트리는 신규 등록 외에, 등록자의 신청에 따라서 이미 등록된 도메인 이름의 등록 정보 갱신, 만료일 갱신, 삭제 등을 하면서 도메인 이름을 관리합니다.

레지스트리의 주된 역할 여섯 가지는 다음과 같습니다.

• 1) 레지스트리 데이터베이스의 운용 관리

등록 정보를 축적하고 관리하는 등록 대장인 '레지스트리 데이터베이스'를 운용합니다(그림 2-1). 등록 정보란, 도메인 이름을 등록하기 위해 필요한 개인의 이름, 조직명, 연락처와 같은 정보입니다.

• 2) 정책에 따른 등록 규칙의 제정

레지스트리는 자신이 등록 관리하는 도메인 이름의 **정책**을 정합니다. 그리고 그 정책을 실현하기 위한 **등록 규칙**과 세칙을 정하고 이용자에게 알립니다.

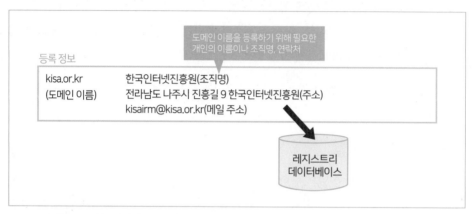

그림 2-1 레지스트리 데이터베이스의 운용 관리

• 3) 등록 신청 접수

레지스트리는 등록자로부터 도메인 이름의 등록 신청을 접수합니다. 신청된 도메인 이름을 규칙에 따라 심사하고 접수한 정보를 레지스트리 데이터베이스에 등록합니다.

• 4) Whois 서비스 제공

레지스트리는 자신이 관리하는 도메인 이름의 정보를 **Whois** 서비스로 제공합니다. Whois의 자세한 내용은 이 장의 칼럼 'Whois와 그 역할'을 참고하기 바랍니다.

• 5) 네임 서버 운용

관리 대상인 도메인 이름을 인터넷에서 이용할 수 있도록 하기 위한 **네임 서버**를 관리 및 운용합니다. 레지스트리의 네임 서버는 등록자가 등록한 위임 정보를 관리합니다(1장 05절의 'DNS 계층화와 위임의 구조' 참고).

• 6) 정보 전달 및 교육 활동

인터넷 전체를 원활하게 운용하기 위해 많은 레지스트리가 인터넷에 관한 정책, 거버넌스, 기술 등 각 분야의 정보를 전달하거나 교육 활동을 하고 있습니다.

COLUMN 도메인 이름의 수명 주기

도메인 이름은 한번 등록하면 영원히 사용할 수 있는 것이 아니라 만료일이 존재합니다. 만료일이 지난 도메인 이름은 일정 기간 후에 '삭제'로 취급되며, 삭제된 도메인 이름은 다시 등록할 수 있게 됩니다. KR 도메인 이름의 등록부터 삭제까지의 수명 주기는 그림 2-2와 같습니다.

도메인 이름의 등록은 기본적으로 선착순입니다. 그렇기에 다시 등록이 가능해진 도메인 이름은 누구라도 신청할 수 있습니다. 등록이 가능해진 순간을 노려서 원하는 도메인 이름을 재빨리 등록하는 행위를 **드롭 캐치(drop catch)**라고 합니다. 최근에는 악의를 가진 제3자가 삭제된 도메인 이름을 드롭 캐치해서 악용하는 사례가 많아졌습니다.

삭제된 도메인 이름을 제3자가 새로 등록했더라도 상표권 침해 등 DRP(이번 절의 '도메인 이름과 상표권'에서 설명)에 해당하는 사유가 없는 한, 제3자에 의한 도메인 이름의 등록 및 이용을 막을 수는 없습니다. 그렇기에 도메인 이름의 사용을 중단할 때는 충분한 주의가 필요합니다.

그림 2-2 **KR 도메인 이름의 수명 주기**[1]

---

1   KR 도메인 이름의 종류는 3장의 칼럼 'KR 도메인 이름의 종류' 참고

COLUMN Whois와 그 역할

Whois는 도메인 이름이나 IP 주소의 레지스트리가 관리하는 등록과 할당 정보를 인터넷에 공개하여 이용자가 참고할 수 있도록 해주는 서비스입니다. Whois는 주로 아래 세 가지 목적으로 레지스트리나 레지스트라(2장 02절 '레지스트리·레지스트라 모델과 레지스트리의 역할' 참고)가 제공합니다.

1) 기술적인 문제가 발생했을 때 당사자의 연락처 정보 확보
2) 도메인 이름의 등록 상태 확인
3) 보안 사고나 도메인 이름과 상표의 관계 등 비기술적인 문제 해결

KISA가 제공하는 KR 도메인 이름의 Whois(KISA WHOIS)에서는 그림 2-3과 같은 정보가 공개됩니다.

그림 2-3 KISA WHOIS에서 제공되는 정보('kisa.or.kr'을 검색했을 때)

레지스트리와 TLD의 관계

TLD마다 레지스트리가 존재하며, 각 레지스트리가 TLD를 관리하고 관리 정책이나 등록 규칙을 정합니다.

TLD는 크게 아래 두 종류로 나뉩니다.

- 국가나 지역마다 할당되는 도메인: **ccTLD(Country Code Top Level Domain)**
- 국가나 지역에 상관없는 도메인: **gTLD(Generic Top Level Domain)**

ccTLD의 문자열(라벨)에는 원칙적으로 ISO(국제 표준화 기구)의 ISO 3166-1로 규정된 두 글자의 국가코드가 사용됩니다. 한국에는 국가코드 'KR'이 할당되어 있습니다.

> **COLUMN** ccTLD가 두 글자가 된 이유
>
> ISO 3166-1에는 알파벳 두 글자를 사용한 'alpha-2', 알파벳 세 글자를 사용한 'alpha-3', 숫자 세 글자를 사용한 'numeric-3'가 규정되어 있습니다. ccTLD를 정할 때 세 글자인 TLD '.com'과 '.net' 등은 이미 사용되고 있고, 숫자는 IP 주소와 혼동할 우려가 있어서 채택되지 못하고 알파벳 두 글자를 사용한 alpha-2가 채택되었습니다.

한편, gTLD는 등록하는 데 특별한 제한이 없는 것과 일정 요건이 필요한 것, 두 가지가 있습니다. '.com'과 '.net'은 사용해 본 적이 있을 텐데, 등록하는 데 특별한 제한이 없는 gTLD입니다. 그러나 '.edu'나 '.gov'와 같은 gTLD의 등록은 제한이 있으며 등록 가능한 대상은 미국의 교육 기관이나 정부 기관으로 한정되어 있습니다.

TLD의 예시, 분류 및 관리를 하고 있는 레지스트리와 TLD 창설 시기의 리스트를 표 2-1에 나타내었습니다.

표 2-1 **TLD의 예시와 레지스트리**

TLD	분류	레지스트리*	TLD의 창설 시기*
.kr	ccTLD(한국)	한국인터넷진흥원(KISA)	1986년 9월
.한국	ccTLD(한국)	한국인터넷진흥원(KISA)	2011년 2월
.jp	ccTLD(일본)	일본 레지스트리 서비스(JPRS)	1986년 8월

.cn	ccTLD(중국)	China Internet Network Information Center(CNNIC)	1990년 11월
.uk	ccTLD(영국)	Nominet UK	1985년 7월
.com	gTLD	VeriSign, Inc.	1985년 1월
.net	gTLD	VeriSign, Inc.	1985년 1월
.org	gTLD	Public Interest Registry(PIR)	1985년 1월
.biz	gTLD	Neustar, Inc.	2001년 6월
.club	gTLD	.CLUB DOMAINS, LLC	2014년 1월
.pharmacy	gTLD	National Association of Boards of Pharmacy(NABP)	2014년 8월
.tokyo	gTLD	GMO 도메인 레지스트리 주식회사	2014년 1월

*레지스트리·TLD의 창설 시기는 IANA Whois 정보에 기반함

COLUMN gTLD의 변천

인터넷에 도메인 이름과 DNS가 도입된 1985년에 창설된 gTLD는 .com, .edu, .gov, .mil, .net, .org로 여섯 개였습니다. 이후 1988년에 국제단체가 사용하는 .int가 도입되어 일곱 개의 gTLD가 운용되어 왔습니다. 또한, 여기에 더해 ARPANET[2]에서 기술을 이전하기 위한 용도인 .arpa도 창설되었습니다. 이후 .arpa는 인프라스트럭처 도메인[3]으로 전환되어 IP 주소의 역방향(6장의 칼럼 '역방향을 설정하기 위한 PTR 리소스 레코드' 참고) 등에서 사용되고 있습니다.

1990년대 후반부터 인터넷의 급속한 발전과 상용화가 진행되면서 점차 인터넷 업계로부터 새로운 TLD의 도입을 요구하는 목소리가 나오기 시작했습니다. 그 목소리에 응답하기 위해 2000년과 2003년에 새로운 TLD를 모집했고 심사 결과로 아래의 gTLD가 도입되었습니다.

- 2000년 모집에서 도입: .biz, .info, .name, .museum, .aero, .coop, .pro
- 2003년 모집에서 도입: .travel, .jobs, .mobi, .cat, .tel, .asia, .xxx, .post

그 뒤 2012년에 세 번째 모집이 있었습니다. 세 번째 모집은 2000년, 2003년 모집과는 다르게 요건을 미리 제시하고서 그 요건을 만족하는 것에 대해서는 기본적으로 gTLD의 창설을 인정한다는 것이었습니다. 이렇게 2012년 모집으로 인해 다수의 gTLD가 추가되었습니다. 현재는 1,200개가 넘는 gTLD가 운용되고 있습니다. 또한, 2021년 2월을 기준으로 다음 추가 모집의 검토가 진행되고 있으나 구체적인 모집 시기는 미정입니다.

---

2 알파넷. 인터넷의 기원이 된 미국의 네트워크
3 통신 프로토콜 내부에서 사용되는 도메인 이름

COLUMN 새로운 분류의 gTLD

2012년 모집에서 지금까지와는 다른, 새로운 분류의 gTLD가 탄생했습니다.

• **커뮤니티 TLD(Community-based TLD 또는 Community TLD)**

특정 커뮤니티나 그룹의 이용을 전제로 한 gTLD입니다. 예를 들어 제약 업계를 대상으로 한 '.pharmacy' 나 은행 업계를 대상으로 한 '.bank'가 있습니다.

• **지리명 TLD(Geographical TLD 또는 Geographic names TLD)**

각국의 도시, 지역명 등을 대상으로 한 gTLD입니다. 지리명 TLD의 예시를 표 2-2에 나타내었습니다.

표 2-2 **지리명 TLD(위에서부터 창설된 순으로 표시)**

TLD	창설 시기*
.berlin(베를린)	2013년 12월
.tokyo(도쿄)	2014년 1월
.paris(파리)	2014년 3월
.kyoto(교토)	2015년 1월
.dubai(두바이)	2015년 12월
.africa(아프리카)	2017년 2월

* IANA Whois 정보에 기반함

• **브랜드 TLD(Brand TLD)**

기업명이나 조직명, 상표 등의 문자열을 사용한 gTLD입니다.

도메인 이름과 상표권

도메인 이름은 이용자에게 친숙한 단체명, 서비스명, 상품명을 연상시킵니다. 그렇기에 해당 문자열로 인한 트러블이나 분쟁 발생에 대응해야 합니다. 대응이 필요한 항목으로 는 도메인 이름을 부정한 목적으로 등록하고 사용하는 **사이버 스쿼팅**(cybersquatting)이 있습니다(그림 2-4).

사이버 스쿼팅의 구체적인 사례에는 다음과 같은 행위가 있습니다.

• 타인이 권리를 갖는 상표나 상호 등의 문자열이 포함된 도메인 이름을 먼저 등록해, 되팔기 등을 도모하는 행위

• 도메인 이름에 저명한 이름을 사용해서 고의로 이용자를 오인, 혼동시켜 자신의 웹사이트로 많은 이용자를 불러들이는 행위

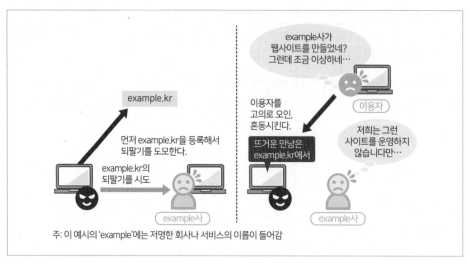

주: 이 예시의 'example'에는 저명한 회사나 서비스의 이름이 들어감

그림 2-4 **사이버 스쿼팅의 예시**

이런 행위에 대응하기 위해 도입된 것이 **DRP(Domain Name Dispute Resolution Policy, 도메인 이름 분쟁처리방침)**입니다. DRP는 도메인 이름의 등록과 사용에서 생긴 분쟁을 처리하기 위한 구조로, TLD마다 제정되고 적용됩니다.

gTLD에 적용되는 분쟁처리방침은 **UDRP(Uniform Domain name dispute Resolution Policy)**이며, KR 도메인 이름에 적용되는 분쟁처리방침은 **인터넷주소자원에 관한 법률 제4장, 인터넷주소자원에 관한 법률 시행령, 인터넷주소분쟁조정세칙**입니다.

DRP의 목적은 부정한 목적에 의한 도메인 이름의 등록과 사용에 기인한 분쟁을 해결하기 위해 권리자의 제기에 근거해 심리하며, 그 결과를 가지고 신속하게 해당 도메인 이름의 이전이나 취소를 하는 것입니다.

DRP의 중재 결과는 재판의 판결과는 달리 법적 구속력을 가지지 않지만 레지스트리는 DRP의 중재에 근거해 도메인 이름의 이전이나 삭제 수속을 진행합니다. 또한, DRP가 취급하는 범위는 부정한 목적에 의한 도메인 이름의 등록과 사용에 한정됩니다. 그렇기에 상표나 상호 권리자(소유자) 간의 분쟁은 대상 밖입니다.

예를 들면, 분쟁 당사자가 다음과 같은 사례에 해당할 때는 DRP의 대상 밖입니다.

- 개인의 이름과 기업명이 동일할 때
- 서비스명에 대해서 같은 종류의 서비스를 제공하는 기업 간일 때

CHAPTER 2
Basic
Guide to
DNS

02

레지스트리·레지스트라 모델과
레지스트라의 역할

도메인 이름을 사용하기 위해서는 그 도메인 이름을 관리하는 레지스트리의 레지스트리 데이터베이스에 등록해야 합니다. 현재 .kr이나 .com/.net 등 주요한 TLD는 **레지스트리·레지스트라 모델**(registry·registrar model)을 등록 구조로 채택하고 있습니다.

레지스트리·레지스트라 모델

레지스트리·레지스트라 모델은 도메인 이름의 등록 관리를 다음과 같이 두 가지 역할로 분리하고 있습니다(그림 2-5).

- 도메인 이름을 일원화 관리하는 **레지스트리**
- 도메인 이름의 등록자로부터 신청을 중개하는 **레지스트라**

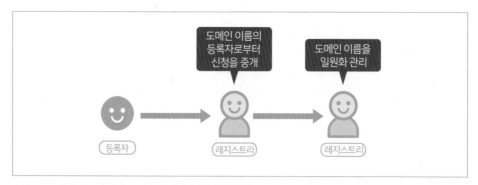

그림 2-5 레지스트리·레지스트라 모델에서 역할의 분리

역할을 분리하는 이유는 도메인 이름의 등록에서 등록될 도메인 이름을 고유하게 하면서 가격이나 서비스의 다양성을 확보하기 위해서입니다. 그래서 하나의 TLD에 대해서 레지스트리는 하나이지만 레지스트라는 보통 여럿이 존재합니다(그림 2-6).

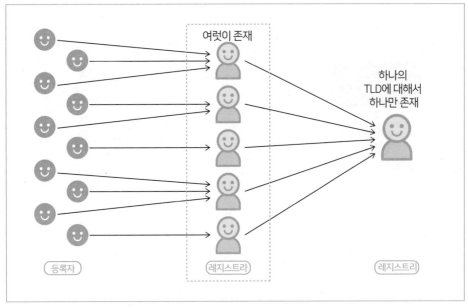

그림 2-6 하나의 TLD에 대해서 레지스트리는 하나이지만 레지스트라는 여럿이 존재한다

레지스트리·레지스트라 모델에서 각 레지스트라는 획일적인 서비스가 아닌 다양한 서비스를 등록자에게 제공할 수 있습니다. 레지스트라는 독자적인 서비스나 가격 설정이 가능하고, 등록자는 자신에게 맞는 레지스트라를 고를 수 있습니다(그림 2-7).

레지스트리·레지스트라 모델에는 레지스트라를 통해서 등록한 도메인 이름을 다른 등록자에게 재판매하는 **리셀러(reseller)**도 존재합니다. 리셀러는 레지스트라와 등록자 사이에서 도메인 이름의 등록에 관한 각종 신청을 중개합니다(그림 2-8). 리셀러는 레지스트리와의 계약 관계가 없으며 해당 도메인 이름을 취급하는 레지스트라와 계약을 맺고, 등록자로부터 레지스트라에게 도메인 이름의 등록을 중개합니다. 따라서 등록자 입장에서 볼 때 도메인 이름의 등록을 접수하는 사업자가 레지스트라인 경우도 있고, 리셀러인 경우도 있습니다.

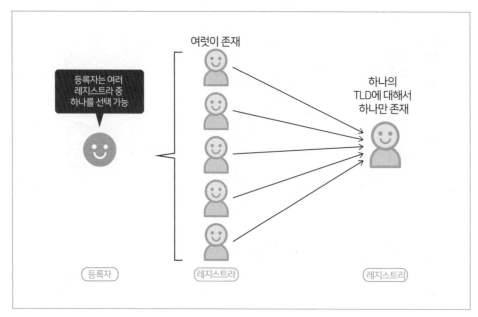

그림 2-7　등록자는 여러 레지스트라가 제공하는 서비스 중에서 자신에게 맞는 것을 고를 수 있다

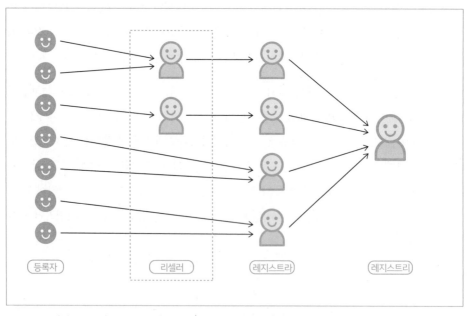

그림 2-8　레지스트라와 등록자 사이를 중개하는 리셀러도 존재한다

COLUMN KR 도메인 이름의 등록 대행자 제도

.com/.net과 같이 KR 도메인 이름도 레지스트리·레지스트라 모델을 채택하고 있으며, KISA에서는 이 모델을 **등록 대행자 제도**라고 부릅니다. **등록 대행자**는 레지스트리·레지스트라 모델에서 레지스트라에 해당합니다(그림 2-9).

KISA와 등록 대행자는 등록 대행 계약을 맺으며 등록 대행자는 계약에 따라 다음과 같은 업무를 수행합니다.

- 등록자 요청에 따라 KR 도메인 이름의 레지스트리 데이터베이스에 도메인 이름 등록
- KR 도메인 이름의 레지스트리 데이터베이스에 도메인 이름의 등록자 정보 등록
- KR 도메인 이름의 레지스트리 데이터베이스에 네임 서버 정보 등록
- 등록자의 요청에 따라 등록된 정보를 적절히 유지 관리
- 도메인 이름의 등록 및 갱신에 따른 비용 납부

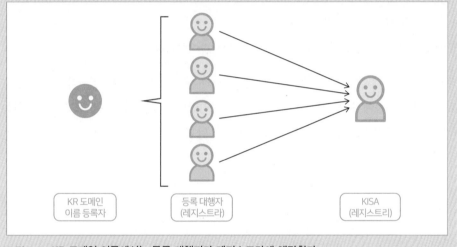

그림 2-9 **KR 도메인 이름에서는 등록 대행자가 레지스트라에 해당한다**

레지스트라의 역할

이 절의 서두에서 설명한 것처럼 .kr이나 .com/.net과 같은 TLD는 레지스트리·레지스트라 모델을 채택하고 있고 등록자는 레지스트라를 통해서 도메인 이름을 등록합니다.

레지스트라의 주요 역할 네 가지는 다음과 같습니다.

• 1) 등록자로부터 등록 신청 접수

도메인 이름의 등록자로부터 등록 신청을 접수합니다.

• 2) 레지스트리 데이터베이스에 등록 의뢰

등록자의 신청에 따라 레지스트리에게 도메인 이름의 등록을 의뢰합니다. 또한, 그 결과를 등록자에게 알립니다.

• 3) Whois 서비스 제공

자신이 취급하는 도메인 이름에 관한 Whois 서비스를 제공합니다.

• 4) 등록자 정보 관리

도메인 이름의 등록을 신청한 등록자의 정보를 관리합니다.

레지스트리와 레지스트라의 역할 분담은 TLD의 종류에 따라 달라집니다. 예를 들면, KR 도메인 이름에서 Whois 서비스는 레지스트리만이 제공하며, 등록 정보를 관리하는 책임의 범위도 KR 도메인 이름과 gTLD가 서로 다릅니다.

도메인 이름 등록하기

이번 절에서는 레지스트리·레지스트라 모델에서 도메인 이름을 등록하는 흐름을 설명합니다. 레지스트리·레지스트라 모델에서는 등록자·리셀러·레지스트라·레지스트리로 4명이 등장하지만 이 책에서는 간결한 설명을 위해 등록자·레지스트라·레지스트리의 3명을 모델로 설명합니다(그림 2-10).

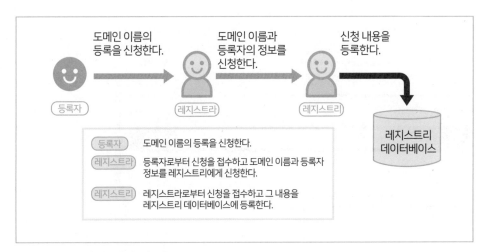

그림 2-10 **도메인 이름 등록의 흐름**

이제부터는 등록자인 김예나가 'example.kr'이라는 도메인 이름을 등록하는 경우를 예시로 들어 실제 작업 내용을 확인해 봅시다.

등록자가 하는 일

도메인 이름을 등록하기 전에 김예나가 해야 할 일이 있습니다.

• 1) 도메인 이름이 등록 가능한지 확인하기

먼저 해야 할 일은 등록하고 싶은 도메인 이름이 등록 가능한지 확인하는 것입니다. 만약 누군가가 example.kr을 먼저 등록했다면, 김예나는 example.kr을 등록할 수 없습니다. 도메인 이름이 등록 가능한지는 레지스트리가 제공하는 Whois 서비스를 이용해서확인할 수 있습니다.

이미 등록된 경우라면 그 도메인 이름의 등록자 정보가 표시됩니다(이 장의 칼럼 'Whois와그 역할'의 그림 2-3). 또한, 그 도메인 이름은 등록할 수 없기 때문에 다른 문자열(라벨)을선택해야 합니다. 도메인 이름이 등록 가능할 때에는 '상기 도메인 이름은 등록되어 있지않습니다'라는 내용이 표시됩니다(그림 2-11). 표시된 메시지의 내용은 TLD에 따라서 다르지만 기본적인 표현 방식은 같습니다.

그림 2-11 KISA WHOIS에서 검색한 도메인 이름이 등록되지 않았을 때의 화면

• 2) 도메인 이름을 신청할 사업자 선택하기

다음으로는 등록하고 싶은 도메인 이름을 신청할 사업자를 선택합니다. 김예나가 등록하려고 하는 'example.kr'은 KR 도메인 이름입니다. 앞에서 언급한 것처럼 KR 도메인 이름은 레지스트리·레지스트라 모델을 채택하고 있기에 다수의 사업자가 취급하고 있습니다. 가격이나 서비스 내용을 비교하고 마음에 드는 사업자(레지스트라)를 선택하면 됩니다(그림 2-12).

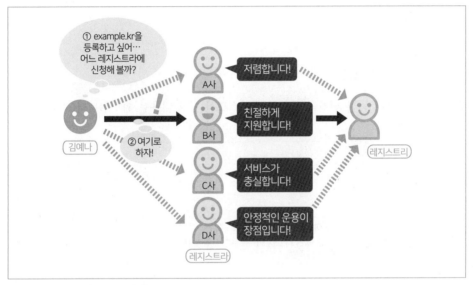

그림 2-12 **마음에 드는 사업자(레지스트라)를 선택한다**

• 3) 제출해야 할 정보 준비하기

등록하기 전에 레지스트라에게 제출해야 할 정보를 준비해야 합니다. 도메인 이름을 등록할 때는 등록자의 전화번호나 메일 주소와 같은 연락처 정보가 필요합니다. 또한, 도메인 이름의 종류에 따라서는 등록 요건이 설정된 경우가 있고 그 요건을 충족하는지를 증명하기 위해 사업자 등록증 등이 필요한 경우가 있습니다.

이런 준비를 마친 후에 레지스트라에게 도메인 이름의 등록을 신청합니다.

레지스트라가 하는 일

• 1) 신청 내용 확인하기

김예나로부터 등록 신청을 접수받은 레지스트라는 그 내용을 확인합니다.

• 2) 레지스트리 데이터베이스 등록 신청하기

신청 내용을 확인한 후 레지스트리 데이터베이스 등록을 하기 위한 신청을 레지스트리에게 제출합니다.

레지스트리가 하는 일

레지스트라로부터 등록 신청을 접수한 레지스트리는 그 내용을 확인합니다(그림 2-13).

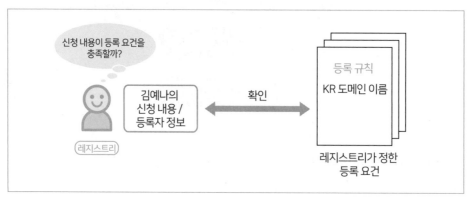

그림 2-13 등록 신청 내용이 등록 요건을 충족하는지 확인한다

내용이 등록 요건을 충족하면, 레지스트리 데이터베이스에 정보를 등록합니다. 이렇게 해서 도메인 이름의 등록이 완료됩니다. 그러고 나서 레지스트리가 레지스트라에 등록이 완료되었음을 알립니다. 알림을 받은 레지스트라는 김예나에게 도메인 이름이 등록 완료되었음을 알립니다(그림 2-14).

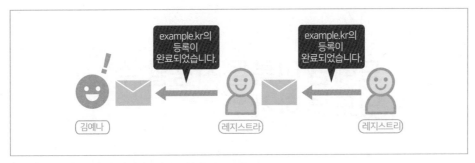

그림 2-14 등록이 완료되면 등록자에게 알림이 전달된다

04

도메인 이름을 사용할 수 있도록 하기

앞 절에서 김예나는 도메인 이름 'example.kr'을 등록했습니다. 그러나 등록만 해서는 실제로 도메인 이름을 사용할 수가 없습니다. 여기서 말하는 '도메인 이름을 사용할 수 있도록 하기'는 예를 들면, '그 도메인 이름을 가진 웹사이트에 웹 브라우저로 접속할 수 있도록 하기'라는 의미입니다.[4]

웹사이트에 접속할 수 있도록 하기 위해서는 그 도메인 이름을 인터넷에서 사용할 수 있도록 하기 위한 정보, 즉 DNS 정보를 관리하는 '네임 서버'를 등록해야 합니다(1장 05절의 'DNS 계층화와 위임의 구조' 참고). 네임 서버를 직접 구축하기 위해서는 이 책에서 배우는 DNS의 구조를 알아야 합니다. 또한, 최근에는 네임 서버를 제공하는 사업자의 서비스를 이용하는 것도 일반화되었습니다(이 장의 칼럼 '외부 서비스의 이용' 참고).

네임 서버를 구축하기 위한 설계와 구체적인 설정 방법은 실전 편에서 설명합니다. 여기서는 구축한 네임 서버의 정보를 레지스트리에 등록하는 흐름을 순서대로 설명합니다.

등록자가 하는 일

김예나가 등록한 'example.kr'을 사용할 수 있도록 하기 위해서는 아래 세 가지 준비를 합니다.

• 1) 자신의 도메인 이름을 처리하는 네임 서버를 인터넷에 구축하기

도메인 이름을 사용할 수 있도록 하기 위해서는 그 도메인 이름의 정보를 처리하는 '네임 서버'를 인터넷에 구축해야 합니다. 이 네임 서버는 인터넷의 어디에서라도 접근할 수 있

---

4 도메인 이름을 등록할 때 레지스트라나 리셀러가 초기 설정용 웹사이트를 제공하는 경우가 있습니다.

어야 합니다(그림 2-15).

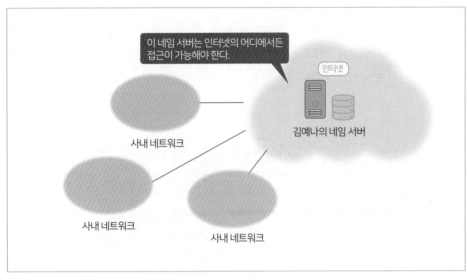

그림 2-15 네임 서버를 인터넷에 구축하기

• 2) 등록한 도메인 이름의 정보를 1)에서 구축한 네임 서버에 설정하기

1)에서 구축한 네임 서버에 도메인 이름의 정보를 설정합니다(그림 2-16). 김예나가 등록한 도메인 이름은 'example.kr'이니까 example.kr의 정보를 설정합니다. 이를 통해 example.kr을 사용할 수 있도록 하는 데 필요한 'example.kr의 IP 주소는 192.0.2.10'이라는 정보가 네임 서버에 설정됩니다.

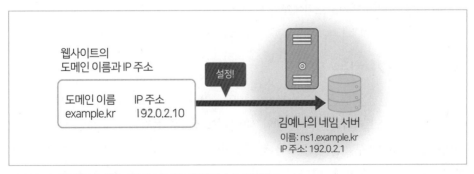

그림 2-16 등록한 도메인 이름의 정보를 네임 서버에 설정하기

• 3) 네임 서버가 인터넷에서 온 질문에 대답할 수 있는지 확인하기

네임 서버로의 접근은 인터넷에서 이루어집니다. 그리고 설정한 정보를 제대로 대답할 수 있어야 합니다. 예를 들면, 'example.kr의 IP 주소는?'이라는 질문을 받았을 때 'example.kr의 IP 주소는 192.0.2.10입니다'라고 대답해야 합니다(그림 2-17). 구체적인 확인 방법은 실전 편에서 설명합니다.

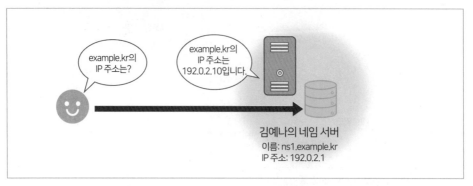

그림 2-17 네임 서버가 인터넷에서 온 질문에 대답할 수 있는지 확인하기

네임 서버의 준비가 완료되면 김예나는 도메인 이름을 등록할 때 이용했던 사업자(레지스트라)에게 네임 서버 정보의 설정을 신청합니다.

레지스트라가 하는 일

김예나의 신청을 접수한 레지스트라는 레지스트리 데이터베이스에 네임 서버 정보를 설정하기 위한 신청을 레지스트리에게 합니다.

레지스트리가 하는 일

레지스트라의 신청을 받은 레지스트리는 네임 서버 정보를 레지스트리 데이터베이스에 등록하고, 레지스트리가 관리하는 네임 서버에 그 정보를 설정합니다(그림 2-18). 이번 예시에서는 김예나가 구축한 네임 서버 정보를 레지스트리가 관리하는 KR 존의 네임 서버에 설정합니다. 이를 통해 부모(kr)에게 자식(example.kr)의 네임 서버 정보가 설정되어 레지스트리와 등록자의 관계는 DNS에서 말하는 부모-자식 관계가 됩니다(1장 05절의 'DNS 계층화와 위임의 구조' 참고).

지금까지의 절차를 완료하면 실제로 웹 서버를 구축해서 그 도메인 이름을 가진 웹사이트에 웹 브라우저로 접근할 수 있는지를 확인할 수 있습니다.

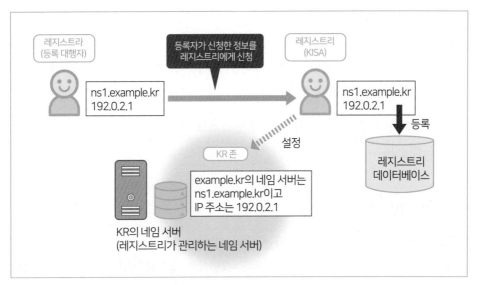

그림 2-18 레지스트리 데이터베이스에 등록하고, 레지스트리가 관리하는 네임 서버에 설정한다

COLUMN 외부 서비스의 이용

등록한 도메인 이름을 사용할 수 있도록 하기 위해서는 등록자(이번 예시에서는 김예나)가 자신의 도메인 이름 정보를 처리하는 네임 서버를 준비해야 합니다. 등록자가 네임 서버를 직접 구축하는 것도 가능하지만 현재는 네임 서버를 제공하는 사업자의 서비스를 이용하는 것이 일반적입니다. 사업자의 서비스에는 도메인 이름의 등록 대행부터 네임 서버의 설정까지 모든 것을 일괄로 해주거나 도메인 이름의 등록을 접수하는 레지스트라가 네임 서버의 설정도 함께 제공하는 등 다양한 서비스가 있습니다.

이런 서비스를 이용하면 등록자가 직접 서버를 구입해 설정하거나 전용회선을 연결하는 등의 작업을 할 필요가 없어져 비용 절감, 서비스 개시의 시간 단축, 안정된 서비스의 제공을 기대할 수 있습니다. 따라서 최근에는 대기업이나 대규모 인터넷 서비스에서도 외부 서비스를 적극적으로 이용하는 사례가 늘어나고 있습니다. 외부 서비스를 이용할 때도 이번 절에서 설명한 도메인 이름을 사용할 수 있도록 하기 위한 과정과 흐름을 알아두면 사업자가 무슨 서비스를 어떻게 제공하고 있는지 파악하기 쉬우며 외부 서비스를 이용하고 선택할 때 도움이 될 것입니다.

05

도메인 이름의 세계적인
관리 체계

인터넷에는 수많은 TLD가 존재하고 TLD마다 레지스트리가 존재합니다. 그리고 전 세계 인터넷이 원활하게 제 기능을 하는 것처럼, 그러한 TLD에 걸쳐서 도메인 이름의 관리 체계 정비나 조정이 이루어지고 있습니다.

여기서는 도메인 이름의 세계적인 관리 체계 그리고 인터넷 전체와 연관되는 의사 결정의 틀을 설명합니다.

인터넷 거버넌스란?

인터넷 거버넌스(Internet governance)라는 말의 의미는 사용하는 상황이나 사람에 따라 다르며 시간에 따라서도 변화해 왔습니다. 그렇기에 명확한 정의를 하기는 어렵지만 ICANN(다음 항에서 설명)의 용어 해설에서는 '세계적인 인터넷 커뮤니티의 많은 이해 관계자가 협력하여 인터넷의 진화와 이용을 형성하는 규칙, 규범, 구조, 조직'이라고 설명되어 있습니다.[5]

2장의 서두에서도 언급한 것처럼 인터넷은 전체를 집중 관리하지 않고 분산 관리하는 것이 기본입니다. 그렇기에 특정 나라나 조직이 일원화 관리를 하거나 소유하는 구조가 아닙니다. 이 사고방식은 인터넷 초기 시절부터 제창되어 왔고, 모두의 것을 모두가 만들어 가자는 사고하에 다양한 규칙 만들기나 의사 결정 방식이 채택되어 왔습니다(이 장의 칼럼 'The Internet is for Everyone' 참고).

---

5 원문: "The rules, norms, mechanisms, and organizations through which the global Internet community's many stakeholders work together to shape the evolution and use of the Internet." (ICANN Acronyms and Terms, https://www.icann.org/en/icann-acronyms-and-terms/internet-governance-en에서 인용)

COLUMN 'The Internet is for Everyone'

이것은 '인터넷의 아버지' 중 한 명으로 알려진 빈트 서프(Vint Cerf)의 유명한 말입니다. 직역하면 '모두를 위한 인터넷'으로, 인터넷은 특정 사람이나 조직에 속하는 것이 아닌 모두의 것이라는 사고방식을 표현하고 있습니다.

인터넷 식별자에 관한 세계적인 관리 및 조정

도메인 이름이나 IP 주소 등 인터넷 식별자를 세계적으로 관리하고 조정하는 역할은 **ICANN(Internet Corporation for Assigned Names and Numbers, 아이칸)**이라는 조직이 담당하고 있습니다. ICANN은 인터넷 커뮤니티의 지지를 받아 1998년 9월 미국에서 설립된 비영리 법인입니다.

ICANN의 조직 구성을 그림 2-19에 나타내었습니다.

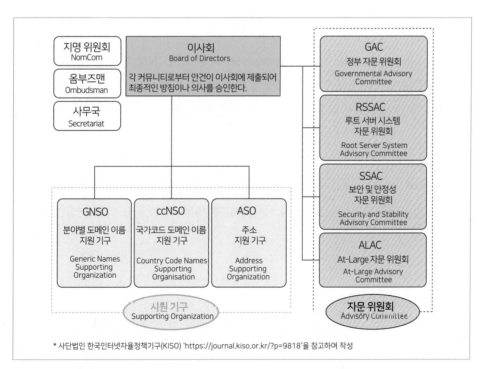

* 사단법인 한국인터넷자율정책기구(KISO) 'https://journal.kiso.or.kr/?p=9818'을 참고하여 작성

그림 2-19 **ICANN의 조직 구성**

ICANN의 주요 역할은 다음과 같습니다.

- 인터넷 식별자의 관리 및 조정
- DNS 루트 서버 시스템의 운용 및 조정
- 위 두 가지 기술적 기능에 관한 정책의 제정 및 조정

ICANN은 세계적인 수준에서 이러한 방침을 제정하고 조정하기 때문에 각 조직이 메일링 리스트를 이용한 의론 및 검토와 온라인 회의를 하며 전 세계 누구라도 참가할 수 있는 회의를 연 3회 개최하고 있습니다. 그리고 ICANN 각 조직에서 이루어지는 의론 및 검토와 일반 참가자의 의견 등도 참고하면서 ICANN 이사회가 방침을 승인합니다.

도메인 이름에 관한 정책 검토

도메인 이름에 관한 정책은 ICANN에 설치된 두 개의 **지원 기구**가 검토합니다.

• ccNSO

ccNSO(Country Code Names Supporting Organisation)는 ICANN의 활동을 뒷받침하는 지원 기구 중 하나입니다. ccTLD 전체에 걸쳐 세계적인 과제에 관한 정책안을 제정하며 ICANN 이사회에 제안이나 보고 등을 하는 역할을 담당합니다.

• GNSO

GNSO(Generic Names Supporting Organization)은 ccNSO와 같은 지원 기구 중 하나입니다. gTLD의 정책안을 제정하며 ICANN 이사회에 제안이나 보고 등을 하는 역할을 담당합니다.

IANA

ICANN의 역할 중 하나인 인터넷 식별자에 관한 관리 및 조정은 **IANA(Internet Assigned Numbers Authority, 아이아나)**라는 기능이 담당하고 있습니다. IANA는 도메인 이름이나 IP

주소, AS 번호, 통신 프로토콜에서 사용되는 이름이나 번호와 같은 인터넷 식별자(인터넷 자원이라고도 불립니다)의 근본적인 부분을 관리합니다. 현재 IANA는 ICANN의 계열사인 **PTI(Public Technical Identifiers)**가 운용하고 있습니다.

Basic
Guide to
DNS

CHAPTER **3**
DNS의 이름 풀이

이 장에서는 DNS에 의한 이름 풀이의 구조와 작동, 위임의 중요성을 설명합니다.

이 장의 키워드

- 이름 풀이
- 질의
- 응답
- iterative resolution
- 계층 구조를 따라가는 것
- 위임 정보
- 나 대신 이름 풀이를 해주고

01

이름 풀이의 구조

이용자의 요구에 따라 도메인 이름에 대응하는 IP 주소를 찾아내는 것을 **이름 풀이**(name resolution)라고 하며, 이 이름 풀이라는 구조는 DNS의 중요한 기본 기능입니다(1장 05절의 'DNS란?' 참고). 여기서는 DNS에 의한 이름 풀이의 기본적인 작동법을 확인해 나갑니다.

질의와 응답

이름 풀이의 기본은 **질의**와 **응답**입니다. 질의와 응답을 통한 주고받기는 정보를 알고 싶은 사람과 정보를 제공하는 사람 사이에서 일어납니다. 그리고 그 주고받기에는 세 가지 약속이 있습니다(그림 3-1).

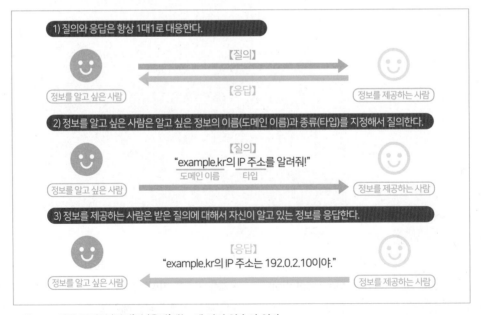

그림 3-1 이름 풀이의 '질의'와 '응답'에는 세 가지 약속이 있다

• 1) 질의와 응답은 항상 1대1로 대응한다

질의에 대응하지 않는 응답이 오거나, 한 개의 질의에 두 개의 응답이 오는 일은 없습니다.

• 2) 정보를 알고 싶은 사람은 알고 싶은 정보의 이름(도메인 이름)과 종류(타입)를 지정해서 질의한다

'example.kr의 IP 주소'와 같이 이름과 종류 양쪽을 지정해야 합니다.

• 3) 정보를 제공하는 사람은 받은 질의에 대해 자신이 알고 있는 정보를 응답한다

DNS에서는 이 세 가지 약속에 따라서 이름 풀이를 실행합니다.

계층 구조를 따라가는 것

DNS에서는 계층화와 위임에 의해 루트를 정점으로 하는 계층 구조가 만들어집니다 (그림 3-2와 1장 05절의 'DNS 계층화와 위임의 구조' 참고). DNS에 의한 이름 풀이의 기본은 정점인 루트의 네임 서버에서부터 계층의 순서를 따라가, 알고 싶은 정보를 질의하여 필요한 정보를 입수하고 최종 목적인 IP 주소를 얻는 것입니다. DNS에서는 이런 행위를 **iterative resolution**(반복에 의한 풀이)이라고 합니다. 이 책에서는 앞으로 iterative resolution에 의한 이름 풀이를 **계층 구조를 따라간다**고 표현합니다.

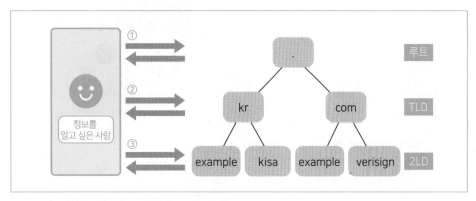

그림 3-2 iterative resolution(반복에 의한 풀이)

정보를 알고 싶은 사람이 DNS의 계층 구조를 따라가 이름 풀이를 하기 위해서는 적절한 질의처를 알아야 합니다. 그래서 DNS에서는 자식(위임처)의 네임 서버 정보를 부모(위임자)에게 등록하고, 위임한 도메인 이름에 대한 질의를 받은 부모는 다음 질의처로 자식의 네임 서버 정보를 응답하는 구조를 채택했습니다. 이 구조에 의해 질의자는 위임에 의한 계층 구조를 따라갈 수 있게 됩니다.

그림 3-3을 사용해 부모와 자식 간의 계층 구조를 따라가는 예시를 살펴보겠습니다. 여기서는 A가 example.kr의 IP 주소(IPv4 주소)를 질의했을 때 루트와 kr 사이의 계층을 따라가는 흐름을 설명합니다.

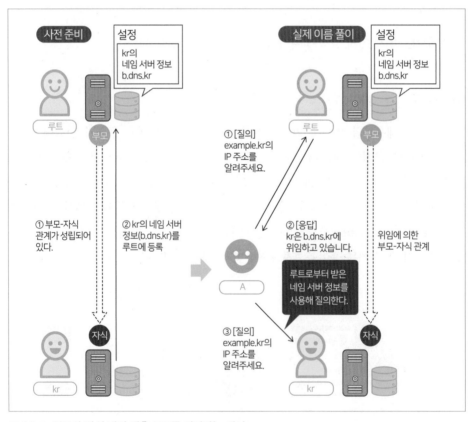

그림 3-3 부모와 자식 간의 계층 구조를 따라가는 예시

- ● **사전 준비(그림 3-3 왼쪽)**

  1. 루트와 kr 사이에는 위임에 의한 부모-자식 관계가 성립되어 있다. 루트가 부모, kr이 자식이 된다.

  2. kr은 부모인 루트에게 자신의 네임 서버 정보를 등록한다. 루트는 kr이 등록한 네임 서버 정보를 자신의 네임 서버에 등록 및 설정한다.

- ● **실제 이름 풀이(그림 3-3 오른쪽)**

  1. 위임에 의한 부모-자식 관계가 성립된 상태에서 A가 루트에게 'example.kr의 IP 주소를 알려주세요'라고 질의한다.

  2. 루트는 kr에 대해서는 위임처의 네임 서버 정보만 알고 있기에 kr의 네임 서버 정보(그림 3-3의 예시에서 b.dns.kr)를 응답한다.

  3. A는 루트로부터 얻은 kr의 네임 서버 정보를 사용해 b.dns.kr에게 질의한다.

이렇게 해서 DNS의 계층 구조를 루트에서부터 순서대로 따라가는 것이 이름 풀이 구조의 기본입니다.

02

이름 풀이의 작동

이전 절에서 배운 계층 구조를 따라가는 것에 조금은 익숙해졌을 것이라고 생각합니다. 여기서는 이름 풀이의 작동을 조금 더 구체적으로 살펴보겠습니다. 앞 절과 마찬가지로 A가 example.kr의 IP 주소를 질의하는 사례를 예시로 들어 설명합니다.

우선, 설명하기에 앞서 이름 풀이의 네 가지 포인트를 확인해 보겠습니다.

1. A가 보내는 질의는 항상 같은 내용이다.
2. A가 보낸 질의를 받은 네임 서버는 자신이 알고 있는 정보를 응답한다.
   ① 네임 서버가 그 도메인 이름을 다른 네임 서버에게 위임하고 있을 때는 위임처(자식)의 네임 서버 정보를 응답한다.
   ② 네임 서버가 그 도메인 이름의 정보를 가지고 있을 때는 그 정보를 응답한다.
3. A는 응답이 네임 서버 정보에 관한 것인지 원하는 응답인지에 따라 행동을 변경한다.
4. 네임 서버 정보를 받았을 때, A는 그 정보에 적힌 네임 서버에게 질의한다.

구체적인 작동의 예시

루트에서부터 계층 구조를 따라가 이름 풀이를 할 때의 질의와 응답의 흐름을 그림 3-4에 나타내었습니다.

• ① 질의

우선, A는 계층 구조의 정점인 루트의 네임 서버로 알고 싶은 정보의 이름과 종류(이 예시에서는 example.kr의 IP 주소)를 지정해서 질의를 보냅니다.

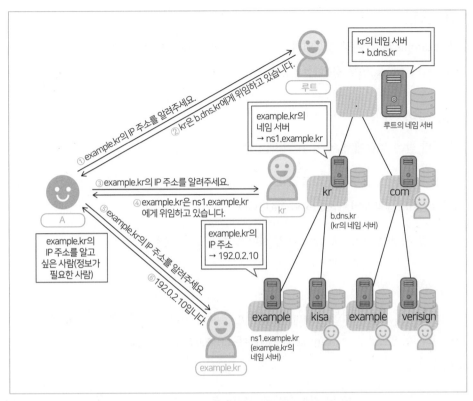

그림 3-4 루트에서부터 계층을 따라가 이름 풀이를 할 때의 질의와 응답의 흐름

• ② 응답

루트는 kr을 위임하고 있기 때문에 위임처인 kr의 네임 서버 정보(이 예시에서는 b.dns.kr)
를 응답합니다.

• ③ 질의

루트로부터 받은 응답에서 아래 두 가지를 알 수 있습니다.

- 루트는 kr을 위임하고 있다.
- 위임처의 네임 서버는 b.dns.kr이다.

이 정보를 사용해 kr의 네임 서버로 ①과 같은 질의를 보냅니다.

- ④ 응답

kr은 example.kr을 위임하고 있기 때문에 위임처인 example.kr의 네임 서버 정보(이 예시에서는 ns1.example.kr)를 응답합니다.

- ⑤ 질의

kr로부터 받은 응답에서 아래 두 가지를 알 수 있습니다.

- kr은 example.kr을 위임하고 있다.
- 위임처의 네임 서버는 ns1.example.kr이다.

이 정보를 사용해 example.kr의 네임 서버로 ①과 같은 질의를 보냅니다.

- ⑥ 응답

example.kr의 네임 서버는 example.kr의 IP 주소를 알고 있기 때문에 그 IP 주소를 응답합니다. 이것으로 A는 example.kr의 IP 주소(192.0.2.10)를 얻을 수 있으며 이름 풀이가 종료됩니다.

이것이 DNS의 이름 풀이의 기본적인 흐름입니다.

이름 풀이의 부하와 시간의 경감

루트에서부터 DNS의 계층 구조를 따라가 이름 풀이를 하는 방법은 확실하지만, 실제로 하려고 하면 각 계층의 네임 서버로 반복해서 질의를 보내야 하기에 수고(부하)와 시간이 듭니다. 그래서 이름 풀이를 담당하는 별도의 서버를 두고 다른 호스트로부터 의뢰를 접수해서 이름 풀이를 대행하는 방법이 고안되었습니다.

여기서는 A 대신에 이름 풀이를 해주는 대행자를 X라고 합니다. 이때 A는 X에게 '나 대신 이름 풀이를 해주고 example.kr의 IP 주소를 알려주세요'라는 질의를 보내며, 이전 항에서 설명한 이름 풀이는 X가 대행하게 됩니다. 이 질의에 '나 대신 이름 풀이를 해주고'가 추가된 것에 주목해 주세요.[1] X는 A가 부탁한 이름 풀이를 해서 'example.kr의 IP 주소는 192.0.2.10입니다'라는 결과를 A에게 응답합니다(그림 3-5).

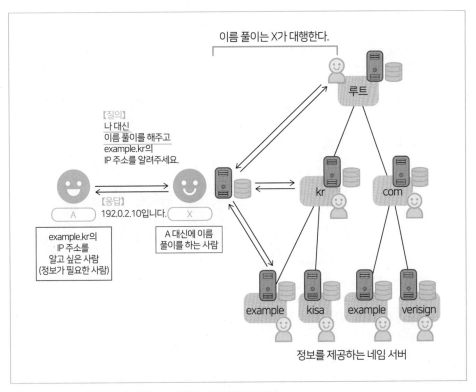

그림 3-5 이름 풀이의 대행자(X)가 A 대신에 이름 풀이를 한다

그리고 X는 이름 풀이를 할 때 질의처인 네임 서버로부터 얻은 정보를 일정 시간 저장합니다. 만약 시간 내에 A가 같은 질의를 X에게 했을 때, X는 이미 그 결과를 가지고 있기 때문에 새로운 이름 풀이는 하지 않고 가지고 있는 결과를 A에게 응답합니다(그림 3-6).

---

1 이것은 4장에서 자세히 설명합니다.

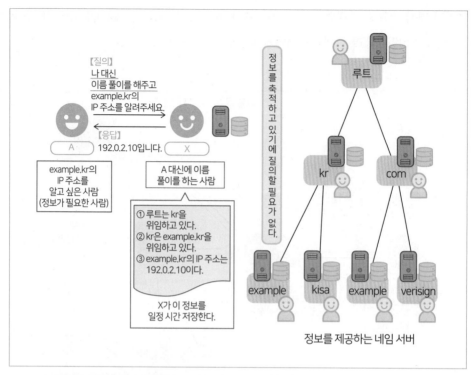

그림 3-6 X는 질의 결과를 일정 시간 축적해 두고 응답에 이용한다

또한, X는 A뿐만 아니라 같은 조직에 있는 B와 C의 의뢰도 접수합니다. 그리고 시간 내에 B나 C로부터 A와 같은 질의를 받았을 때 A에게 응답한 결과를 그대로 이용해 응답합니다(그림 3-7).

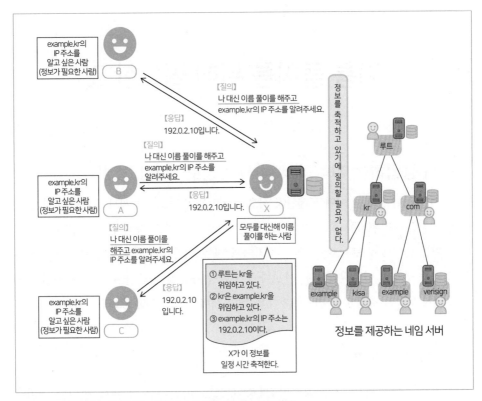

그림 3-7 X는 B나 C의 질의도 대행하고 축적한 정보를 이용한다

이렇게 하면 네임 서버에 질의하는 횟수를 줄일 수 있어 이름 풀이에 걸리는 부하와 시간을 경감할 수 있습니다. 이것이 DNS 이름 풀이의 모델입니다. A, B, C와 X 사이에서도 '질의와 응답'의 세 가지 약속을 잘 지키고 있는 것을 알 수 있었습니다.

지금까지 설명한 내용으로부터 DNS 이름 풀이를 할 때 역할 분담에는 다음 세 종류가 있음을 알 수 있습니다.

1. 정보가 필요한 사람(이 예시에서는 A, B, C)
2. 정보가 필요한 사람으로부터 의뢰를 받아 이름 풀이를 하는 사람(이 예시에서는 X)
3. 정보를 제공하는 사람(DNS의 계층 구조를 만드는 네임 서버)

CHAPTER 3
Basic
Guide to
DNS

03

이름 풀이를 위해 필요한 것

부모가 응답하는 자식의 네임 서버 정보, '위임 정보'

1장에서 설명한 것처럼 어떤 도메인에 서브 도메인을 만들고, 그 서브 도메인을 다른 사람에게 위임하면 위임한 쪽(부모)과 위임받은 쪽(자식)은 부모-자식 관계가 됩니다. 이전 절의 이름 풀이에서 A나 X는 네임 서버가 응답하는 위임처(자식)의 네임 서버 정보를 가지고 계층 구조를 따라갔습니다. 이 A나 X가 계층 구조를 따라갈 수 있도록 하기 위해서 위임자(부모)가 응답하는 위임처(자식)의 네임 서버 정보를 **위임 정보**라고 합니다.

위임 정보의 등록

그림 3-8을 봐주세요. 3장 01절의 '계층 구조를 따라가는 것'에서 설명한 것처럼 example.kr(자식)은 kr(부모)에게 "example.kr을 관리하고 있는 'ns1.example.kr'이라는 네임 서버를 kr의 네임 서버에 등록해 주세요"라고 의뢰합니다. 이 의뢰를 받아 kr은 example.kr의 네임 서버 정보(ns1.example.kr)를 자신의 네임 서버(b.dns.kr)에 등록합니다.

그리고 kr의 네임 서버는 example.kr에 대한 질의가 오면 위임 정보로서 example.kr의 네임 서버 정보(ns1.example.kr)를 응답합니다. 이처럼 부모가 응답하는 위임 정보는 자식이 등록한 네임 서버 정보입니다. 그렇기에 만약 자식이 잘못된 정보를 등록하면 부모는 잘못된 위임 정보를 응답하게 되고 이름 풀이를 할 수 없게 됩니다(그림 3-9).

이름 풀이를 하는 사람이 계층 구조를 따라갈 수 있게 하기 위해서는 다음 두 가지가 필요합니다.

• 자식이 부모에게 올바른 네임 서버 정보를 등록한다.

* 부모가 자식으로부터 받은 네임 서버 정보를 위임 정보로서 정확하게 응답한다.

이것은 DNS를 원활하게 작동시키기 위한 중요한 사항입니다.

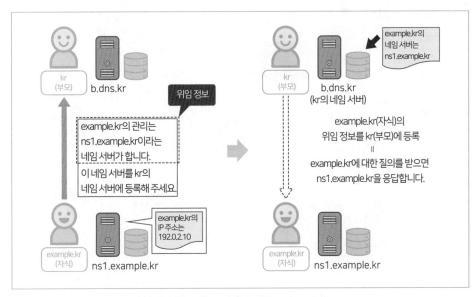

그림 3-8 **부모는 자식이 등록한 네임 서버 정보를 위임 정보로서 응답한다**

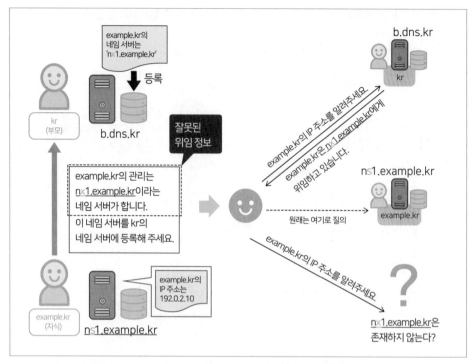

그림 3-9 자식이 잘못된 네임 서버 정보를 등록하면 이름 풀이를 하지 못한다

04

이름 풀이에서 위임의 중요성

이름 풀이의 구조가 가져다주는 장점

DNS의 이름 풀이는 부모가 자식에게 위임하여 만들어지는 계층 구조를 따라가는 것으로 이루어집니다. 이 구조는 DNS에 다음과 같이 몇 가지 장점을 가져다줍니다.

• 1) 존마다 분산 관리를 실현할 수 있다

계층화와 위임에 의해 관리하는 범위를 분산할 수 있습니다. 계층 구조를 도입해서 각 계층의 관리를 위임함으로써 위임자는 위임처의 위임 정보만 관리하면 되고, 위임처는 자신이 위임받은 부분의 계층을 관리하면 됩니다(그림 3-10). DNS에서는 위임에 의해 관리하게 된 범위를 존이라고 합니다(1장 05절의 'DNS의 계층화와 위임의 구조' 참고). 계층화와 위임에 의해 존마다 분산 관리를 실현할 수 있습니다.

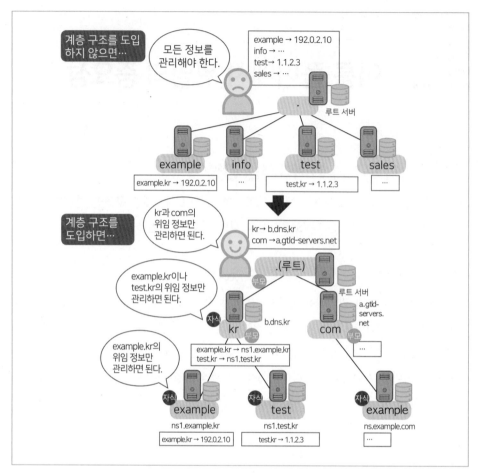

그림 3-10 계층화와 위임에 의해 존마다 분산 관리를 실현할 수 있다

• 2) 존을 어떻게 다룰지는 그 존의 관리자가 정할 수 있다

위임된 존은 위임처에서 관리합니다. 그렇기에 각 존의 관리 정책을 각 존의 관리자가 정할 수 있습니다. 예를 들면, kr 존(KR 도메인 이름)에서는 레지스트리인 KISA가 정책을 정하고 있습니다(그림 3-11).

kr 정책의 예시

- 등록자는 한국에 주소를 갖는 조직이나 개인일 것

- 한글 도메인 이름으로 등록 가능한 라벨은 한글, 숫자, 영문자를 사용할 수 있으며 반드시 한 글을 포함할 것

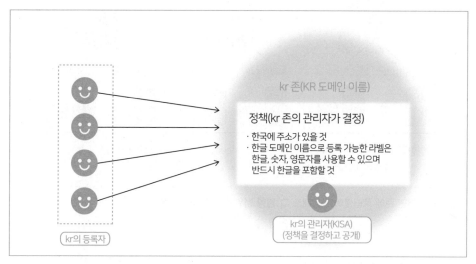

그림 3-11 존의 관리 정책을 각 존의 관리자가 정할 수 있다

• 3) 어떤 존에 트러블이 발생해도 그 영향 범위를 국소화할 수 있다

어떤 존에 트러블이 발생했을 때 그 존에만 영향이 미치며 다른 존에는 영향이 미치지 않습니다. 예를 들면, 그림 3-12에서 kr의 네임 서버가 응답하지 않아 이름 풀이를 하지 못하게 되었을 때는 kr과 그 서브 도메인에만 영향이 미치며, kr과 같은 계층에 있는 com이나 net 그리고 그 서브 도메인에는 영향이 미치지 않습니다.

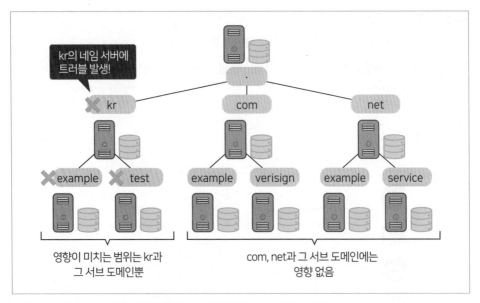

그림 3-12 어떤 존에 트러블이 발생해도 그 영향 범위를 국소화할 수 있다

실제 인터넷에서의 위임 관계

실제 인터넷에서의 위임 관계는 도메인 이름의 계층마다 다릅니다. 계층의 정점인 루트 존은 ICANN이 관리 운용의 책임을 가지며 IANA가 관리합니다(2장 05절 '도메인 이름의 세계적인 관리 체계' 참고). 그리고 ICANN/IANA로부터 위임받은 TLD 레지스트리가 각 TLD를 관리합니다.

TLD의 위임은 각 TLD의 레지스트리가 루트를 관리하는 ICANN/IANA와의 관계를 구축하는 것으로 성립합니다. TLD 레지스트리는 각 TLD의 도메인 이름 등록에 관한 정책을 제정 및 공개합니다(2장 01절의 '레지스트리의 역할' 참고). 2LD의 위임은 TLD 레지스트리와 도메인 이름을 등록하는 조직이나 개인 사이에서 성립합니다. 또한, 레지스트리에 따라서는 3LD나 4LD로 도메인 이름의 등록을 접수하는 경우도 있습니다. 예를 들면, KR 도메인 이름의 속성을 나타내는 도메인 이름은 3LD로 등록을 접수하고 있습니다(이 장의 칼럼 'KR 도메인 이름의 종류' 참고).

어느 레벨로 등록을 접수할지는 각 TLD의 레지스트리가 등록 정책으로 결정합니다. 이전 항에서 설명한 것처럼 존을 관리하는 정책은 각 존의 관리자가 결정할 수 있기에 존마다 유연한 관리를 할 수 있습니다.

또한, 3장 03절의 '위임 정보의 등록'에서 설명한 것처럼 자식이 부모에게 정확한 네임 서버 정보를 등록하는 것과 부모가 자식으로부터 받은 네임 서버 정보를 위임 정보로서 정확하게 응답하는 것은 DNS를 원활하게 작동시키기 위한 중요한 기본 사항입니다. 이처럼 실제 인터넷에서는 관계를 구축하는 조직 간 또는 조직과 개인 간의 관계가 DNS에 그대로 반영됩니다.

COLUMN KR 도메인 이름의 종류

KR 도메인 이름에는 크게 세 종류가 있습니다.

• 1) 2단계 .KR 영문 도메인 이름

'example.kr'처럼 한국에 주소가 있으면 개인이나 조직, 그 누구라도 등록 가능한 KR 도메인 이름입니다.

• 2) 2단계 .KR 한글 도메인 이름

'한국.kr'처럼 한글을 사용해 도메인 이름을 등록할 수 있습니다. 길이는 2자에서 17자로 제한됩니다.

• 3) 3단계 .KR 도메인 이름

'copyright.or.kr'처럼 도메인의 속성을 나타내는 도메인 이름입니다. co는 영리, or은 비영리, go는 정부 기관처럼 영역별로 구분되어 있습니다. 표 3-1에서 3단계 도메인 이름을 소개합니다.

표 3-1 **3단계 .KR 도메인 이름**

도메인 이름	영역	등록 자격
co	영리	법인 또는 개인
or	비영리	법인 또는 개인
pe	개인	개인
go	정부기관	행정기관 또는 입법 및 사법 기관
mil	국방조직	정부조직법, 국군조직법, 국방조직 및 정원에 관한 통칙에 의한 국방조직
ac	대학, 대학원	교육기본법, 고등교육법, 기타 특별법에 의한 교육기관
hs	고등학교	교육기본법 및 초·중등교육법에 의한 고등학교·고등기술학교
seoul	서울특별시	해당 지역에 연고가 있는 법인 또는 개인
busan	부산광역시	해당 지역에 연고가 있는 법인 또는 개인
jeju	제주특별자치도	해당 지역에 연고가 있는 법인 또는 개인

CHAPTER 4
DNS의 구성 요소와 구체적인 작동

Basic
Guide to
DNS

이 장에서는 DNS를 형성하는 세 가지 구성 요소에 주목하고 각각의 역할과 구체적인 작동을 설명합니다. 또한, 이번 장에서는 DNS에 관한 전문용어가 다수 등장합니다. 해당 용어가 DNS의 어느 부분을 나타내며 어떻게 작동하는지를 확실히 파악하면서 읽어주세요.

이 장의 키워드

- 스터브 리졸버
- 권한이 있는 서버
- 애플리케이션 프로그래밍 인터페이스(API)
- 권한(authority)
- 리소스 레코드
- 네거티브 캐시
- 존 전송
- RTT

- 풀 리졸버(풀 서비스 리졸버)
- 리졸버
- 권한이 있는 서버군
- 루트 서버
- TTL
- 프라이머리 서버
- 정방향

- 이름 풀이 요구
- 캐시
- 존 데이터
- 힌트 파일
- 가용성
- 세컨더리 서버
- 역방향

CHAPTER 4
Basic
Guide to
DNS

01

세 종류의 구성 요소와 그 역할

3장에서 설명한 것처럼 DNS 이름 풀이에서의 역할 분담에는 아래 세 종류가 있습니다.

1. 정보가 필요한 사람
2. 정보가 필요한 사람으로부터 의뢰를 받아 이름 풀이를 하는 사람
3. 정보를 제공하는 사람

이 세 종류가 그대로 DNS의 기본 구성 요소가 됩니다. DNS에서는 이 구성 요소들을 다음과 같이 부릅니다(그림 4-1).

1. **스터브 리졸버**
2. **풀 리졸버(풀 서비스 리졸버)**
3. **권한이 있는 서버**

리졸버(resolver)는 '해결자', 즉 '이름 풀이를 하는 사람'을 의미하며 스터브 리졸버와 풀 리졸버 양쪽을 나타내는 용어로도 쓰입니다. 지금부터는 각 구성 요소의 역할과 구체적인 작동을 설명합니다.

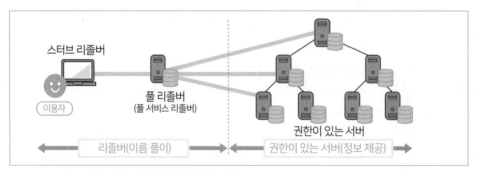

스터브 리졸버

이용자

풀 리졸버
(풀 서비스 리졸버)

권한이 있는 서버

리졸버(이름 풀이)

권한이 있는 서버(정보 제공)

그림 4-1 스터브 리졸버, 풀 리졸버, 권한이 있는 서버

스터브 리졸버의 역할

인터넷을 사용할 때 이용자는 컴퓨터나 스마트폰과 같은 기기를 사용합니다. 그리고 그 기기에서 작동하는 웹 브라우저나 앱이 서비스를 제공하는 서버(사이트)에 접속합니다.

1장에서 설명한 것처럼 웹 브라우저나 앱이 사이트에 접속하려면 접속처의 IP 주소를 알기 위해 이름 풀이를 해야 합니다. 이 이름 풀이 창구의 역할을 스터브 리졸버가 합니다. 스터브 리졸버는 우리가 사용하고 있는 컴퓨터나 스마트폰과 같은 기기에서 작동하며 웹 브라우저나 앱이 호출합니다. 스터브 리졸버는 자신이 직접 이름 풀이를 하지 않고 미리 설정된 풀 리졸버에게 '나 대신 이름 풀이를 해주고 example.kr의 IP 주소를 알려주세요'라며 이름 풀이를 의뢰합니다(그림 4-2).

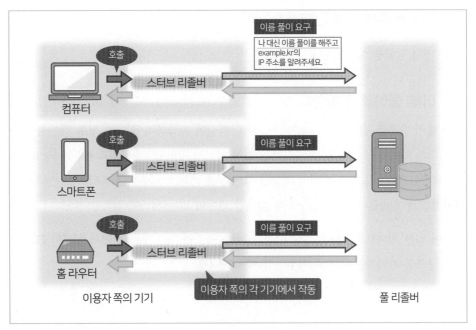

그림 4-2 스터브 리졸버는 이용자의 기기에서 작동하며 이름 풀이의 창구가 된다

이 스터브 리졸버가 풀 리졸버에게 이름 풀이를 의뢰하는 것을 **이름 풀이 요구**라고 합니다. 스터브(stub)는 '단말'이라는 뜻을 가지고 있으며 이용자의 기기에서 작동하는 것을 나타냅니다. 스터브 리졸버는 웹 브라우저나 앱과 같은 프로그램에 이름 풀이의 수단

(**Application Programming Interface, API**)을 제공합니다. 또한, 프로그램 쪽에서 수고와 시간이 드는 이름 풀이를 실행할 필요가 없어지고 각 프로그램에 입력되는 처리량을 줄일 수 있습니다.

풀 리졸버의 역할

풀 리졸버는 DNS에서 이름 풀이를 하는 역할을 합니다. 스터브 리졸버로부터 이름 풀이 요구를 접수해 이름 풀이를 하며 그 결과를 스터브 리졸버에게 반환합니다.

스터브 리졸버로부터 이름 풀이 요구를 접수한 풀 리졸버는 아래 두 가지 행동을 합니다.

1. 이름 풀이를 실행한다.
2. 이름 풀이를 할 때 얻은 정보를 축적한다.

이 두 가지 역할을 살펴봅시다.

• 1) 이름 풀이를 실행한다

이름 풀이 요구를 접수한 풀 리졸버는 우선, 자신이 지금까지 축적한 정보 중에서 접수한 질의의 이름과 종류가 모두 일치하는 것이 있는지 확인합니다(이름과 종류는 3장 01절의 '질의와 응답' 참고). 일치하는 것이 있으면 그 정보를 스터브 리졸버에 응답하며, 일치하는 것이 없으면 원하는 정보를 얻기 위해 적절한 권한이 있는 서버에 질의합니다.

권한이 있는 서버로의 질의는 3장 01절의 '계층 구조를 따라가는 것'에서 설명한 DNS의 계층 구조를 따라가는 형태로 이루어집니다(그림 4-3).

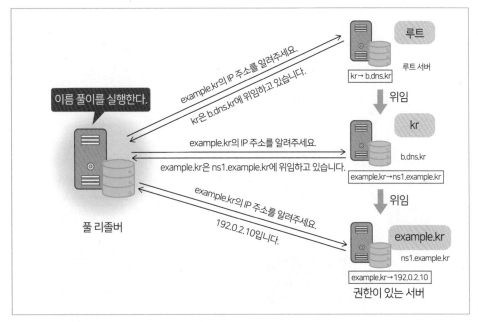

그림 4-3 풀 리졸버의 역할① 이름 풀이를 실행한다

• 2) 이름 풀이를 할 때 얻은 정보를 축적한다

이름 풀이를 할 때 풀 리졸버는 권한이 있는 서버로부터 다양한 응답을 받습니다. 풀 리졸버에는 그러한 응답을 잠시 저장해 두는 구조가 있으며 이를 **캐시(cache)**라고 부릅니다 (3장 02절의 '이름 풀이의 부하와 시간의 경감'에서도 조금 설명했습니다).

그림 4-4에서 풀 리졸버는 루트나 kr의 권한이 있는 서버로부터는 위임 정보를 받으며, example.kr의 권한이 있는 서버로부터는 원하는 정보를 받습니다. 풀 리졸버는 이러한 응답을 캐시에 축적하며 다음 이름 풀이에 이용합니다.

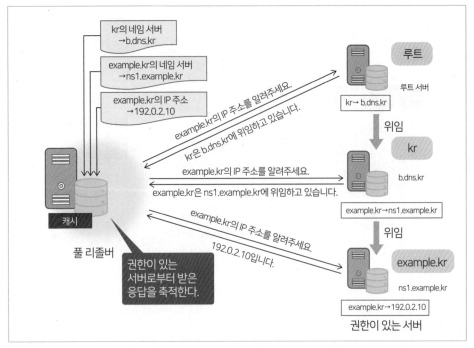

그림 4-4 풀 리졸버의 역할② 이름 풀이에서 얻은 정보를 축적한다

이름 풀이 요구를 받은 풀 리졸버는 캐시된 정보를 확인합니다. 만약 그중에 원하는 정보나 이름 풀이에 사용할 수 있는 위임 정보가 있으면, 그만큼 권한이 있는 서버로 질의하는 것을 생략할 수 있고 이름 풀이에 걸리는 부하와 시간을 경감할 수 있습니다. 캐시는 이 장 후반부(4장 03절)에서 설명합니다.

권한이 있는 서버의 역할

권한이 있는 서버는 위임을 받은 존의 정보와 자신이 위임하고 있는 존의 위임 정보를 보유합니다. **3장까지 '네임 서버'라고 부른 것이 바로 권한이 있는 서버입니다.** 권한이 있는 서버는 풀 리졸버로부터 질의를 접수해 자신이 보유하고 있는 정보를 응답합니다. 풀 리졸버와는 달리, 해당 정보가 없을 때는 다른 서버에 질의하지 않습니다. 또한, 자신이 관리 권한을 가지고 있는, 즉 그 존의 **권한(authority)**을 갖는 정보와 위임 정보만 응답합니다.

권한이 있는 서버는 계층화와 위임에 의해 루트를 정점으로 하는 계층 구조를 만듭니다. 앞으로 이 책에서는 계층 구조를 만드는 권한이 있는 서버를 통틀어서 **권한이 있는 서버 군**이라고 부릅니다(그림 4-5).

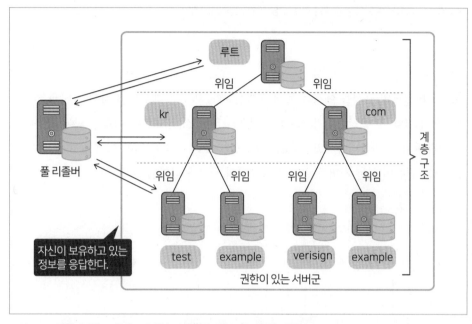

그림 4-5 권한이 있는 서버는 자신이 보유하고 있는 정보를 응답한다

스터브 리졸버나 풀 리졸버는 질의를 할 때 알고 싶은 정보의 이름(도메인 이름)과 종류(타입)를 지정합니다(3장 01절의 '질의와 응답' 참고). 권한이 있는 서버는 이 두 가지 정보를 가지고 자신이 보유하고 있는 정보 중에서 원하는 정보를 찾아냅니다. 또한, 실제 DNS에서는 도메인 이름과 타입에 더해 네트워크의 종류(**클래스**)도 지정합니다. 자세한 내용은 다음 쪽에 나오는 칼럼 'DNS의 클래스'를 봐주세요.

권한이 있는 서버는 해당 존의 설정 내용(**존 데이터**)을 **리소스 레코드**(resource record)라는 형태로 보유합니다. 리소스 레코드는 '도메인 이름', '타입', '클래스' 세 가지 정보의 조합으로 구성됩니다.

리소스 레코드의 구성

리소스 레코드의 구성을 예시를 들어 설명합니다. 리소스 레코드의 자세한 내용은 실전편에서 설명할 것이므로 여기서는 대략적으로 '리소스 레코드는 이렇게 되어 있구나'라고 생각해 주기 바랍니다. 그림 4-6은 test.kr의 IPv4 주소에 대한 이름 풀이를 했을 때 test.kr의 권한이 있는 서버가 반환하는 응답의 일부를 나타냅니다.[1]

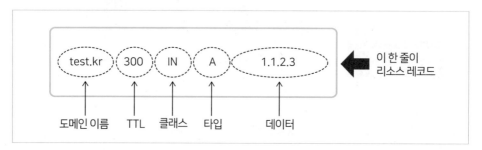

그림 4-6 리소스 레코드의 예시

그림 4-6의 응답 한 줄이 하나의 리소스 레코드입니다. 이 응답의 문자열이나 숫자의 의미는 표 4-1과 같습니다.

---

1 [역자 주] test.kr과 그 내용은 예시입니다.

표 4-1 **리소스 레코드의 의미**

항목	의미
도메인 이름	질의에서 지정한 도메인 이름. 그림 4-6에서는 test.kr을 지정하고 있으므로 'test.kr'이 들어가 있습니다.
TTL	Time To Live. 해당 리소스 레코드를 캐시해도 되는 시간이 초 단위로 들어갑니다. 그림 4-6에서는 '300초(5분)'입니다. TTL은 4장 03절의 '캐시와 네거티브 캐시'에서 설명합니다.
클래스	네트워크의 종류. 인터넷을 의미하는 'IN'이 들어가 있습니다. 이 장에서는 앞으로 클래스를 생략하고 설명합니다.
타입	정보의 종류. 어떤 정보를 알고 싶은지에 따라서 이 내용이 바뀝니다. 그림 4-6에서는 IPv4 주소를 나타내는 'A'가 들어가 있습니다. 자세한 내용은 다음 항을 참고합니다.
데이터	클래스와 타입에 따라 달라지는 리소스 레코드의 데이터. 그림 4-6에서는 test.kr의 IPv4 주소인 '1.1.2.3'이 들어가 있습니다.

리소스 레코드의 타입

여기서는 자주 사용되는 리소스 레코드의 타입에 대해 읽는 방법과 그 목적을 소개합니다(표 4-2).

표 4-2 **자주 사용되는 리소스 레코드의 타입 및 읽는 방법과 지정된 내용**

타입(읽는 방법)	지정된 내용
A(에이)	해당 도메인 이름의 IPv4 주소를 지정
AAAA(쿼드에이)	해당 도메인 이름의 IPv6 주소를 지정
NS(엔에스)	해당 존의 권한이 있는 서버의 호스트 이름을 지정
MX(엠엑스)	해당 도메인 이름으로 보낸 전자 메일의 전송처와 우선도를 지정

권한이 있는 서버가 응답하는 리소스 레코드는 질의의 도메인 이름과 타입에 의해 결정됩니다. 예를 들면, 'test.kr의 A 리소스 레코드(IPv4 주소)를 알려주세요'라는 질의를 받은 test.kr의 권한이 있는 서버는 test.kr의 A 리소스 레코드의 데이터인 1.1.2.3을 응답합니다. 마찬가지로 'test.kr의 AAAA 리소스 레코드(IPv6 주소)를 알려주세요'라는 질의에는 test.kr의 AAAA 리소스 레코드의 데이터인 '2001:222:3001:7::b0'을 응답하게 됩니다(그림 4-7).

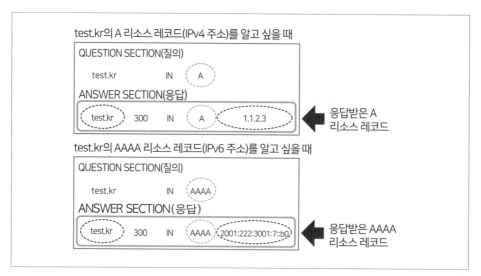

그림 4-7 권한이 있는 서버는 질의의 도메인 이름과 타입에 대응하는 응답을 반환한다

COLUMN 통일되지 않은 명칭에 주의하자

이번 절에서는 DNS의 기본 구성 요소인 '스터브 리졸버', '풀 리졸버', '권한이 있는 서버' 세 종류를 소개했습니다. 그러나 이 명칭은 통일되어 있지 않아 문헌이나 저자의 차이 및 주목하는 기능 등에 따라 다양한 명칭으로 불립니다. 따라서 혼란을 주기 쉽고 DNS를 이해하는 데 방해가 되기 때문에 주의가 필요합니다.

현재 주로 사용되는 명칭은 다음과 같습니다.

구성 요소	현재 사용되는 다른 명칭(주된 것)
스터브 리졸버	DNS 클라이언트 등
풀 리졸버	캐시 DNS 서버, 참조 서버, 네임 서버, DNS 서버 등
권한이 있는 서버	권한 DNS 서버, 존 서버, 네임 서버, DNS 서버 등

이런 상황이기에 DNS에 관한 문헌이나 자료를 읽을 때 각 용어가 어느 구성 요소를 나타내는지를 잘 이해해야 합니다. 특히 'DNS 서버', '네임 서버'는 DNS 서비스를 제공하는 서버의 명칭으로 이용되는 점에서 풀 리졸버와 권한이 있는 서버 중 어느 한쪽 또는 양쪽 모두를 나타내는 의미로 사용되기도 합니다. 그렇기에 어느 한쪽을 가리키는지, 양쪽 모두를 가리키는지를 전후의 문맥이나 문서의 내용을 파악하면서 잘 살펴봐야 합니다. 또한, DNS를 설명할 때도 설명을 듣는 사람이 혼란스럽지 않도록 용어를 선택하는 것이 중요합니다.

이 책에서 사용하는 '스터브 리졸버', '풀 리졸버(풀 서비스 리졸버)', '권한이 있는 서버'라는 명칭과 그 의미는 DNS의 용어를 정의한 RFC 8499에 나와 있고 이 명칭의 사용을 권장합니다.

02

구성 요소의 연계에 의한
이름 풀이

여기서는 DNS의 세 종류의 구성 요소(스터브 리졸버, 풀 리졸버, 권한이 있는 서버)가 어떻게 연계하여 이름 풀이를 하는지 웹 브라우저로 'test.kr'에 접속하는 사례를 예시로 들어 설명합니다.

또한, 앞으로 설명하는 풀 리졸버는 이름 풀이를 처음 실행하기 때문에 캐시에는 아무것도 들어 있지 않은 상태라고 가정합니다.

• 1) 스터브 리졸버를 호출

이용자가 웹 브라우저 주소창에 'test.kr'을 입력하거나 링크를 클릭하면 웹 브라우저는 스터브 리졸버를 호출해 'test.kr의 IP 주소를 알려주세요'라는 의뢰를 보냅니다(그림 4-8).

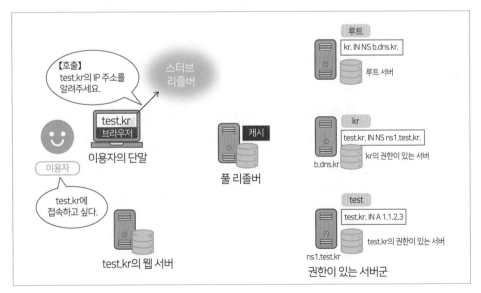

그림 4-8 **스터브 리졸버를 호출**

• 2) 스터브 리졸버가 풀 리졸버에 질의

웹 브라우저가 호출한 스터브 리졸버는 풀 리졸버에 '**나 대신 이름 풀이를 해주고** test.kr의 IP 주소를 알려주세요'라고 질의를 합니다. 이를 '이름 풀이 요구'(이전 절 참고)라고 했습니다(그림 4-9).

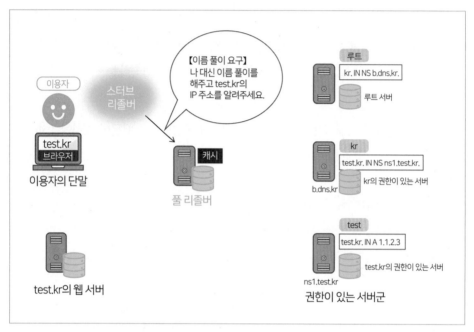

그림 4-9 **스터브 리졸버가 풀 리졸버에 질의**

• 3) 풀 리졸버가 루트 존의 권한이 있는 서버에 질의 및 그 응답

스터브 리졸버로부터 이름 풀이 요구를 접수한 풀 리졸버는 계층 구조의 정점에 해당하는 루트 존의 권한이 있는 서버에 'test.kr의 IP 주소를 알려주세요'라고 질의합니다. DNS에서는 루트 존의 권한이 있는 서버를 **루트 서버**(root server)라고 부르기에 앞으로는 루트 서버라고 하겠습니다.

루트 서버는 질의에 대한 위임 정보로 kr의 권한이 있는 서버 'b.dns.kr'을 응답합니다. 응답을 받은 풀 리졸버는 루트 서버가 응답한 리소스 레코드 'kr의 권한이 있는 서버는 b.dns.kr'이라는 정보를 캐시에 축적합니다(그림 4-10).

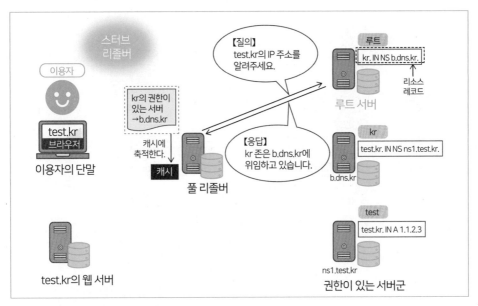

그림 4-10 **풀 리졸버가 루트 서버에 질의 및 그 응답**

• 4) 풀 리졸버가 kr의 권한이 있는 서버에 질의 및 그 응답

풀 리졸버는 루트 서버로부터 받은 위임 정보에 적힌 kr의 권한이 있는 서버에 'test.kr의 IP 주소를 알려주세요'라고 질의합니다. kr의 권한이 있는 서버는 질의에 대해 위임 정보로 test.kr의 권한이 있는 서버 'ns1.test.kr'을 응답합니다. 응답을 받은 풀 리졸버는 아까처럼 'test.kr의 권한이 있는 서버는 ns1.test.kr'이라는 정보를 캐시에 축적합니다(그림 4-11).

• 5) 풀 리졸버가 test.kr의 권한이 있는 서버에 질의 및 그 응답

풀 리졸버는 kr의 권한이 있는 서버로부터 받은 위임 정보에 적힌 test.kr의 권한이 있는 서버에 'test.kr의 IP 주소를 알려주세요'라고 질의합니다. test.kr의 IP 주소는 test.kr이 관리하는 존 정보에 리소스 레코드로 저장되어 있습니다. 따라서 test.kr의 권한이 있는 서버는 'test.kr의 IP 주소는 1.1.2.3'이라는 리소스 레코드를 응답합니다. 응답을 받은 풀 리졸버는 아까처럼 'test.kr의 IP 주소는 1.1.2.3'이라는 정보를 캐시에 축적합니다(그림 4-12).

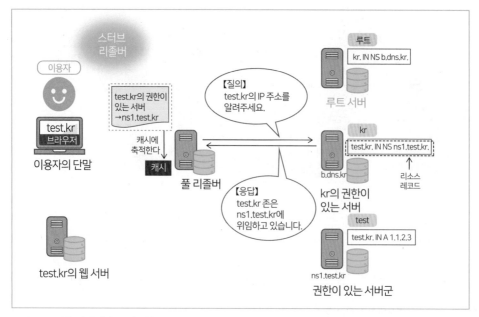

그림 4-11 풀 리졸버가 kr의 권한이 있는 서버에 질의 및 그 응답

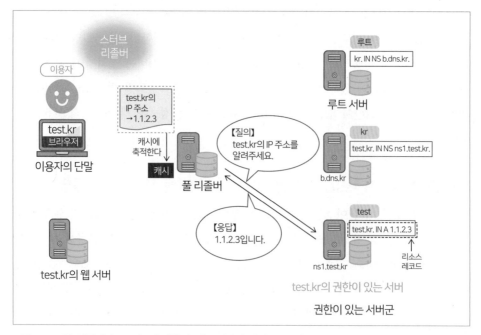

그림 4-12 풀 리졸버가 test.kr의 권한이 있는 서버에 질의 및 그 응답

• 6) 풀 리졸버가 스터브 리졸버에 응답

원하는 정보(이 예시에서는 'test.kr의 IP 주소는 1.1.2.3입니다'라는 정보)를 받은 풀 리졸버는
질의자인 스터브 리졸버에게 그 정보를 응답합니다(그림 4-13).

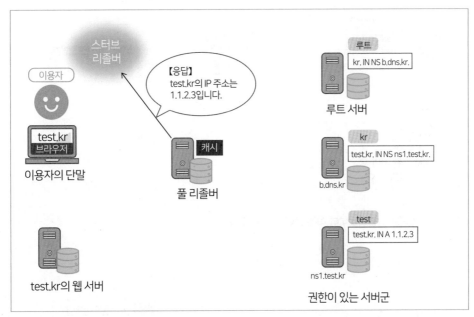

그림 4-13 **풀 리졸버가 스터브 리졸버에 응답**

• 7) 스터브 리졸버로부터 이름 풀이 결과를 수령

풀 리졸버로부터 응답을 받은 스터브 리졸버는 호출자인 웹 브라우저에 test.kr의 IP 주
소 '1.1.2.3'을 반환합니다(그림 4-14).

이것으로 웹 브라우저는 test.kr의 IP 주소를 알게 되었습니다.

• 8) 웹 서버에 접속과 웹 페이지의 표시

스터브 리졸버로부터 test.kr의 IP 주소 '1.1.2.3'을 받은 웹 브라우저는 그 IP 주소를 지정
해 웹 서버에 접속합니다. 그 결과, 이용자의 웹 브라우저에 test.kr의 웹 페이지가 표시
됩니다(그림 4-15).

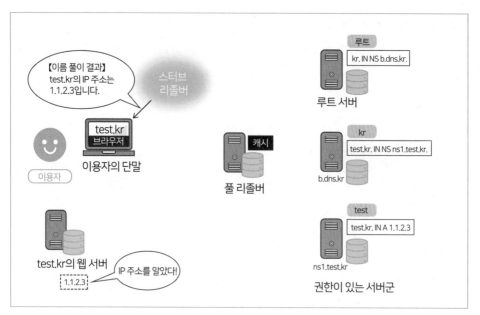

그림 4-14 스터브 리졸버로부터 이름 풀이 결과를 수령

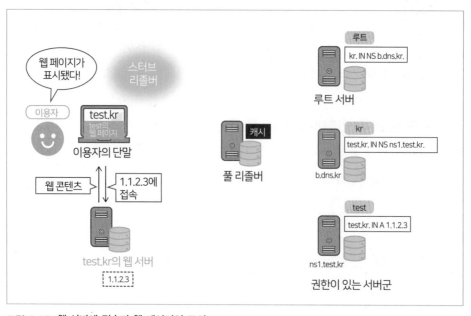

그림 4-15 웹 서버에 접속과 웹 페이지의 표시

COLUMN 루트 서버의 IP 주소는 어떻게 알까?

DNS에서 자식의 권한이 있는 서버의 정보(위임 정보)는 부모가 가지며, 이름 풀이를 할 때 그 정보를 부모가 응답합니다. 그러면 계층 구조의 정점에 해당하는 루트 서버의 정보는 어떻게 아는 걸까요?

사실, 풀 리졸버는 루트 서버 리스트를 처음부터 가지고 있고 그 정보를 사용해 루트 서버에 질의한답니다. 그러나 루트 서버의 IP 주소는 불변이 아닌 운용상의 이유로 변경되기도 합니다. 그래서 특정 타이밍에 최신의 루트 서버 리스트를 얻기 위한 구조가 마련되어 있습니다.

DNS에서는 처음부터 가지고 있는 루트 서버 리스트를 **힌트 파일**(hint file), 최신의 루트 서버 리스트를 얻기 위한 구조를 **프라이밍**(priming)이라고 합니다. 프라이밍에 대한 자세한 내용은 실전 편에서 설명합니다.

COLUMN 이름 풀이 요구와 이름 풀이 실행의 차이

이름 풀이를 할 때 스터브 리졸버는 풀 리졸버에 '**나 대신 이름 풀이를 해주고** ○○의 IP 주소를 알려주세요'라는 질의(이름 풀이 요구)를 보냅니다. 한편, 풀 리졸버가 권한이 있는 서버에 보내는 질의는 단순히 '○○의 IP 주소를 알려주세요'라는 내용입니다.

이 '나 대신 이름 풀이를 해주고'가 질의에 붙는지 안 붙는지의 차이는 DNS의 작동을 이해하는 데 중요한 포인트입니다. 특히 실전 편에서 설명할 DNS의 작동 확인이나 DNS의 트러블 슈팅에서는 이 두 가지를 명확하게 구별해서 다루어야 합니다. 지금 단계에서는 다음과 같으니 기억해 두기 바랍니다.

- 스터브 리졸버가 풀 리졸버에 보내는 질의(이름 풀이 요구)에는 '**나 대신 이름 풀이를 해주고**'가 붙는다.
- 풀 리졸버가 권한이 있는 서버에 보내는 질의(이름 풀이 실행)에는 '**나 대신 이름 풀이를 해주고**'가 붙지 않는다.

기초편

CHAPTER 4 │ ⓪② 구성 요소의 연계에 의한 이름 풀이

CHAPTER 4
Basic
Guide to
DNS

03

DNS 처리의 효율화와
가용성의 향상

캐시와 네거티브 캐시

여기서는 DNS 처리의 효율을 높이기 위한 구조인 캐시를 조금 더 자세히 살펴보겠습니다. 캐시는 이름 풀이를 할 때 권한이 있는 서버군으로부터 받은 응답의 내용을 잠시 동안 축적해 두는 구조입니다. 풀 리졸버는 캐시된 내용을 다음 이름 풀이에 사용하여 이름 풀이의 효율화를 꾀합니다.

그림 4-16과 같이 풀 리졸버가 이름 풀이를 처음 할 때는 test.kr의 IP 주소를 찾기 위해 권한이 있는 서버군에 반복적으로 질의를 해야 하지만, 응답을 캐시해 두면 두 번째부터는 반복적으로 질의할 필요가 없어져 이름 풀이에 필요한 부하와 시간을 줄일 수 있습니다.

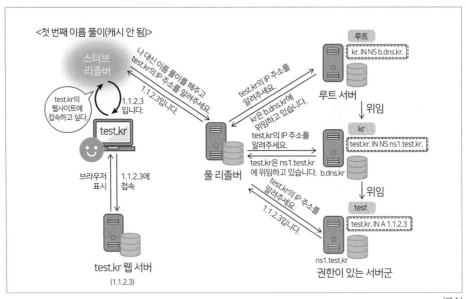

(계속)

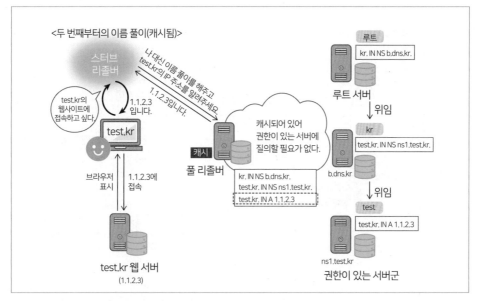

그림 4-16 **풀 리졸버는 캐시를 사용해 이름 풀이의 효율화를 꾀한다**

• '존재하지 않는다'라는 결과도 캐시하는 네거티브 캐시

DNS가 개발된 초기에 풀 리졸버는 이름 풀이로 얻은 최종 결과와 위임 정보를 캐시했습니다. 그러나 DNS를 운영하면서 그것만으로는 충분하지 않다고 느끼게 되었습니다. 예를 들면, 어떤 웹사이트에 접속하려고 하는데 어떤 이유로 접속하지 못할 때를 생각해 봅시다. 이때 이용자는 웹사이트에 재접속을 하려고 새로 고침을 할 것입니다.

만약 접속하려는 곳의 리소스 레코드 자체가 존재하지 않는다면 새로 고침을 할 때마다 존재하지 않는 도메인 이름/타입에 대한 이름 풀이 요구를 하게 됩니다. 이는 모두 불필요한 질의이므로 효율이 떨어집니다. DNS는 이에 대응하기 위해 '원하는 리소스 레코드가 존재하지 않는다'라는 결과도 캐시하게 되었습니다. 이것을 **네거티브 캐시(negative cache)**라고 하며, 이후 같은 내용으로 이름 풀이를 요구할 때는 '그 질의에 대응하는 리소스 레코드는 없습니다'라는 용답을 즉시 반환합니다(그림 4-17).

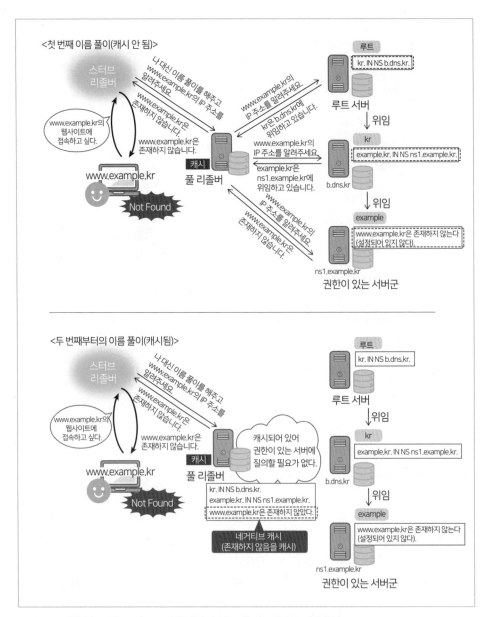

그림 4-17 '원하는 리소스 레코드가 존재하지 않는다'라는 결과도 캐시한다

• 캐시와 네거티브 캐시의 장점 및 보유해도 되는 시간

캐시와 네거티브 캐시의 도입으로 인해 풀 리졸버로부터 권한이 있는 서버로의 질의 횟수가 줄면서 다음과 같은 장점을 얻을 수 있습니다.

- 풀 리졸버, 권한이 있는 서버의 부하 경감
- 질의부터 응답까지의 시간 단축
- 네트워크 트래픽 경감

캐시와 네거티브 캐시는 얻은 응답을 일시적으로 축적해 두는 기능입니다. 그런데 누가 그 시간을 정하고 있는 것일까요? 그것은 바로 각 존의 관리자이며 얻은 응답을 풀 리졸버가 캐시에 보유해도 되는 시간을 정할 수 있고 리소스 레코드마다 제어할 수 있습니다. 이 시간을 **TTL(Time To Live)**이라고 합니다.

TTL은 리소스 레코드 안에 포함되어 있으며 응답을 받은 쪽은 레코드에 설정된 시간(초 단위)만 캐시하면 됩니다. 그림 4-18에서는 300초(5분)가 응답을 캐시해도 되는 시간입니다. TTL은 캐시에 보유된 후 시간이 지남에 따라 감소해 갑니다. 그리고 이 수치가 '0'이 되면 그 리소스 레코드의 캐시는 무효가 되어 축적해 둔 test.kr의 IP 주소 정보가 삭제(클리어)됩니다. 캐시가 클리어된 후 test.kr의 IP 주소에 대한 질의가 오면 또 다시 test.kr의 권한이 있는 서버에 질의해 결과를 얻습니다. 또한, 네거티브 캐시의 TTL은 6장 04절의 '존 자체에 관한 정보: SOA 리소스 레코드'를 참고하세요.

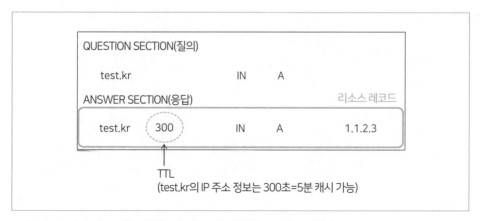

그림 4-18 **리소스 레코드를 캐시에 보유해도 되는 시간은 TTL로 제어된다**

권한이 있는 서버를 여러 대 설치하기

가용성(availability)은 시스템이나 서비스를 이용할 수 있는 비율을 재는 척도입니다. 가용성이 높으면 이용자는 시스템이나 서비스를 안심하고 이용할 수 있습니다. DNS는 가용성을 높이기 위한 다양한 구조를 갖추고 있습니다. 여기에서 설명하는 권한이 있는 서버를 여러 대 설치해 접속의 이중화와 분산화를 하는 것도 가용성을 높이기 위한 구조 중하나입니다.

• 권한이 있는 서버 간의 존 데이터 복사

지금까지는 이해하기 쉽도록 어떤 존을 관리하는 권한이 있는 서버를 한 대로 설명했습니다. 그러나 만약 권한이 있는 서버가 한 대뿐이고 그 서버가 어떤 이유로 멈춘다면 그존의 정보를 제공할 수 없게 됩니다. 또한, 서버 한 대의 처리 능력에도 한계가 있습니다. 그렇기에 DNS에는 똑같은 존 데이터를 갖는 권한이 있는 서버를 여러 대 설치하여 풀리졸버의 접속을 분산하는 구조가 있습니다. 아래에서는 그 구조의 개요를 설명합니다 (상세한 내용은 실전 편에서 설명합니다).

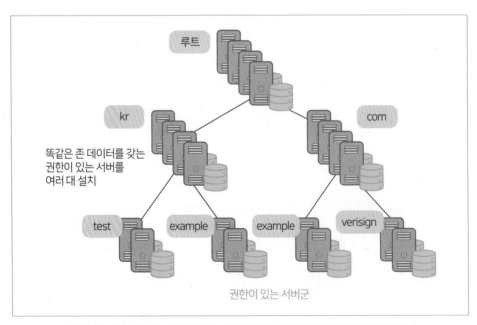

그림 4-19 똑같은 존 데이터를 갖는 권한이 있는 서버를 여러 대 설치하여 가용성을 높인다

그림 4-19와 같이 똑같은 존 데이터를 가지는 권한이 있는 서버를 여러 대 설치하면 어느 권한이 있는 서버에 질의를 해도 같은 응답을 얻을 수 있습니다. DNS에서는 이 구조를 **존 전송(zone transfer)**으로 실현할 수 있습니다. 존 전송에서는 존 데이터를 가지는 권한이 있는 서버가 전송자가 되며, 수신자인 권한이 있는 서버는 전송자로부터 존 데이터를 받습니다. 전송자가 될 권한이 있는 서버를 **프라이머리 서버(primary server)**, 수신자가 될 권한이 있는 서버를 **세컨더리 서버(secondary server)**라고 합니다(그림 4-20).

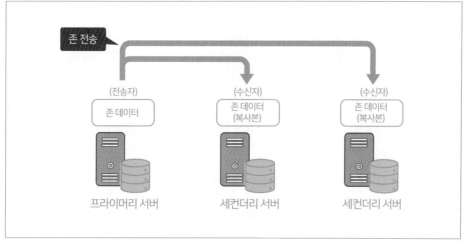

그림 4-20 프라이머리 서버의 존 데이터를 세컨더리 서버에 복사한다(존 전송)

권한이 있는 서버를 여러 대 설치했을 때는 부모에게 등록되는 위임 정보에 설치한 권한이 있는 서버들을 설정합니다. 그림 4-21에서는 kr의 권한이 있는 서버(b.dns.kr~g.dns.kr) 여섯 대를 설치하고 모든 서버가 같은 존 데이터를 가지며 같은 응답을 하도록 설정했습니다.[2]

이 구조를 채택하면 다음과 같은 장점이 있습니다.

- 일부 권한이 있는 서버가 멈춰도 다른 권한이 있는 서버가 보조할 수 있다(이중성 확보).
- 풀 리졸버의 접속을 여러 대의 권한이 있는 서버에서 분담할 수 있다(부하 분산).

---

2   실제 kr의 각 권한이 있는 서버는 다중화되어 있어 서버의 대수는 더 많습니다.

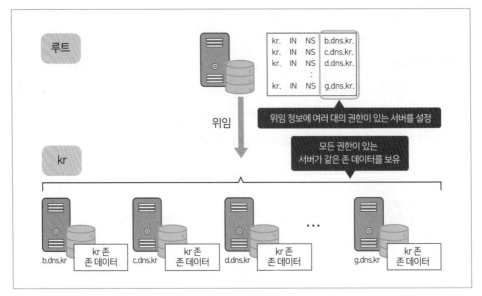

그림 4-21 부모에게 등록되는 위임 정보에 여러 대의 권한이 있는 서버를 설정한다

• 풀 리졸버가 권한이 있는 서버를 선택

권한이 있는 서버가 여러 대 있을 때, 풀 리졸버는 어느 권한이 있는 서버에 접속하면 좋을까요?

통신에서는 질의를 보내고 나서 응답이 돌아올 때까지의 시간이 짧아야 전체적인 효율이 좋아집니다. 이 시간을 **RTT(Round Trip Time)**라고 합니다(그림 4-22). 대부분의 풀 리졸버는 질의할 수 있는 권한이 있는 서버가 여러 대 있으면 RTT를 체크하여 보다 짧은 RTT를 갖는 권한이 있는 서버에 우선적으로 질의합니다(그림 4-23). 이렇게 하여 이름 풀이에 걸리는 시간의 단축을 꾀합니다.

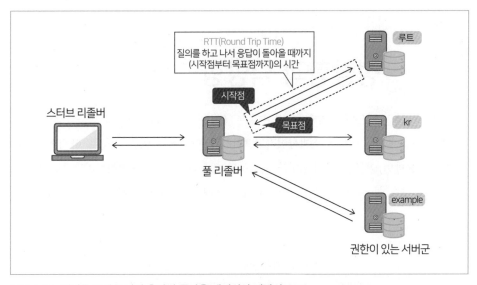

그림 4-22 **질의를 보내고 나서 응답이 돌아올 때까지의 시간이 RTT**

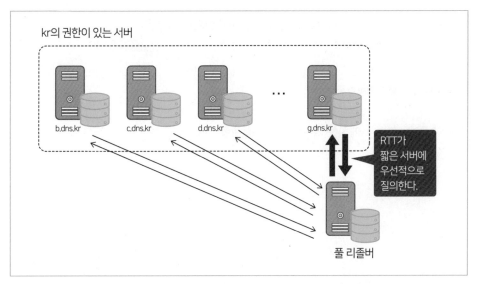

그림 4-23 **RTT가 짧은, 권한이 있는 서버에 우선적으로 질의해서 이름 풀이에 걸리는 시간의 단축을 꾀한다**

04

정방향과 역방향

지금까지 '도메인 이름에 대응하는 IP 주소를 검색하기'를 바탕으로 그 흐름을 설명해 왔습니다. DNS에서는 이것을 **정방향**이라고 합니다. DNS에는 이를 거꾸로 한 'IP 주소에 대응하는 도메인 이름을 검색하기'라는 기능도 있는데, 이것을 **역방향**이라고 합니다(그림 4-24). 역방향은 이용자의 접속을 받은 쪽이 그 신원을 확인할 때 사용합니다.

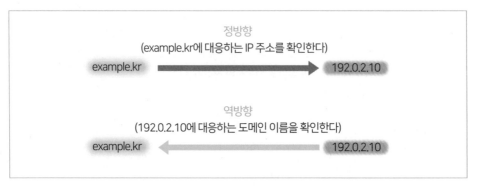

그림 4-24 **정방향과 역방향**

역방향 DNS 설정의 예시는 응용 편에서 소개합니다.

CHAPTER 5
도메인 이름 설계하기

Practical
Guide to
DNS

이 장에서는 먼저, 실전 편의 각 장에서 설명할 내용을 소개합니다. 다음으로는 DNS를 작동시키기 전에 생각해야 할 도메인 이름과 DNS의 설계에 대해 구체적인 예시를 들어 설명합니다.

이 장의 키워드

- 도메인 이름과 DNS의 설계
- 자식 존
- AAAA 리소스 레코드
- 관리와 운용 요건
- NS 리소스 레코드
- MX 리소스 레코드
- 부모 존
- A 리소스 레코드

01

<실전 편을 읽는 방법>
DNS를 작동시키기 위해
필요한 것

이전 장까지는 기초 편으로서 DNS의 구성 요소는 스터브 리졸버, 풀 리졸버, 권한이 있는 서버로 세 가지이며, 각 구성 요소가 자기 역할을 다함으로써 작동하는 시스템임을 설명했습니다. DNS를 안정적으로 운용하기 위해서는 각 구성 요소가 연계되어 원활하게 작동해야 합니다.

앞으로 실전 편에서는 DNS의 구성 요소를 작동시켜 아래 내용을 실현하는 방법에 대해 배워 나갑니다.

자신의 도메인 이름을 인터넷에서 사용할 수 있도록 하기

권한이 있는 서버를 작동시켜 자신의 도메인 이름을 인터넷에서 사용할 수 있도록 합니다.

인터넷에서 사용되고 있는 도메인 이름을 자신이 사용할 수 있도록 하기

풀 리졸버와 스터브 리졸버 중 특히 **풀 리졸버를 작동**시키면 인터넷에서 사용되고 있는 도메인 이름을 자신이 사용할 수 있게 됩니다.

DNS를 지속적으로 작동시켜 가용성을 높이기

권한이 있는 서버나 풀 리졸버는 한번 작동시키면 그만이 아니라 **문제없이 작동하고 있는지를 확인하고 외부 공격에 대비하여 지속적으로 작동**시켜야 합니다.

자신의 도메인 이름을 인터넷에서 사용할 수 있도록 하기

자신의 도메인 이름을 인터넷에서 사용할 수 있도록 하기 위해서는 자신의 존을 관리하는 권한이 있는 서버를 작동시켜야 합니다. 권한이 있는 서버를 작동시키기 위해서는 아래 두 단계가 필요합니다.

1. 자신의 도메인 이름을 어떻게 관리할지 설계하기
2. 자신의 존을 관리하는 권한이 있는 서버를 설정·공개·운용하기

1번은 이 장의 다음 절부터, 2번은 6장 '도메인 이름 관리하기: 권한이 있는 서버의 설정'
에서 설명합니다.

인터넷에서 사용되고 있는 도메인 이름을 자신이 사용할 수 있도록 하기

인터넷에서 사용되고 있는 도메인 이름을 자신이 사용할 수 있도록 하기 위해서는 조직
내의 이용자가 사용할 풀 리졸버를 작동시켜 이름 풀이 서비스를 제공해야 합니다. 풀
리졸버의 설정·공개·운용은 7장 '이름 풀이 서비스 제공하기: 풀 리졸버의 설정'에서 설명
합니다.

DNS를 지속적으로 작동시켜 가용성을 높이기

권한이 있는 서버나 풀 리졸버는 타인(권한이 있는 서버는 풀 리졸버, 풀 리졸버는 스터브 리졸
버)에게 서비스를 제공합니다. 그렇기에 서비스를 지속적으로 제공하는, 즉 가용성(4장
03절 'DNS 처리의 효율화와 가용성의 향상' 참고)을 높여야 합니다.

DNS를 지속적으로 작동시키기 위해서는 정기적으로 계속해서 그 작동을 확인해야 합
니다. 작동을 확인하는 방법에는 명령어를 사용한 헬스 체크나 트러블 슈팅, 외부 체크
사이트를 이용하는 방법 등이 있습니다. 이러한 방법은 8장 'DNS 작동 확인'에서 설명
합니다.

또한, 최근에 DNS를 노려 다양한 사이버 공격이 발생하면서 DNS의 가용성을 저해하
는 큰 위협이 되고 있습니다. DNS의 특성을 이용해서 사이버 공격의 효과를 높이는, 즉
DNS를 사이버 공격의 수단으로 이용하는 사례도 보고되고 있습니다. DNS를 안정적으

로 운용하기 위해서는 이러한 내용에 대해서도 이해하고 대책을 세워야 합니다. DNS를 노린 사이버 공격의 개요와 대책은 9장 'DNS에 대한 사이버 공격과 그 대책'에서 설명합니다.

마지막으로, 권한이 있는 서버와 풀 리졸버 그 자체의 신뢰성 향상이나 DNS가 제공하는 정보의 신뢰성 향상을 위해 고려해야 할 항목은 10장 '보다 나은 DNS 운용을 위하여'에서 설명합니다.

02
도메인 이름을 설계하기 위한 기본적인 사고방식

지금부터는 도메인 이름을 설계하는 방법을 설명합니다. 여기서 말하는 설계란 무언가를 작동시키기 위해 필요한 항목이나 기능을 사전에 검토 및 정리하고 준비를 하는 것입니다. 자신의 도메인 이름을 인터넷에서 사용할 수 있도록 하고 싶더라도 갑자기 구체적인 설정을 할 수는 없을 것입니다. 구체적인 설정을 하기에 앞서 '도메인 이름을 어떤 형태로 어떻게 관리하고 싶은지'를 충분히 생각하여 명확히 해두어야 합니다.

예를 들면, 웹 서비스 제공을 주된 사업으로 하는 기업이 이용자에게 제공하는 서비스를 여럿 운영하고 있고 하나의 계층에서 관리하지 못할 만큼 대량의 호스트가 조직 내에 있을 때, 서비스마다 서브 도메인을 설정해서 관리를 분할하는 방법을 생각해 볼 수 있습니다. 또한, 기업 등의 도메인 이름을 이용하는 방법으로는 어떤 부서에 자신들이 담당하는 서비스의 도메인 이름을 자체적으로 관리하고 싶다는 요청이 있을 때, 그 서비스를 위한 서브 도메인을 위임하거나 전용 도메인 이름을 신규로 등록하는 것도 생각해 볼 수 있습니다.

이처럼 도메인 이름과 DNS를 설계하기 위해 필요한 조직 내의 요청을 모으고 그 요청을 실현하기 위한 요건이나 규칙을 정하는 작업에는 충분한 시간을 들이기를 권장합니다. 여기서는 도메인 이름의 설계에 영향을 주는 서브 도메인의 생성과 이용에 대해 연상하기 쉽도록 아래에 구체적인 예시와 그 대응을 설명합니다.

• [구체적인 예시 1] 운용하고 있는 서비스나 서버의 수가 적다

예를 들면, 외부에 공개하는 서비스가 웹사이트와 메일밖에 없고 서버의 수도 적을 때는 서브 도메인을 생성하지 않아 계층 구조를 가지지 않는 평탄한 관리 방법을 많이 선택할 것입니다(그림 5-1).

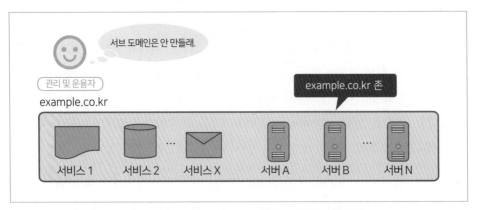

그림 5-1 서브 도메인을 생성하지 않아 계층 구조를 가지지 않는 평탄한 관리를 한다

• [구체적인 예시 2] 어떤 부서에 자체 서브 도메인을 사용하고 싶다는 요청이 있어 승인하였으나 도메인 이름의 관리는 분할하지 않고 시스템부가 전체를 관리한다

예를 들면, 부서 전용의 시스템이 있고 서브 도메인을 생성해 그 시스템을 구별할 수 있도록 할 때는 그 부서 전용으로 서브 도메인을 만들어도 위임은 하지 않는 방법이 있습니다(그림 5-2).

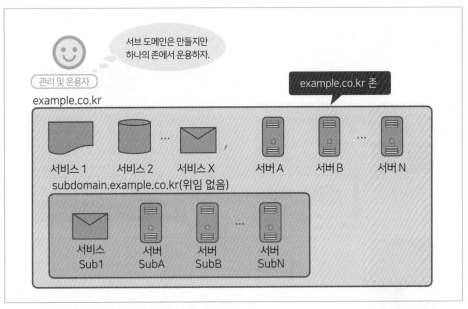

그림 5-2 서브 도메인을 만들지만 위임은 하지 않는다

- **[구체적인 예시 3] 어떤 부서에서 자체 서브 도메인을 사용해 서비스 사이트를 운영하게 되었고 그 사이트의 서브 도메인 관리도 그 부서가 맡게 되었다**

이때는 그 서비스 전용으로 서브 도메인을 만들고 존의 관리를 위임하여 부서가 서브 도메인을 관리할 수 있도록 합니다(그림 5-3).

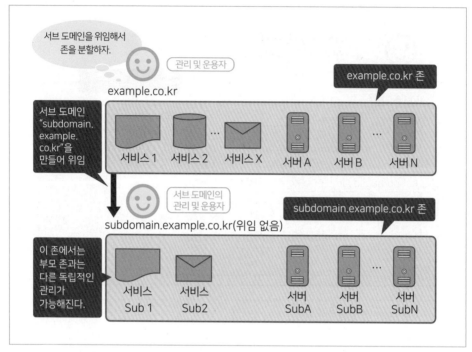

그림 5-3 서브 도메인을 생성하고 존의 관리를 위임한다

다음 절에서는 위 예시를 참고하여 우리가 회사(EXAMPLE사)의 시스템부 담당자라고 가정하고 도메인 이름과 DNS의 설계에 대해 설명합니다.

CHAPTER 5
Practical
Guide to
DNS

03

EXAMPLE사를 예시로 한 설계와 구축

도메인 이름과 DNS의 구체적인 설계를 살펴봅시다. 여기서는 아래 시나리오로 가정합니다.

- 우리는 EXAMPLE사의 시스템부에서 서버와 네트워크를 관리하고 있다.
- 이번에 EXAMPLE사에서는 자체 도메인 이름 'example.co.kr'을 등록하고 그 도메인 이름을 사용해서 전사적인 관리를 하게 되었다.

EXAMPLE사 전체의 도메인 이름을 관리하기 위해서 어떤 항목을 생각하고 어떻게 설계를 진행하면 좋을지 예시를 사용해 순서대로 설명합니다.

도메인 이름을 어떻게 관리하고 운용할지 정하기

우선, 이 도메인 이름을 사용해서 무엇을 실현하고 싶은지 생각해 봅시다. 회사로서 example.co.kr을 어떻게 관리하며 최종적으로 어떤 상태로 만들고 싶은지 사내의 요청을 고려해 검토하고 리스트로 만듭니다(그림 5-4).

<EXAMPLE사의 관리와 운용 요건>

(1) 회사의 도메인 이름으로 example.co.kr을 등록하고 시스템부에서 관리한다.

(2) www.example.co.kr이라는 이름으로 웹사이트를 공개하고 '사용자명@example.co.kr'
    이라는 메일 주소를 사용할 수 있도록 한다.

(3) 사내 각 부서를 위해 서브 도메인을 준비한다. 현시점에서는 영업부, 지원부, 홍보부를
    위한 서브 도메인을 준비한다.

    (3.1) 영업부와 지원부의 서브 도메인은 각 부서에 관리를 위임한다.

    (3.2) 홍보부의 서브 도메인은 시스템부에서 관리하며 위임하지 않는다.

그림 5-4 **EXAMPLE사의 관리와 운용 요건**

그림 5-4의 리스트가 example.co.kr의 설계를 진행하는 데 관리와 운용의 요건이 됩니다. 앞으로는 이 리스트의 내용에 따라서 도메인 이름과 DNS를 설계합니다.

• (1) 회사의 도메인 이름으로 example.co.kr을 등록하고 시스템부에서 관리한다

이번 예시에서는 시스템부가 example.co.kr을 관리하기 때문에 example.co.kr로 어떤 정보를 다루며 운용할지는 관리와 운용 요건에 따라 시스템부가 결정하게 됩니다. 또한, example.co.kr의 존 정보를 공개하기 위한 권한이 있는 서버를 준비하고 인터넷을 통해 접속할 수 있도록 해야 합니다.[1]

여기서는 example.co.kr을 등록하고 인터넷을 통해 접속할 수 있도록 하기 위한 항목을 존과 위임의 관점에서 설명합니다.[2] kr 존의 관리자가 EXAMPLE사에 example.co.kr이라는 서브 도메인을 위임하는 형태이므로 구체적으로는 다음과 같이 진행됩니다(2장 04절 '도메인 이름을 사용할 수 있도록 하기' 참고)(그림 5-5).

---

1 2장 칼럼 '외부 서비스의 이용'에서 소개한 것처럼 직접 권한이 있는 서버를 구축하는 것이 아닌 외부 서비스를 이용하는 방법도 있습니다.

2 example.co.kr 존의 내용, 즉 존에 설정하는 리소스 레코드의 구체적인 내용은 6장 이후에서 설명합니다.

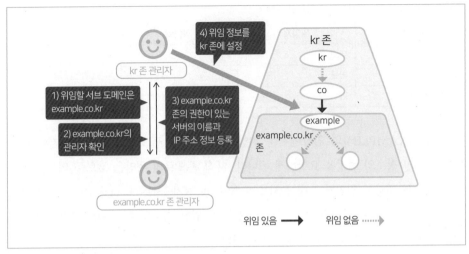

그림 5-5 kr 존의 관리자가 EXAMPLE사에 example.co.kr이라는 서브 도메인을 위임

1. kr이 위임하는 서브 도메인은 example.co.kr이다.

2. 위임자(kr)는 EXAMPLE사의 시스템부 관리자(우리)가 example.co.kr의 관리자임을 확인한다.

3. 위임자는 위임처의 관리자(우리)로부터 example.co.kr 존의 권한이 있는 서버의 이름과 IP 주소 정보를 받는다.[3]

4. 위임자는 kr 존에 example.co.kr의 위임 정보를 설정한다.

또한, 1장 05절의 'DNS 계층화와 위임의 구조'에서 설명한 것처럼 위임자와 위임처는 부모-자식 관계가 됩니다. DNS에서는 부모와 자식이 관리하는 존을 각각 **부모 존, 자식 존**이라고 합니다. 이번 예시에서는 kr 존이 부모 존, example.co.kr 존이 자식 존이 됩니다 (표 5-1).

---

3 레지스트라(등록 대행자)를 통해서 받습니다.

표 5-1 이번 예시에서 위임자와 위임처의 관계

	위임자	위임처
관계	부모	자식
존 명칭	부모 존	자식 존
구체적인 예시	kr	example.co.kr

위임처인 EXAMPLE사의 입장에서는 위임을 받기 위해 필요한 정보를 위임자에게 전달하고 위임 정보의 설정을 요청하게 됩니다. 자식 존으로의 위임은 부모 존의 관리자가 '위임 정보를 제공한 위임처에 대상 서브 도메인(이번 예시에서는 example.co.kr)을 위임해도 좋다'라는 판단 후에 설정됩니다. 이 위임을 받기 위한 정보를 위임자(kr)에게 제공하는 일도 위임처 관리자(우리)의 역할 중 하나입니다.

DNS에서 kr 존이 example.co.kr 존을 위임하고 이름 풀이가 정확하게 이루어지는 상태를 만들기 위해서는 위임에 관한 정보가 kr과 example.co.kr 존 양쪽에서 정확하게 처리되어야 합니다. 구체적으로는 example.co.kr 존의 권한이 있는 서버의 정보가 위임자와 위임처 양쪽 존에서 정확하게 설정되어야 하고 지정된 서버가 정확하게 작동해야 합니다(그림 5-6).

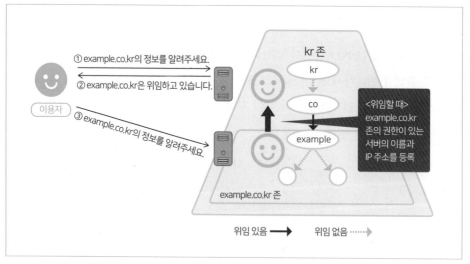

그림 5-6 kr 존의 권한이 있는 서버가 example.co.kr 존의 위임을 안내할 수 있도록 한다

만약 위임 정보의 설정이 정확하지 않다면, 부모 존인 kr 존의 권한이 있는 서버가 example.co.kr 존의 위임을 안내하지 못하게 됩니다. 이때 위임처인 example.co.kr의 권한이 있는 서버를 정확하게 설정해서 작동시켰다고 해도 example.co.kr을 이용하지 못하는 상황이 생깁니다(3장 03절의 '위임 정보의 등록' 참고).

또한, 운용상의 이유로 example.co.kr의 권한이 있는 서버의 호스트 이름이나 IP 주소를 변경해야 할 때는 위임자(kr)의 위임 정보를 갱신해야 합니다. 그때 위임 정보를 위임자에게 전달하여 정확한 위임 정보를 유지하는 일도 위임처 관리자(우리)의 중요한 역할 중 하나입니다.

그리고 example.co.kr의 서브 도메인을 만들어 다른 부서에 위임할 때, 우리는 위임자의 입장이 되며 위임처의 관리자에게 위에서 말한 위임 정보를 제공하고 정확한 정보를 유지하는 일을 요청해야 합니다. DNS에서 이름 풀이가 정확하게 이루어지도록 하기 위한 원리는 어떤 계층에서 이루어지는 위임이더라도 변하지 않습니다.

위임 정보는 **NS 리소스 레코드**에 의해 설정됩니다. **DNS에서는 부모 존과 자식 존 양쪽에 같은 내용으로 NS 리소스 레코드를 설정해야 합니다.** 부모 존에 설정되는 NS 리소스 레코드는 해당 도메인 이름이 위임되어 있음을 나타내며 위임처의 권한이 있는 서버를 안내하기 위해 사용됩니다. 그리고 자식 존에서도 같은 NS 리소스 레코드를 설정하고 자신의 존의 권한이 있는 서버를 지정합니다.

이 장에 나오는 각 리소스 레코드의 구체적인 내용은 6장에서 설명합니다.

• (2) www.example.co.kr이라는 이름으로 웹사이트를 공개하고 '사용자명@example.co.kr'이라는 메일 주소를 사용할 수 있도록 한다

example.co.kr 존을 kr 존으로부터 위임받는 것으로 인해 example.co.kr 도메인을 어떻게 관리할지는 example.co.kr의 관리자가 결정하게 됩니다. 여기서는 웹과 메일을 예시로 하여 권한이 있는 서버에 어떤 정보를 설정하는지 간단하게 설명합니다(그림 5-7).

우선, EXAMPLE사의 공식 웹사이트로 www.example.co.kr이라는 웹 서버를 공개하는 사례를 생각해 봅시다. 이를 위해 웹 서버를 준비하고 나서 example.co.kr의 권한이 있는 서버에 www.example.co.kr이라는 도메인 이름을 마련하고 IP 주소 정보를 설정해야 합니다. IP는 IPv4와 IPv6로 두 종류가 있기 때문에 필요에 따라서 **A 리소스 레코드**(IPv4 주소)와 **AAAA 리소스 레코드**(IPv6 주소)를 설정합니다.

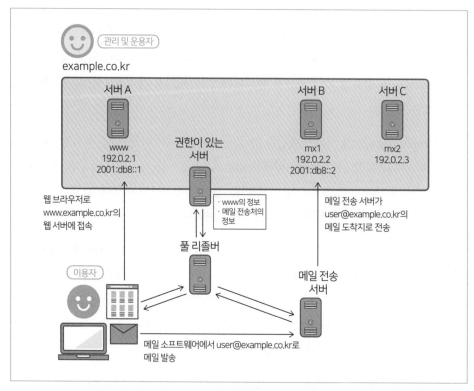

그림 5-7 example.co.kr로 작동시킬 서비스에 따라서 권한이 있는 서버에 리소스 레코드를 설정한다

이렇게 해서 권한이 있는 서버는 풀 리졸버에게 www.example.co.kr의 IP 주소를 알려 줄 수 있고, EXAMPLE사의 공식 웹사이트를 공개할 수 있습니다.

다음으로는 EXAMPLE사의 사원이 '사용자명@example.co.kr'이라는 메일 주소를 사용할 수 있도록 하기 위한 설정을 합니다. 이를 위해서는 example.co.kr의 메일 서버를 준비하고 나서 지정한 도메인 이름으로 보내는 메일을 받을 수 있도록 하기 위한 정보를 example.co.kr의 권한이 있는 서버에 설정해야 합니다.

메일을 보낼 곳은 **MX 리소스 레코드**로 설정합니다. 메일 서버를 자신의 도메인 이름으로 설정할 때 그 메일 서버의 IP 주소, 즉 A나 AAAA도 방금 전의 웹 서버와 같이 설정해야 합니다. 그림 5-7에 나타낸 것처럼 '사용자명@example.co.kr'을 수신자로 하는 메일을 보내면 메일을 발송하는 프로그램이 DNS로 example.co.kr의 MX 리소스 레코드를 질의하여 메일을 보낼 곳을 찾아냅니다. 그리고 보낼 곳인 메일 서버의 IP 주소를 다시 DNS로 질의하여 그 메일 서버로 메일을 전송합니다.

이처럼 example.co.kr로 작동시킬 서비스에 따라 example.co.kr의 권한이 있는 서버에 필요한 정보를 설정해 나가는 것이 관리자(우리)의 일 중 하나입니다. 여기서 소개한 웹이나 메일 이외에도 도메인 이름은 다양한 용도로 사용되기에 그에 따른 리소스 레코드를 example.co.kr 존에 설정해 나가게 됩니다.

• (3) 사내 각 부서를 위해 서브 도메인을 준비한다

EXAMPLE사에는 다양한 부서가 있습니다. 사내 요청으로 영업부, 지원부, 홍보부를 위해 example.co.kr의 서브 도메인을 준비하게 되었습니다. DNS의 설계에는 서브 도메인 이름을 어떻게 정할지도 포함됩니다.

서브 도메인에는 각기 다른 라벨을 붙여야 합니다. 이 라벨을 붙이는 방법도 설계의 일환입니다. 부서의 이름, 명칭, 용도, 번호 등 아무거나 사용해도 되지만 관리자나 사용자가 봤을 때 알기 쉬운 것을 쓰는 것이 바람직합니다. 이렇게 이름을 정할 때는 규칙을 세우면 효율적입니다. 여기서는 각 부서의 영어 표기를 기준으로 한 표 5-2의 라벨을 사용합니다.

표 5-2 **EXAMPLE사 각 부서의 라벨**

부서명	영어 표기	라벨
영업부	Sales Division	sales
지원부	Support Division	support
홍보부	Public Relations Division	info

• (3.1) 영업부와 지원부의 서브 도메인은 각 부서에 위임한다

서브 도메인을 만들었을 때 어떻게 운용할지를 정하는 것도 도메인 이름 관리자(우리)의 일입니다. 직접 운용할지, 각 부서에 위임할지에 따라 DNS의 설계가 달라집니다. 서브 도메인의 관리를 그 부서에 맡기기로 했다면 각 부서에 위임합니다. kr이 example.co.kr 을 위임할 때와 마찬가지로 위임처에게 위임에 필요한 적절한 작업을 요청해야 합니다.

즉, example.co.kr의 서브 도메인을 위임하기 위해서는 위임할 서브 도메인을 정하고, 위임처의 관리자를 확인하고, 그 관리자로부터 위임처의 존 정보를 제공하는 권한이 있는 서버의 정보를 받아야 합니다. 여기서는 sales.example.co.kr을 영업부에, support. example.co.kr을 지원부에 위임하기 때문에 각 위임처의 관리자를 확인하고 위임처의 권한이 있는 서버의 정보를 받게 됩니다.

서브 도메인을 위임했을 때는 위임처의 운용 상황 변동에 따라 위임 정보를 갱신할 수 있도록 해야 합니다. **즉, 시스템부가 example.co.kr의 레지스트리 역할을 하게 됩니다.** 위임에 관한 부모와 자식의 관계는 어느 계층에서도 같으며 원활한 운용을 실현하기 위한 중요한 요소입니다(그림 5-8).

• (3.2) 홍보부의 서브 도메인은 위임하지 않는다

생성한 서브 도메인을 위임하지 않고 직접 운용하는 것도 가능합니다. 그럴 때는 해당 부서의 요청에 따라 존의 내용을 직접 관리하게 됩니다.

EXAMPLE사에서는 홍보부가 사용하는 info.example.co.kr이 이에 해당합니다. info. example.co.kr이라는 서브 도메인에 홍보부 전용의 웹 서버 www.info.example.co.kr을 마련하거나 메일링 리스트를 운영하기 위해 메일 서버 ml.info.example.co.kr로 메일을 받을 수 있도록 하는 등 어떤 라벨을 어떤 용도로 쓰며 어떻게 설정할지와 같은 정보를 홍보부로부터 받아 example.co.kr 존에 설정하는 것이 관리자(우리)의 일입니다.

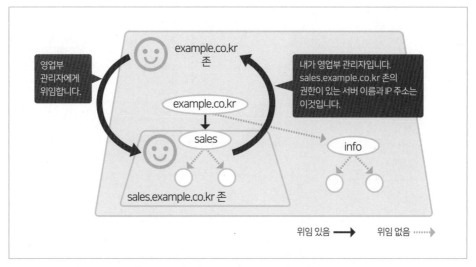

그림 5-8 서브 도메인을 위임할 때는 위임자가 레지스트리 역할을 한다

서브 도메인을 위임할 때와 위임하지 않을 때의 분담 차이를 표 5-3에 정리합니다.

표 5-3 서브 도메인을 위임할 때와 위임하지 않을 때의 분담 차이

서브 도메인에서 실시하는 사항	위임할 때 (이 예시에서는 지원부)	위임하지 않을 때 (이 예시에서는 홍보부)
설정할 도메인 이름을 정한다.	지원부가 한다.	홍보부가 한다.
도메인 이름의 용도를 정한다.	지원부가 한다.	홍보부가 한다.
도메인 이름의 용도에 따른 설정을 한다.	지원부가 한다.	시스템부가 한다.
권한이 있는 서버를 운용한다.	지원부가 한다.	시스템부가 한다.

홍보부의 입장에서 보면 부서가 이용하고 싶은 내용을 시스템부에 일일이 의뢰해야 합니다. 그러나 존의 관리나 권한이 있는 서버의 운용 책임을 지지 않는다는 점은 장점으로도 볼 수 있습니다.

이상으로 도메인 이름과 DNS의 설계에 대해 EXAMPLE사를 예시로 들어 설명했습니다. 도메인 이름과 DNS를 관리하기 위해 필요한 항목 그리고 고려할 점에 대해서 구체적인 이미지를 파악했기를 바랍니다.

CHAPTER 6
도메인 이름 관리하기:
권한이 있는 서버의 설정

Practical
Guide to
DNS

이 장에서는 도메인 이름을 관리하는 데 필요한 권한이 있는 서버의 설정을 설명합니다.

이 장의 키워드

- 존의 관리
- 존 전송
- AXFR
- IXFR
- DNS NOTIFY
- SOA 리소스 레코드
- SERIAL
- 존 컷
- 존 정점
- 절대 도메인 이름
- 상대 도메인 이름
- 전체 주소 도메인 이름(FQDN)
- NS 리소스 레코드
- 글루 레코드
- A 리소스 레코드
- AAAA 리소스 레코드
- MX 리소스 레코드
- CNAME 리소스 레코드
- TXT 리소스 레코드
- SPF
- DMARC
- 리소스 레코드 세트(RRset)
- 존 파일
- PTR 리소스 레코드

CHAPTER 6
Practical
Guide to
DNS

01

도메인 이름의 관리자가 관리하는 범위와 권한이 있는 서버

이번 장에서는 5장에서 배운 도메인 이름과 DNS의 설계를 생각하면서 자신의 존을 관리하는 권한이 있는 서버를 설정하는 방법에 대해 설명합니다.

기초 편에서 설명한 것처럼 도메인 이름의 관리자는 자신의 도메인 이름의 존과 자신이 위임한 존의 위임 정보를 관리합니다. 이것이 바로 도메인 이름의 관리자가 관리하는 범위입니다. 이번 장의 설명에서는 관리 대상인 도메인 이름을 'example.kr'로 합니다. 위임받은 도메인 이름은 위임처가 자신의 이용 상황에 따라 관리할 수 있습니다(그림 6-1). 예를 들면, www.example.kr이라는 웹 서버를 만들거나 mail.example.kr이라는 메일 서버를 만들어도 됩니다.

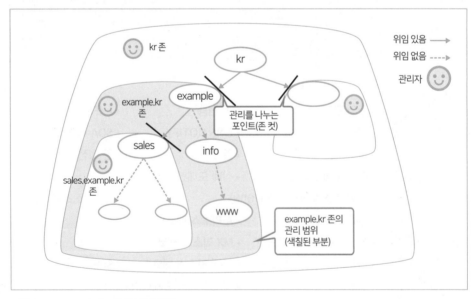

그림 6-1 example.kr 존의 관리 예시

또한, 위임받은 도메인 이름에 서브 도메인을 만드는 것도 가능합니다. 예를 들면, info. example.kr이라는 서브 도메인을 만들고, 그 서브 도메인에 www.info.example.kr이라는 웹 서버를 만들 수 있습니다. 이러한 정보는 모두 리소스 레코드로서 존에 설정됩니다. 생성한 서브 도메인을 다른 관리자에게 위임하는 것도 가능합니다. sales.example.kr 이라는 서브 도메인을 만들어 다른 관리자에게 위임했을 때, sales.example.kr의 관리는 example.kr로부터 분리됩니다. 즉, www.sales.example.kr이라는 웹 서버의 도메인 이름은 example.kr의 관리자가 아닌 위임을 받은 sales.example.kr의 관리자가 생성하게 됩니다. 이때 'sales.example.kr이라는 서브 도메인을 ○○에게 위임하고 있다'는 정보(위임 정보)까지가 example.kr이 관리하는 범위이며 존에 설정됩니다.

이처럼 도메인 이름은 서브 도메인의 생성과 다른 사람에게 위임하는 것으로 인해 별도의 존으로 분할되어 여러 관리자에 의해 분산 관리됩니다. 분할된 존은 각 관리자가 운용하는 권한이 있는 서버에 의해 인터넷에 공개됩니다. 5장에서 설명한 것처럼 도메인 이름을 원활하게 운용하기 위해서는 부모-자식 간의 위임을 정확하게 연결하고 각각의 존 데이터를 정확하게 설정해야 합니다(그림 6-2).

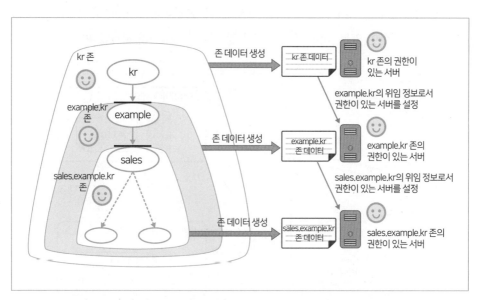

그림 6-2 부모-자식 간의 위임을 정확하게 연결하고 각각의 존 데이터를 정확하게 설정한다

02

권한이 있는 서버의 가용성

여기서는 4장에서 설명한 존 전송에 의한 권한이 있는 서버의 가용성 향상을 자세히 알아봅니다. DNS에는 권한이 있는 서버를 이중화하는 구조가 처음부터 포함되어 있습니다. 어떤 존을 관리하는 권한이 있는 서버를 여러 대 설치하는 것이 이에 해당합니다. 권한이 있는 서버는 DNS의 구조상 한 대만 있어도 되지만 이중화를 통한 가용성 향상을 위해 여러 대 설정하는 것을 권장하고 있습니다.

프라이머리 서버와 세컨더리 서버

4장 03절의 '권한이 있는 서버를 여러 대 설치하기'에서 설명한 것처럼 존 전송에서 전송자가 될 권한이 있는 서버가 프라이머리 서버입니다. 프라이머리 서버로부터 존 데이터의 사본을 받는 권한이 있는 서버, 즉 수신자가 될 서버가 세컨더리 서버입니다(그림 6-3).

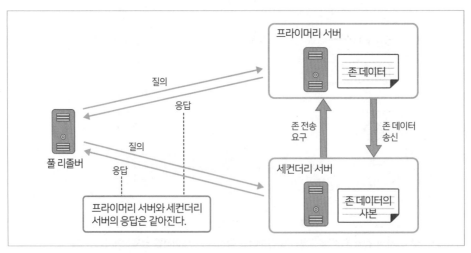

그림 6-3 프라이머리 서버와 세컨더리 서버가 존 데이터를 공유

존 전송은 세컨더리 서버가 프라이머리 서버에게 존 전송을 요구하고 그 요구를 받은 프라이머리 서버가 존 데이터를 세컨더리 서버에게 보내는 순서로 이루어집니다. 세컨더리 서버는 프라이머리 서버로부터 받은 존 데이터를 사용해서 풀 리졸버의 질의에 응답합니다.

존 전송에 의해 프라이머리 서버와 세컨더리 서버는 같은 존 데이터를 공유합니다. 따라서 프라이머리 서버와 세컨더리 서버는 해당 존에 대한 질의에 같은 응답을 합니다. 같은 응답을 한다는 점은 중요하며, 풀 리졸버의 입장에서는 프라이머리 서버와 세컨더리 서버의 구별이 없고 구별할 필요도 없습니다. 실제로 권한이 있는 서버를 설정하는 NS 리소스 레코드에는 프라이머리 서버와 세컨더리 서버를 구별하는 정보가 존재하지 않습니다.

존 전송의 구조

존 전송에는 존의 모든 정보를 보내는 **AXFR(Authoritative Transfer)**과 수정분만 보내는 **IXFR(Incremental Transfer)**의 두 종류가 있습니다(그림 6-4). 크기가 큰 존일수록 AXFR에 의한 존 전송은 시간과 부하가 걸립니다. 특별한 이유가 없는 한 세컨더리 서버는 존 전송 시에 IXFR을 이용해 수정분만 요구하는 것이 바람직합니다.

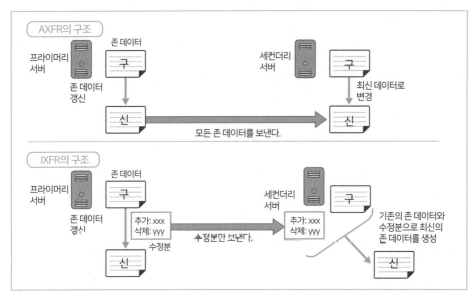

그림 6-4 **두 종류의 존 전송**

프라이머리 서버에서 존 데이터의 갱신이 일어나면 프라이머리 서버는 **DNS NOTIFY**라는 구조를 이용해 존 데이터의 갱신이 있었음을 세컨더리 서버에게 알립니다. 이때 DNS NOTIFY를 보낼 세컨더리 서버의 리스트를 프라이머리 서버에 미리 등록해 둡니다.[1]

세컨더리 서버는 DNS NOTIFY를 받으면 프라이머리 서버에 해당 존의 **SOA 리소스 레코드**를 질의합니다. 얻은 SOA 리소스 레코드의 **SERIAL** 값과 자신이 가진 존 데이터의 SOA 리소스 레코드의 SERIAL 값을 비교합니다. 얻은 SERIAL 값이 자신이 갖고 있는 값보다 클 때, 즉 프라이머리 서버가 새로운 존 데이터를 가지고 있음을 확인했을 때 프라이머리 서버에게 존 전송을 요구해 최신의 존 데이터로 갱신합니다(그림 6-5).[2]

DNS NOTIFY와 IXFR을 조합하면 프라이머리 서버와 세컨더리 서버 간의 존 데이터 동기화를 짧은 시간 안에 낮은 부하로 실현할 수 있습니다.

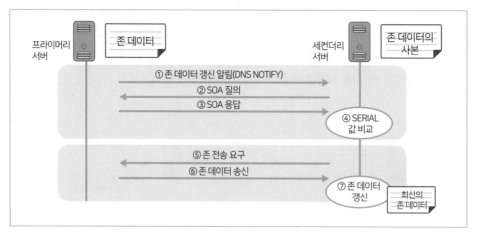

그림 6-5 갱신 알림에서 존 데이터 갱신까지의 흐름

---

1 DNS 서버 소프트웨어의 종류에 따라서는 자신이 갖고 있는 존 데이터의 NS 리소스 레코드로부터 DNS NOTIFY를 보낼 세컨더리 서버의 리스트를 자동으로 생성하는 것도 있습니다. 그러나 설정 파일에 세컨더리 서버의 리스트를 직접 설정하고 권한이 있는 서버가 변경되었을 때 리스트를 잘 관리함으로써 보다 안정적으로 존 전송을 운용할 수 있습니다.

2 SOA 리소스 레코드의 내용과 SERIAL 값은 6장 04절 '도메인 이름의 관리와 위임을 위해 설정하는 정보'에서 설명합니다.

프라이머리 서버와 세컨더리 서버의 배치

이용자 접속이 많은 도메인 이름이나 루트 서버 등 이중화를 위해 권한이 있는 서버를 여러 대 공개해야 할 때는 프라이머리 서버를 세컨더리 서버에게 존 전송하는 역할로만 사용하고 이용자의 질의는 받지 않도록 구성하는 방법이 있습니다(그림 6-6). 이렇게 하면 프라이머리 서버의 부하를 줄일 수 있고 마스터 데이터를 갖는 서버로의 접근을 제한할 수 있습니다. 불특정 다수의 접근을 차단하고 서버의 IP 주소를 외부에 노출하지 않아 마스터 정보를 관리하는 서버에 대한 사이버 공격의 위험을 줄일 수 있으며, 보안 향상도 꾀할 수 있습니다.

또한, 프라이머리 서버와 세컨더리 서버는 다른 장소, 다른 네트워크에 두는 것을 권장합니다. 서버가 한 대인데 그 서버에 장애가 발생하면 서비스를 제공하지 못하는 것처럼, 단일 장소나 단일 네트워크에서 장애가 발생했을 때 모든 권한이 있는 서버로 접속하지 못하여 서비스 제공이 불가능해질 우려가 있기 때문입니다.

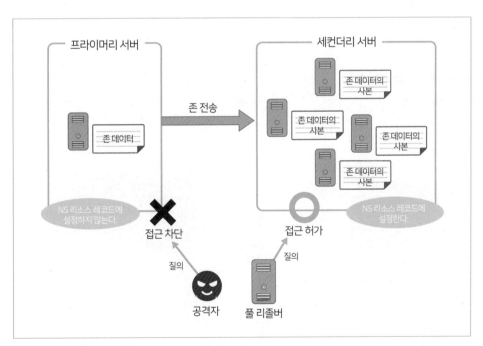

그림 6-6 프라이머리 서버를 존 전송하는 역할로만 사용하는 방법

CHAPTER 6
Practical
Guide to
DNS

권한이 있는 서버가 응답하는 정보

권한이 있는 서버는 관리자가 설정한 존 데이터를 읽어 들이고 풀 리졸버의 질의에 응답함으로써 서비스를 제공합니다(그림 6-7). 4장 01절의 '권한이 있는 서버의 역할'에서 설명한 것처럼 권한이 있는 서버는 존 데이터를 리소스 레코드의 형태로 보유합니다.

리소스 레코드는 도메인 이름에 관한 정보이며 많은 종류가 있고 타입에 의해 구별됩니다. 리소스 레코드의 타입은 DNS에 어떤 정보를 설정하는지에 따라 구분하여 사용됩니다.

리소스 레코드의 표기 형식

리소스 레코드를 텍스트로 표현할 때의 형식은 다음과 같습니다.

리소스 레코드의 표기 형식

도메인 이름	TTL	클래스	타입	데이터

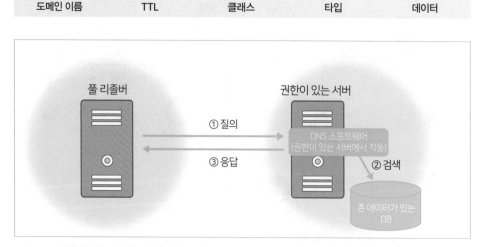

그림 6-7 권한이 있는 서버는 관리자가 설정한 존 데이터를 읽어 들여 질의에 응답한다

또한, 다음과 같이 설정을 생략할 수 있습니다.

- TTL과 클래스는 생략할 수 있다.
- 같은 도메인 이름에 리소스 레코드를 여러 개 설정할 때, 두 번째 줄 이후는 도메인 이름을 생략할 수 있다.

이 책에서는 설명에 따라서 적당히 생략한 표현을 사용합니다. 풀 리졸버는 도메인 이름, 알고 싶은 클래스와 타입을 지정해서 질의를 보내옵니다. 그러면 권한이 있는 서버는 자신이 관리하는 존 데이터를 확인하여 질의에 대응하는 리소스 레코드를 발견했을 때 응답으로 반환합니다. 따라서 권한이 있는 서버의 존 데이터에는 관리자가 제공하고 싶은 정보를 모두 설정해 두어야 합니다.

이 장에서 설명할 리소스 레코드

다음 절부터 다양한 리소스 레코드의 타입과 설정 방법을 설명해 나갑니다. 이 장에서 설명할 리소스 레코드는 표 6-1과 같습니다.

표 6-1 **이 장에서 설명할 리소스 레코드**

타입	내용	참고
SOA 리소스 레코드	존의 관리에 관한 기본적인 정보	6장 04절
NS 리소스 레코드	위임에 관한 정보	6장 04절
A 리소스 레코드	도메인 이름에 대한 IPv4 주소	6장 05절
AAAA 리소스 레코드	도메인 이름에 대한 IPv6 주소	6장 05절
MX 리소스 레코드	메일 전송에 관한 정보	6장 05절
CNAME 리소스 레코드	도메인 이름에 대한 정식 이름	6장 05절
TXT 리소스 레코드	임의의 문자열	6장 06절
PTR 리소스 레코드	IP 주소에 대한 도메인 이름	칼럼 '역방향을 설정하기 위한 PTR 리소스 레코드'

CHAPTER 6
Practical
Guide to
DNS

04

도메인 이름의 관리와 위임을 위해 설정하는 정보

여기서는 도메인 이름의 관리와 위임을 위해서 설정하는 SOA 리소스 레코드와 NS 리소스 레코드를 설명합니다.

존 자체에 관한 정보: SOA 리소스 레코드

위임에 의해 분할된 존의 경계를 **존 컷(zone cut)**이라고 하며, 존 컷의 자식 존 쪽에서는 존 컷의 도메인 이름을 **존 정점**이라고 합니다. 예를 들면, kr이 example.kr을 위임하고 있을 때 example.kr이라는 도메인 이름은 example.kr 존의 존 정점에 해당합니다(그림 6-1 참고). 존 정점에는 **SOA 리소스 레코드**를 설정합니다. SOA는 Start of Authority, 즉 권한의 개시를 의미하며 위임받은 존을 관리할 때 필요한 정보를 설정합니다.

SOA 리소스 레코드의 형식과 설정 예시는 다음과 같습니다.

SOA 리소스 레코드의 형식

도메인 이름	TTL	IN	SOA	MNAME	RNAME	SERIAL	REFRESH	RETRY	EXPIRE	MINIMUM

SOA 리소스 레코드의 설정 예시(; 이후는 코멘트를 나타냄)

```
①    example.kr.    IN SOA    (
②        ns1.example.kr.                 ; MNAME
③        postmaster.example.kr.          ; RNAME
④        2018013001                      ; SERIAL
⑤        3600                            ; REFRESH
⑥        900                             ; RETRY
⑦        604800                          ; EXPIRE
⑧        3600                            ; MINIMUM
⑨        )
```

각 정보의 의미는 다음과 같습니다. 제목 뒤의 숫자는 줄 번호에 해당합니다.

• example.kr. ······①

이 존의 도메인 이름입니다. 여기서는 **절대 도메인 이름**으로 설정했습니다. 끝에 '.'을 붙이는 것을 잊지 말아주세요. 절대 도메인 이름은 칼럼 '절대 도메인 이름, 상대 도메인 이름, 전체 주소 도메인 이름이 존재하는 이유'를 참고해 주세요.

COLUMN 절대 도메인 이름, 상대 도메인 이름, 전체 주소 도메인 이름이 존재하는 이유

도메인 이름을 표기하는 방법에는 여러 형식이 있고 설정하는 상황에 따라 구분해서 사용합니다.

• 절대 도메인 이름(absolute domain name)

도메인 이름을 TLD까지 생략하지 않고 표기하며 끝에 루트를 나타내는 '.'을 붙인 도메인 이름입니다. 끝에 '.'이 있어 절대 도메인 이름임을 알 수 있습니다. 절대 도메인 이름으로 표기하면 길어지지만 루트부터 모든 라벨을 포함한 도메인 이름임을 틀림없이 표기할 수 있다는 장점이 있습니다.

예: www.example.kr.

• 상대 도메인 이름(relative domain name)

도메인 이름을 생략해서 표기한 것입니다. 기준이 될 도메인 이름이 정해졌을 때, 그 도메인 이름의 상대적 위치에서 설명할 때 사용합니다. 상대 도메인 이름은 기준이 될 도메인 이름이 정해진 상태라면 도메인 이름을 짧은 형태로 표현할 수 있습니다. 또한, 기준이 될 도메인 이름을 지정하지 않고 그 존 안의 도메인 이름임을 나타낼 때도 사용합니다.

예: example.kr을 기준으로 설명할 때의 'www'나 'mx1' 등

• 전체 주소 도메인 이름(fully qualified domain name, FQDN)

TLD까지의 모든 라벨을 포함한 도메인 이름입니다. 절대 도메인 이름과는 달리 끝에 '.'을 붙이는 것은 설정하는 상황에 따라 구분됩니다. URL이나 메일 주소 표기 등 모든 라벨을 포함한 정보를 반드시 설정해야 할 때는 끝에 '.'을 붙이지 않는 것이 일반적입니다.

예: www.example.kr

절대 도메인 이름과 상대 도메인 이름은 표기상의 차이가 있어서 섞어서 사용할 때가 있지만, 전체 주소 도메인 이름을 다른 표기 방법으로 혼용하는 경우는 거의 없습니다.

• IN SOA ······①

클래스와 타입입니다. 클래스에는 **IN**(Internet)을 설정합니다. DNS의 클래스는 4장의 칼럼 'DNS의 클래스'를 참고해 주세요. 타입에는 이번 항에서 설명하고 있는 SOA를 설정했습니다. 또한, 클래스 앞에 TTL을 설정할 수 있지만 여기서는 생략했습니다.

• MNAME ······②

그 존의 프라이머리 서버의 호스트 이름입니다.

• RNAME ······③

그 존 관리자의 메일 주소입니다. 이 메일 주소는 이용자가 그 존의 관리자에게 연락을 하고 싶을 때 사용합니다. RNAME에 설정하는 메일 주소는 '@'을 '.'으로 바꿔서 설정합니다. 예를 들면, 'postmaster@example.kr'을 설정할 때 RNAME에는 'postmaster.example.kr.'로 설정합니다. 메일 주소를 표현하는 값이지만 절대 도메인 이름으로 설정할 때는 끝에 '.'을 붙이는 것에 주의해야 합니다.

이어서 나오는 네 가지 값은 존 전송을 컨트롤하기 위한 정보입니다.

• SERIAL ······④

존 데이터의 시리얼 번호가 들어갑니다. 세컨더리 서버는 자신이 갖고 있는 존 데이터의 시리얼 번호보다 큰 시리얼 번호를 가진 존이 있음을 확인했을 때, 존 전송을 요구해서 존 데이터를 갱신합니다. 이번 예시에서는 존 데이터를 갱신한 연(4자리), 월(2자리), 일(2자리) 그리고 그날에 갱신한 횟수(2자리)를 연결한 형식을 사용했습니다.

존 데이터를 갱신했을 때는 이전 SERIAL 값보다 큰 값이 되도록 값을 갱신합니다.[3] 프로그램으로 존 데이터를 관리할 때는 컴퓨터의 시각 표현 중 하나인 UNIX 시간을 사용하기도 합니다.

---

3 SERIAL 값을 작게 하는 방법은 RFC 1982에 나와 있습니다. 이 책에서는 설명을 생략합니다.

• REFRESH ······⑤

존 데이터의 갱신을 자발적으로 시작하기까지의 시간입니다. 세컨더리 서버는 앞서 확인한 때로부터 이 설정 시간이 경과하면 DNS NOTIFY에 의한 알림을 받지 않아도 존 데이터의 갱신을 확인합니다. 현재 가지고 있는 것보다 새로운 존 데이터가 있을 때 존 전송을 시도합니다. SOA 리소스 레코드에 설정되는 시간은 초 단위입니다. 이번 예시에서는 3,600초(1시간)입니다.

• RETRY ······⑥

존 데이터의 갱신이 실패했을 때 다시 갱신을 시도하기까지의 시간입니다. 갱신 실패가 지속될 때는 이 설정 시간을 기다리고 나서 갱신을 시도하며, 성공할 때까지 반복합니다. 이번 예시에서는 900초(15분)입니다.

• EXPIRE ······⑦

존 데이터의 갱신이 지속해서 실패하는 경우 성공할 때까지 반복하지만, 이 설정 시간 동안 성공하지 못하면 가지고 있는 존 데이터를 기간 만료로 처리합니다. 존 데이터가 기간 만료인 상태가 되면 세컨더리 서버는 존 데이터를 갖지 않는 상태가 되어 해당 존에 관한 질의에 적절한 응답을 할 수 없게 됩니다. 이 상태에서는 권한이 있는 서버로서 질의에 응답하는 역할을 할 수 없게 되지만, 존 데이터의 갱신을 할 수 없는 비정상 상태에서 낡은 데이터가 지속적으로 이용되는 것을 방지할 수 있습니다. 이번 예시에서는 604,800초(7일)입니다.

다음은 응답한 정보에 대한 처리를 풀 리졸버에게 지시하기 위한 정보입니다.

• MINIMUM ······⑧

여기서 설정하는 값은 풀 리졸버가 질의한 도메인 이름/타입이 존재하지 않는다는 응답을 권한이 있는 서버로부터 받았을 때 존재하지 않는다는 정보, 즉 4장 03절의 '캐시와 네거티브 캐시'에서 설명한 네거티브 캐시를 보유해도 되는 시간(네거티브 캐시의 TTL)입니다.

존재하는 도메인 이름/타입에 대한 응답에는 개별적으로 TTL이 부여되고 풀 리졸버는 TTL 설정 내용에 따라 응답을 캐시합니다. 이에 비해 존재하지 않는 도메인 이름/타입에 대해서는 일률적으로 이 SOA 리소스 레코드의 MINIMUM으로 설정되는 값의 기간 동안, 존재하지 않는다는 정보가 캐시됩니다. 이번 예시에서는 3,600초(1시간)입니다.

또한, 네거티브 캐시의 TTL로서 실제 사용되는 것은 **SOA 리소스 레코드 자체의 TTL과 SOA의 MINIMUM 중 작은 값**입니다.

여기까지 SOA 리소스 레코드를 설명했습니다. 이처럼 SOA 리소스 레코드에는 존의 관리에 관한 기본적인 정보가 설정됩니다.

위임에 관한 정보: NS 리소스 레코드

위임에 관한 정보는 **NS 리소스 레코드**로 설정합니다. NS 리소스 레코드는 존 컷의 부모 존과 자식 존 모두에 설정해야 합니다. 예를 들면, kr이 example.kr을 위임하고 있을 때 kr 존과 example.kr 존 양쪽에서 설정합니다(그림 6-1 참고).

NS 리소스 레코드의 형식과 example.kr 존의 설정 예시를 아래에 나타냅니다. 이 설정 예시에는 kr 존으로부터 위임받은 example.kr의 존 정점에 설정하는 자신의 존의 NS 리소스 레코드(설정 예시(1))와 sales.example.kr이라는 서브 도메인을 만들어 위임하고 있는 부모 존으로서의 'example.kr이 위임한 sales.example.kr의 위임 정보'(설정 예시(2))라는 NS 리소스 레코드로 두 종류가 있음에 주의합니다.

NS 리소스 레코드의 형식

도메인 이름	TTL	IN	NS	권한이 있는 서버의 호스트 이름

설정 예시(1) example.kr의 존 정점에 설정하는 자신의 존의 NS 리소스 레코드

```
①    example.kr.              IN   NS    ns1.example.kr.
②    example.kr.              IN   NS    ns2.example.kr.
③    ns1.example.kr.          IN   A     192.0.2.11
④    ns2.example.kr.          IN   A     198.51.100.21
```

※ 형식의 설명에는 TTL이 있지만 여기서는 생략했습니다. 앞으로도 생략합니다.

설정 예시(2) example.kr이 위임한 sales.example.kr의 NS 리소스 레코드

```
⑤      sales.example.kr.       IN    NS      ns1.sales.example.kr.
⑥      sales.example.kr.       IN    NS      ns2.sales.example.kr.
⑦      ns1.sales.example.kr.   IN    A       192.0.2.31
⑧      ns2.sales.example.kr.   IN    A       198.51.100.41
```

NS 리소스 레코드에는 존을 관리하는 권한이 있는 서버의 호스트 이름을 설정합니다. 존을 관리하는 권한이 있는 서버가 여러 대 있을 때는 ①②나 ⑤⑥처럼 모두 설정합니다. 여러 대 설정할 때 그 순서는 DNS 작동에 영향을 주지 않습니다. 권한이 있는 서버가 응답할 때 NS 리소스 레코드의 순서는 정해져 있지 않으며 바뀔 때가 있습니다. 또한, NS 리소스 레코드로 설정하는 권한이 있는 서버에 대해서는 필요에 따라 그 IP 주소를 A 리소스 레코드나 AAAA 리소스 레코드로 설정합니다(③④나 ⑦⑧).

위임을 받은 존에 설정하는 NS 리소스 레코드는 그 존의 권한이 있는 서버로서 존의 관리자가 정식으로 설정한 정보(권한을 갖는 정보)로 취급됩니다. 설정 예시(1)의 ①②가 이에 해당하며 example.kr 존의 설정이 권한을 가집니다.

한편, example.kr 존의 서브 도메인인 sales.example.kr의 NS 리소스 레코드를 설정할 때는 서브 도메인의 관리자로부터 받은 위임 정보인 위임처의 권한이 있는 서버 정보를 설정합니다. 이 정보는 sales.example.kr이 위임되어 있음을 나타내지만 이 NS 리소스 레코드 자체는 권한을 갖는 정보로 취급되지 않습니다. 권한을 갖는 정보는 여기서 설정한 권한이 있는 서버가 관리하는 sales.example.kr 존, 즉 위임처 존에 설정되어 있으며 그 권한이 있는 서버에 질의를 할 때 비로소 얻을 수 있습니다. 설정 예시(2)의 ⑤⑥이 이에 해당하며 example.kr 존의 설정은 권한을 갖지 않습니다.

또한, 위임처의 권한이 있는 서버의 호스트 이름이 위임처 존의 것일 때는, NS 리소스 레코드에 더해 그 IP 주소를 나타내는 A/AAAA 리소스 레코드도 **글루 레코드(glue record)**로 설정해야 합니다(이 장의 칼럼 '글루 레코드가 필요한 이유' 참고). 설정 예시(2)의 ⑦⑧이 글루 레코드입니다(설정 예시(1)의 ③④는 자신의 존 정보이며 글루 레코드가 아닙니다). 글루 레코드도 권한을 갖지 않는 정보입니다. NS 리소스 레코드와 글루 레코드에 의해 위임이 있음과 위임처의 권한이 있는 서버를 특정하기 위한 정보가 설정되어 도메인 이름을 트리 구조로 분산 관리할 수 있게 됩니다.

COLUMN 글루 레코드가 필요한 이유

서브 도메인을 위임할 때는 위임자의 존에 위임처의 권한이 있는 서버 정보를 NS 리소스 레코드로 등록합니다. 이때 NS 리소스 레코드에는 권한이 있는 서버의 호스트 이름을 설정합니다. 그러나 실제로 풀 리졸버가 위임처의 권한이 있는 서버에 접근할 때 서버의 IP 주소를 알아야 하기 때문에 NS 리소스 레코드에 설정된 서버의 도메인 이름에 대해 이름 풀이를 해야 합니다.

그러면 NS 리소스 레코드에 설정된 이름이 위임처에서 관리되고 있을 때를 생각해 봅시다. 권한이 있는 서버의 IP 주소를 알려고 해도 위임처의 권한이 있는 서버에 접근하지 않으면 이름 풀이를 하지 못하기 때문에 아무리 노력해도 정보를 얻을 수 없게 됩니다.

이 문제를 해결하기 위한 것이 글루 레코드입니다. 글루(glue)는 접착제를 의미하며 원래는 존의 범위에 없는, NS 리소스 레코드에 설정된 호스트 이름의 IP 주소를 위임에 부수되는 정보로서 설정해 두기 위한 것입니다. 이 정보는 NS 리소스 레코드를 풀 리졸버에게 응답할 때 DNS 응답의 Additional 구역(8장에서 설명)에 포함되어 반환됩니다. 풀 리졸버는 글루 레코드의 정보를 사용해서 NS 리소스 레코드에 설정된 권한이 있는 서버의 IP 주소를 알게 되어 이름 풀이를 계속할 수 있게 됩니다. 또한, 글루 레코드는 원래 그 이름을 관리하는 존과는 다른 권한이 있는 서버가 응답하기 때문에 권한을 갖지 않는 정보로 취급됩니다.

05

서비스를 제공하기 위해
설정하는 정보

DNS에서는 도메인 이름을 어떻게 사용하고 싶은지에 따라 존에 설정하는 정보가 달라집니다. 여기서는 서비스를 제공하기 위해서 설정하는 리소스 레코드 중에서 A, AAAA, MX, CNAME 리소스 레코드를 소개합니다.

www.example.kr이라는 이름으로 웹사이트 공개하기

여기서는 www.example.kr이라는 이름으로 웹사이트를 공개할 때를 생각해 봅니다. 이용자가 웹 서버에 접속하기 위해서는 웹 서버의 IP 주소를 알아야 합니다. 따라서 IP 주소를 알려줄 수 있도록 그 존의 권한이 있는 서버에 아래 정보를 설정합니다.

여기서는 example.kr 존에 'www.example.kr'이라는 도메인 이름을 준비하고 IP 주소 정보를 설정합니다. IP에는 IPv4와 IPv6의 두 종류가 있기 때문에 필요에 따라서 **A 리소스 레코드**와 **AAAA 리소스 레코드**를 설정합니다. 해당 도메인 이름에 여러 개의 IP 주소가 연결된 때에는 A 또는 AAAA 리소스 레코드를 여러 개 설정합니다.

A 리소스 레코드의 형식은 다음과 같습니다.

A 리소스 레코드의 형식

도메인 이름	TTL	IN	A	IPv4 주소

AAAA 리소스 레코드의 형식은 다음과 같습니다.

AAAA 리소스 레코드의 형식

도메인 이름	TTL	IN	AAAA	IPv6 주소

137

설정 예시는 다음과 같습니다.

www.example.kr에 A/AAAA를 하나씩 설정하는 예시

①	www.example.kr.	IN	A	192.0.2.1
②	www.example.kr.	IN	AAAA	2001:db8::1

www2.example.kr에 A/AAAA를 각각 여러 개 설정하는 예시

③	www2.example.kr.	IN	A	192.0.2.100
④	www2.example.kr.	IN	A	192.0.2.200
⑤	www2.example.kr.	IN	AAAA	2001:db8::100
⑥	www2.example.kr.	IN	AAAA	2001:db8::200

A나 AAAA 리소스 레코드를 설정하면 www.example.kr에 대한 이름 풀이를 할 수 있게 되고 웹사이트를 공개할 준비가 완료됩니다. 또한, A나 AAAA 리소스 레코드는 웹 서버를 이용할 때만이 아닌 IP 주소를 설정하는 모든 경우에 사용됩니다.

user@example.kr이라는 메일 주소를 사용할 수 있도록 하기

다음으로는 'user@example.kr'이라는 메일 주소를 사용할 수 있도록 하기 위한 방법을 생각해 보겠습니다. 설정한 도메인 이름으로 보내는 메일을 받을 수 있도록 하기 위한 정보도 그 존의 권한이 있는 서버에 설정합니다.

구체적으로는 그 도메인 이름으로 보내는 메일의 전송처인 메일 서버의 호스트 이름 리스트를 우선순위와 함께 설정합니다. 이를 위해 사용되는 것이 **MX 리소스 레코드**입니다. 메일 서버의 호스트 이름이 자신이 관리하는 존 내부의 것일 때 그 메일 서버의 IP 주소(A/AAAA 리소스 레코드)도 같이 설정합니다.

MX 리소스 레코드의 형식과 설정 예시는 다음과 같습니다.

MX 리소스 레코드의 형식

도메인 이름	TTL	IN	MX	우선도(값)	호스트 이름

MX 리소스 레코드의 설정 예시

```
①    example.kr.              IN    MX       10      mx1.example.kr.
②    example.kr.              IN    MX       20      mx2.example.kr.
③    mx1.example.kr.          IN    A                192.0.2.2
④    mx1.example.kr.          IN    AAAA             2001:db8::2
⑤    mx2.example.kr.          IN    A                192.0.2.3
```

user@example.kr로 메일을 보내면, 메일을 전송하는 프로그램이 DNS를 사용해서 example.kr의 MX 리소스 레코드를 검색하여 메일을 전송할 곳의 리스트를 찾습니다. MX 리소스 레코드에는 메일 서버의 우선순위가 부호 없는 값으로 설정되어 있고, 리스트 중에서 가장 작은 값을 갖는 메일 서버부터 순서대로 메일 전송을 시도합니다. 또한, 전송을 할 때는 메일 서버의 호스트 이름을 이름 풀이하고 그 IP 주소로 메일을 전송합니다.

외부 서비스를 자사 도메인 이름으로 이용하기

접속량이 많고 대량의 트래픽을 처리해야 하는 대규모 웹사이트를 운용하고 있을 때 모든 시스템을 자사에서 구축하는 것은 쉽지 않습니다. 그래서 외부 서비스를 이용하기도 합니다. 웹사이트라면 CDN(Content Delivery Network) 서비스를 이용할 것입니다.

CDN은 전 세계의 수많은 데이터 전송용 서버를 사용해 이용자와 가까운 서버에서 콘텐츠를 효율 좋게 전송하는 구조입니다. 이런 외부 서비스를 이용하기 위한 방법 중 하나로 **CNAME(Canonical Name) 리소스 레코드**를 사용하는 방법이 있습니다. CNAME 리소스 레코드는 도메인 이름의 정식 이름을 지정하기 위한 리소스 레코드이며, 호스트 이름에 별명을 붙이는 수단으로 사용됩니다.

CNAME 리소스 레코드의 형식과 설정 예시는 다음과 같습니다.

CNAME 리소스 레코드의 형식

도메인 이름	TTL	IN	CNAME	정식 이름

CNAME 리소스 레코드의 설정 예시

```
①   www.sales.example.kr.      IN    CNAME    cdn.example.com.
```

풀 리졸버는 질의한 도메인 이름에 CNAME 리소스 레코드, 즉 별명에 대응하는 정식 이름이 설정되어 있음을 확인하면 설정된 정식 이름에 대해 다시 이름 풀이를 합니다. 그리고 그 결과를 원래 질의에 대한 응답으로 반환합니다.

위의 설정 예시는 영업부에 위임한 sales.example.kr의 존으로, 외부의 CDN 서비스를 이용해서 www.sales.example.kr을 운용하는 경우를 나타냅니다. www.sales.example.kr에는 CNAME 리소스 레코드로 cdn.example.com이라는 정식 이름을 설정했습니다. cdn.example.com은 example.kr과는 다른 존의 정보입니다. 풀 리졸버는 www.sales.example.kr의 IP 주소 질의에 대해 CNAME 리소스 레코드를 받으면 정식 이름으로 지정된 cdn.example.com을 이름 풀이합니다. 이름 풀이를 해서 IP 주소를 얻게 되면 원래 질의에 대해 CNAME 리소스 레코드와 IP 주소 정보 양쪽을 반환합니다.

CNAME 리소스 레코드를 사용하면 외부 서비스를 제공하고 있는 cdn.example.com이라는 서버를 www.sales.example.kr이라는 도메인 이름으로 이용할 수 있습니다. 또한, cdn.example.com은 외부 서비스 제공자가 관리하고 있는 도메인 이름이므로 서비스 제공자의 사정으로 IP 주소가 변경되더라도 CNAME 리소스 레코드의 설정을 변경할 필요가 없습니다. 또한, CNAME 리소스 레코드는 외부 도메인 이름을 지정할 때만 쓰이는 것이 아니라 같은 존의 다른 도메인 이름을 지정할 수도 있습니다.

CNAME 리소스 레코드를 사용할 때 다음과 같은 점에 주의해야 합니다.

- CNAME 리소스 레코드를 설정한 도메인 이름에는 CNAME 이외의 리소스 레코드를 설정하지 않는다.

[잘못된 설정 예시]

존 정점에 다른 리소스 레코드와 함께 CNAME 리소스 레코드를 설정하려고 할 때

```
@ IN SOA … 생략
  IN NS ns1.example.kr.
  IN CNAME www.example.kr.
```

- 어떤 도메인 이름에 CNAME 리소스 레코드를 여러 개 설정하지 않는다(다른 도메인 이름에 같은 정식 이름을 설정하는 것은 가능).

[잘못된 설정 예시]

여러 대의 서버를 CNAME 리소스 레코드로 지정해서 웹사이트를 제공하려고 할 때

```
www.example.kr. IN CNAME web1.example.kr.
               IN CNAME web2.example.kr.
```

06

리소스 레코드를 사용해서
메시지 전달하기

존 데이터로 설정하는 리소스 레코드에는 지금까지 설명한 것 이외에도 많은 종류가 있습니다. 여기서는 위장 메일 대책 등에 사용되는 **TXT 리소스 레코드**를 설명합니다.

도메인 이름에 대응하는 텍스트 설정하기

도메인 이름에는 임의의 텍스트를 문자 정보로 추가할 수 있습니다. 이때 사용되는 것이 TXT 리소스 레코드입니다. TXT 리소스 레코드의 형식과 설정 예시는 다음과 같습니다.

TXT 리소스 레코드의 형식

도메인 이름	TTL	IN	TXT	임의의 문자열

TXT 리소스 레코드의 설정 예시

```
①    example.kr.         IN    TXT    "EXAMPLE CO., Ltd."
②    example.kr.         IN    TXT    "v=spf1 +mx -all"
③    _dmarc.example.kr.  IN    TXT    "v=DMARC1; p=none; rua=mailto:dmarc-reports@
                                       example.kr"
```

①은 example.kr의 도메인 이름에 대해서 EXAMPLE사의 회사명을 설정했습니다. ②는 **SPF(Sender Policy Framework)**, ③은 **DMARC(Domain-based Message Authentication, Reporting, and Conformance)**라고 불리는 위장 메일 대책을 위한 송신 도메인 인증에서 사용하는 정보를 설정했습니다. TXT 리소스 레코드는 임의의 문자열을 설정할 수 있습니다. 그래서 특정 설정 규칙에 따라 내용을 설정하면 도메인 이름을 이용한 다른 기술에 사용되는 정보를 설정하거나 전달할 수 있습니다.

CHAPTER 6
Practical
Guide to
DNS

07

리소스 레코드 세트(RRset)

지금까지 여러 가지 리소스 레코드를 설명해 오면서 하나의 도메인 이름에 대해서 같은 클래스, 같은 타입으로 된 리소스 레코드를 여러 개 설정한 예시가 있었습니다. 이를 **리소스 레코드 세트(resource record set, RRset)**라고 합니다. 리소스 레코드 세트는 같은 도메인 이름, 타입, 클래스를 가지며 데이터가 다른 리소스 레코드의 집합입니다(그림 6-8).

리소스 레코드 세트는 반드시 한 묶음의 집합으로 취급되며, 질의에 일치하는 리소스 레코드 전부를 리소스 레코드 세트의 형태로 응답합니다. 또한, 리소스 레코드 세트를 구성하는 각 리소스 레코드의 정렬 순서는 고정되어 있지 않습니다.

그림 6-8의 ④처럼 리소스 레코드 세트가 반드시 여러 개의 리소스 레코드를 가리키지는 않습니다. 개수와는 상관없이 도메인 이름에 대해 같은 클래스, 같은 타입으로 된 리소스 레코드가 모두 리소스 레코드 세트에 해당합니다.

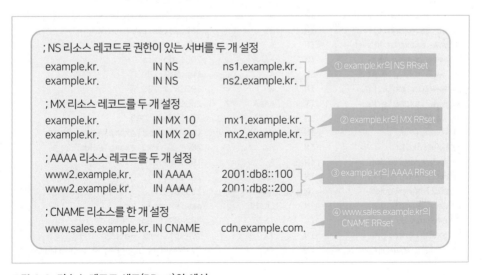

그림 6-8 리소스 레코드 세트(RRset)의 예시

CHAPTER 6
Practical
Guide to
DNS

존 파일에 리소스 레코드 설정하기

여기서는 리소스 레코드를 권한이 있는 서버에 설정하는 방법을 설명합니다. 권한이 있는 서버가 읽어 들이는 **존 파일**은 그 존의 리소스 레코드의 내용을 모아둔 것입니다(그림 6-9).

그림 6-9 **존 파일의 예시**

```
①  example.kr.              IN SOA (
②      ns1.example.kr.                        ; MNAME
③      postmaster.example.kr.                 ; RNAME
④      2018013001                             ; SERIAL
⑤      3600                                   ; REFRESH
⑥      900                                    ; RETRY
⑦      604800                                 ; EXPIRE
⑧      3600                                   ; MINIMUM
⑨      )
⑩  example.kr.             IN     NS      ns1.example.kr.
⑪  example.kr.             IN     NS      ns2.example.kr.
⑫  sales.example.kr.       IN     NS      ns1.sales.example.kr.
⑬  sales.example.kr.       IN     NS      ns2.sales.example.kr.
⑭  www.example.kr.         IN     A       192.0.2.1
⑮  www.example.kr.         IN     AAAA    2001:db8::1
⑯  www2.example.kr.        IN     A       192.0.2.100
⑰  www2.example.kr.        IN     A       192.0.2.200
⑱  www2.example.kr.        IN     AAAA    2001:db8::100
⑲  www2.example.kr.        IN     AAAA    2001:db8::200
⑳  example.kr.             IN     MX      10    mx1.example.kr.
㉑  example.kr.             IN     MX      20    mx2.example.kr.
㉒  mx1.example.kr.         IN     A       192.0.2.2
㉓  mx1.example.kr.         IN     AAAA    2001:db8::2
㉔  mx2.example.kr.         IN     A       192.0.2.3
㉕  web.example.kr.         IN     CNAME   www.example.kr.
㉖  example.kr.             IN     TXT     "EXAMPLE Co., Ltd."
㉗  example.kr.             IN     TXT     "v=spf1 +mx -all"
㉘  _dmarc.example.kr.      IN     TXT     "v=DMARC1; p=none; ⇒ rua=mailto
```

```
                                              :dmarc-reports@example.kr"
㉙ ns1.example.kr.          IN      A         192.0.2.11
㉚ ns2.example.kr.          IN      A         198.51.100.21
㉛ ns1.sales.example.kr.    IN      A         192.0.2.31
㉜ ns2.sales.example.kr.    IN      A         198.51.100.41
㉝ ; 존 파일 내의 코멘트
(㉘의 ⇒는 줄 바꿈 없음을 의미합니다.)
```

존 파일을 설정하는 방법은 RFC로 정해져 있고 권한이 있는 서버의 프로그램 종류에 관계없이 기본적으로 공통된 설정 방법을 사용할 수 있습니다. 존 파일에는 세미콜론 ';'을 사용해서 코멘트를 남길 수 있습니다. 또한, SOA 리소스 레코드와 같이 한 줄이 길어질 때는 괄호를 사용해서 다음에 이어지는 여러 줄을 설정할 수 있습니다. 존 파일에서 '('부터 ')'까지의 설정은 한 줄로 간주됩니다.

존 파일에는 생략을 위한 규칙이 있습니다.

1. 이전 줄과 같은 도메인 이름은 생략할 수 있다.

2. 이전 줄과 같은 클래스는 생략할 수 있다.

3. $TTL 디렉티브를 설정하면 존 내의 디폴트 TTL이 설정되어 각 리소스 레코드에서 TTL의 설정을 생략할 수 있다.

4. $ORIGIN 디렉티브로 존 파일 안의 오리진(상대 도메인 이름을 설정했을 때 보충되는 도메인 이름)을 설정할 수 있다.

5. 오리진과 같은 도메인 이름은 '@'으로 설정할 수 있다.

6. 도메인 이름의 필드 끝이 '.'이 아닐 때는 상대 도메인 이름이 되며 $ORIGIN 디렉티브로 설정된 도메인 이름이 끝에 보충된다.

또한, 아래 규칙이 있습니다.

7. $INCLUDE 디렉티브를 사용하면 설정된 파일을 존 파일 안으로 읽어 들일 수 있다.

이러한 규칙을 이용해서 방금 전에 설정한 존 파일을 그림 6-10저럼 설정할 수 있습니다.

그림 6-10 생략한 존 파일의 예시

①	$ORIGIN	example.kr.		
②	$TTL	3600		
③	@	IN SOA (		
④		ns1.example.kr.	; MNAME	
⑤		postmaster.example.kr.	; RNAME	
⑥		2018013001	; SERIAL	
⑦		3600	; REFRESH	
⑧		900	; RETRY	
⑨		604800	; EXPIRE	
⑩		3600	; MINIMUM	
⑪		)		
⑫		NS	ns1	
⑬		NS	ns2	
⑭		MX	10 mx1	
⑮		MX	20 mx2	
⑯		TXT	"EXAMPLE Co., Ltd."	
⑰		TXT	"v=spf1 +mx -all"	
⑱	_dmarc	TXT	"v=DMARC1; p=none; ⇒ rua=mailto :dmarc-reports@example.kr"	
⑲	sales	NS	ns1.sales	
⑳		NS	ns2.sales	
㉑	www	A	192.0.2.1	
㉒		AAAA	2001:db8::1	
㉓	www2	A	192.0.2.100	
㉔		A	192.0.2.200	
㉕		AAAA	2001:db8::100	
㉖		AAAA	2001:db8::200	
㉗	mx1	A	192.0.2.2	
㉘		AAAA	2001:db8::2	
㉙	mx2	A	192.0.2.3	
㉚	web	CNAME	www	
㉛	ns1	A	192.0.2.11	
㉜	ns2	A	198.51.100.21	
㉝	ns1.sales	A	192.0.2.31	
㉞	ns2.sales	A	198.51.100.41	
㉟	; 존 파일 내의 코멘트			

(⑱의 ⇒는 줄 바꿈 없음을 의미합니다.)

또한, 세컨더리 서버에는 존 파일을 설정하지 않습니다. 세컨더리 서버는 기동할 때 존 파일이 존재하지 않으면 프라이머리 서버로부터 존 전송을 통해 존 데이터를 복사합니다.

COLUMN 역방향을 설정하기 위한 PTR 리소스 레코드

4장 04절 '정방향과 역방향'에서 설명한 것처럼 DNS에는 IP 주소에 대응하는 도메인 이름을 검색하는 기능도 있습니다. 이를 '역방향'이라고 합니다. DNS는 특정 도메인 이름의 계층 구조를 사용해서 IP 주소를 표현하는 것으로 역방향을 실현합니다.

역방향을 검색할 때 풀 리졸버는 IP 주소를 특정 형식으로 역순화하여 생성한 도메인 이름을 사용해서 질의합니다. 아래에 IPv4 및 IPv6 주소의 역방향 DNS를 설정하는 예시를 나타내었습니다(그림 6-11).

- IPv4일 때: IP 주소의 표기를 역순으로 한 뒤 'in-addr.arpa.'를 마지막에 붙인다.
  (예: 192.0.2.3 → 3.2.0.192.in-addr.arpa.)
- IPv6일 때: 니블(4비트)로 구분된 IP 주소를 점으로 연결해 역순으로 한 뒤 'ip6.arpa.'를 마지막에 붙인다.(예: 2001:db8::1 → 1.0.0.0.0.0.0.0.0.0.0.0.0.0.0.0.0.0.0.0.0.0.0.0.8.b.d.0.1.0.0.2.ip6.arpa.)

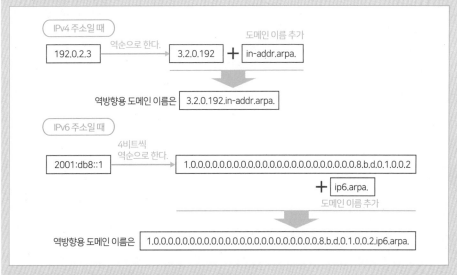

그림 6-11 **IPv4 및 IPv6 주소의 역방향 DNS 설정 예시**

이 도메인 이름에 역방향을 위한 PTR 리소스 레코드를 설정하면 IP 주소에 대응하는 도메인 이름을 설정할 수 있게 됩니다. PTR 리소스 레코드의 형식은 다음과 같습니다.

PTR 리소스 레코드의 형식

도메인 이름	TTL	IN	PTR	도메인 이름

PTR 리소스 레코드의 설정 예시

```
3.2.0.192.in-addr.arpa.   IN     PTR        ptr1.example.kr.
1.0.0.0.0.0.0.0.0.0.0.0.0.0.0.0.0.0.0.0.0.0.0.0.8.b.d.0.1.0.0.2.ip6.arpa. ⇒
    IN     PTR      ptr2.example.kr.
```

(⇒는 줄 바꿈 없음을 나타냅니다.)

CHAPTER 7

이름 풀이 서비스 제공하기:
풀 리졸버의 설정

Practical
Guide to
DNS

이 장에서는 이름 풀이 서비스를 제공하는 풀 리졸버의 설정과 퍼블릭 DNS 서비스를 설명합니다.

이 장의 키워드

- 이름 풀이 서비스
- 공인 IP 주소
- DNS 반사 공격
- 힌트 파일
- 사설 IP 주소
- 오픈 리졸버
- 프라이밍
- 포워더
- 퍼블릭 DNS 서비스

CHAPTER 7
Practical
Guide to
DNS

풀 리졸버의 중요성

풀 리졸버는 이용자의 기기에서 작동하는 스터브 리졸버로부터 이름 풀이 요구를 접수해 이름 풀이를 하고 결과를 반환합니다(4장 01절의 '풀 리졸버의 역할' 참고). 즉, 풀 리졸버는 이용자와 권한이 있는 서버 사이에서 필요한 정보를 확인하는 역할을 담당하게 됩니다(그림 7-1).

웹 브라우저나 메일 소프트웨어와 같은 프로그램은 이름 풀이의 결과를 사용해서 웹 서버로 접속하거나 메일을 전송합니다. 따라서 그런 프로그램이 이름 풀이를 하지 못하게 되면 웹이나 메일 서비스를 이용할 수 없는 상태가 됩니다.

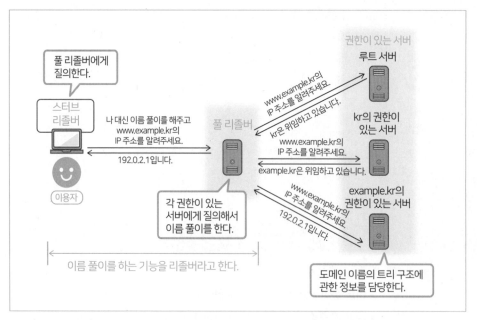

그림 7-1 풀 리졸버는 이용자와 권한이 있는 서버 사이에서 필요한 정보를 확인한다

4장 02절 '구성 요소의 연계에 의한 이름 풀이'에서 설명한 것처럼 프로그램은 스터브 리졸버를 호출해서 이름 풀이를 의뢰하고, 스터브 리졸버는 풀 리졸버에게 이름 풀이를 요구합니다. 그렇기에 만약 풀 리졸버의 이름 풀이 서비스가 멈춰 버리면 그 풀 리졸버를 사용하고 있는 모든 스터브 리졸버, 즉 프로그램이 이름 풀이를 하지 못하게 되며 결과적으로 대부분의 인터넷 서비스를 이용하지 못하는 상태가 됩니다. 이처럼 풀 리졸버의 이름 풀이도 권한이 있는 서버와 마찬가지로 멈출 수 없는, 즉 높은 가용성이 요구되는 중요한 서비스입니다.

COLUMN 힌트 파일과 프라이밍

4장의 칼럼 '루트 서버의 IP 주소는 어떻게 알까?'에서 설명한 **힌트 파일**과 **프라이밍**에 대해서 조금 더 자세히 살펴봅시다.

대부분의 풀 리졸버는 힌트 파일이라고 불리는 루트 서버의 호스트 이름과 IP 주소가 설정된 파일을 처음으로 이름 풀이를 하기 전에 읽어 들입니다. 힌트 파일에는 루트 존의 NS 리소스 레코드, 루트 서버의 A, AAAA 리소스 레코드의 리스트가 설정되어 있습니다. 이 책의 집필 시점을 기준으로 힌트 파일 내용의 일부를 그림 7-2에서 볼 수 있습니다.

```
;       This file holds the information on root name servers needed to
;       initialize cache of Internet domain name servers
;       (e.g. reference this file in the "cache  .  <file>"
;       configuration file of BIND domain name servers).
;
;       This file is made available by InterNIC
;       under anonymous FTP as
;           file                /domain/named.cache
;           on server           FTP.INTERNIC.NET
;       -OR-                    RS.INTERNIC.NET
;
;       last update:    July 09, 2018
;       related version of root zone:    2018070901
;
; FORMERLY NS.INTERNIC.NET
;
.                       3600000     NS      A.ROOT-SERVERS.NET.
A.ROOT-SERVERS.NET.     3600000     A       198.41.0.4
A.ROOT-SERVERS.NET.     3600000     AAAA    2001:503:ba3e::2:30
;
; FORMERLY NS1.ISI.EDU
;
.                       3600000     NS      B.ROOT-SERVERS.NET.
B.ROOT-SERVERS.NET.     3600000     A       199.9.14.201
B.ROOT-SERVERS.NET.     3600000     AAAA    2001:500:200::b
  (중략: C.ROOT-SERVERS.NET~L.ROOT-SERVERS.NET의 정보가 설정되어 있다)
;
; OPERATED BY WIDE
;
.                       3600000     NS      M.ROOT-SERVERS.NET.
M.ROOT-SERVERS.NET.     3600000     A       202.12.27.33
M.ROOT-SERVERS.NET.     3600000     AAAA    2001:dc3::35
; End of file
```

그림 7-2 **힌트 파일 내용의 일부**

풀 리졸버는 힌트 파일의 내용을 가지고 루트 서버에게 루트 존의 NS 리소스 레코드를 질의해서 응답을 캐시하고 다음 이름 풀이부터는 그 내용을 사용합니다. 이를 '프라이밍(priming)'이라고 합니다(그림 7-3). 루트 서버로부터 받은 응답의 캐시가 만료되었다면 다시 프라이밍을 실행합니다.

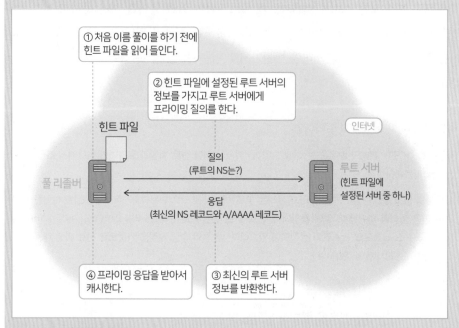

① 처음 이름 풀이를 하기 전에 힌트 파일을 읽어 들인다.

② 힌트 파일에 설정된 루트 서버의 정보를 가지고 루트 서버에게 프라이밍 질의를 한다.

힌트 파일

인터넷

질의
(루트의 NS는?)

풀 리졸버

응답
(최신의 NS 레코드와 A/AAAA 레코드)

루트 서버
(힌트 파일에 설정된 서버 중 하나)

④ 프라이밍 응답을 받아서 캐시한다.

③ 최신의 루트 서버 정보를 반환한다.

그림 7-3 **프라이밍의 흐름**

루트 서버의 IP 주소가 변경되면 공개된 힌트 파일의 설정 내용도 변경됩니다. 풀 리졸버의 관리자는 그 정보를 얻어 자신이 관리하는 풀 리졸버에 설정해야 합니다. 최신 힌트 파일은 아래 URL에서 공개하고 있습니다.

URL https://www.internic.net/domain/named.root

현재 루트 서버의 운용상, 변경으로부터 6개월 이상은 이전 IP 주소로도 서비스를 계속하기 때문에 힌트 파일의 갱신을 필요 이상으로 서두를 필요는 없습니다. 그러나 갱신 작업을 잊지 않도록 주의해야 합니다.

CHAPTER 7
Practical
Guide to
DNS

02

풀 리졸버의 설치와 운용

여기서는 조직 내에 풀 리졸버를 설치하고 운용할 때 유의해야 할 점에 대해서 설명합니다. 또한, 인터넷상에서 누구라도 사용할 수 있는 풀 리졸버인 퍼블릭 DNS 서비스도 설명합니다.

풀 리졸버의 설치

조직 내에서 풀 리졸버를 운용할 때 서버는 어디에 설치하면 좋을까요?

풀 리졸버는 인터넷상에 설치된 권한이 있는 서버군에 질의를 보내기 때문에 **공인 IP 주소**를 할당하는 것이 일반적입니다(이 장의 칼럼 '공인 IP 주소와 사설 IP 주소' 참고). 또한, 되도록 인터넷 연결 지점과 가까운 장소에 설치하여 이름 풀이에 필요한 통신 시간을 단축할 수 있도록 하는 것이 좋습니다.

또한, 풀 리졸버는 스터브 리졸버, 즉 이용자의 질의를 접수하여 결과를 반환해야 합니다. 이용자와 풀 리졸버 간의 통신 시간을 단축하기 위해서 풀 리졸버는 이용자의 네트워크로부터 접속하기 쉬운 장소에 설치하는 것이 바람직합니다. 이런 점에서 인터넷 접속 서비스 사업자(ISP)나 데이터 센터 서비스를 제공하는 사업자는 일반적으로 고객용 풀 리졸버를 고객용 네트워크 안에 설치합니다.

COLUMN 공인 IP 주소와 사설 IP 주소

공인 IP 주소는 인터넷에서 통신할 상대를 식별하고 지정하기 위해서 사용되는 IP 주소입니다. 공인 IP 주소를 통신자와 통신처 양쪽에서 사용하면 접속할 상대를 고유하게 지정할 수 있어 데이터를 주고받을 수 있게 됩니다.

이에 대비되는 **사설 IP 주소**라고 불리는 IP 주소가 존재합니다. 사설 IP 주소는 인터넷상에 존재하지 않는 것이 보장되어 있고 조직 내에서 자유롭게 사용할 수 있는 IP 주소입니다. 사설 IP 주소는 사내 네트워크와 같이 인터넷과 직접 통신하지 않는 네트워크(사설 네트워크)에서 사용합니다(그림 7-4).

그림 7-4 공인 IP 주소와 사설 IP 주소

사내 시스템 등 외부 네트워크와 직접 통신할 필요가 없는 네트워크를 구성할 때는 그 네트워크에는 사설 IP 주소를 할당하고, 외부 네트워크와 직접 통신하는 부분에만 공인 IP 주소를 할당하는 운용 방법이 일반적입니다. 이렇게 하면 사내 시스템을 확장하고 변경할 때 사설 IP 주소를 자신의 판단으로 할당하거나 변경할 수 있기 때문에 설계나 운용의 자유도가 높아집니다.

사설 IP 주소는 RFC 1918에 정의되어 있고 아래 세 개의 IPv4 주소 블록이 사설 네트워크용으로 예약되어 있습니다.

- 10.0.0.0 ~ 10.255.255.255 (10.0.0.0/8)
- 172.16.0.0 ~ 172.31.255.255 (172.16.0.0/12)
- 192.168.0.0 ~ 192.168.255.255 (192.168.0.0/16)

COLUMN DNS 포워더

4장에서 DNS의 기본 구성 요소로 스터브 리졸버, 풀 리졸버, 권한이 있는 서버를 설명했습니다. DNS에는 여기에 더해 **포워더(forwarder)**라고 불리는 제4의 구성 요소가 있습니다. 포워더는 스터브 리졸버와 풀 리졸버 사이에 배치되어 질의와 응답을 중계하는 형태로 작동합니다.

포워더는 스터브 리졸버로부터 DNS 질의를 받아 자신의 IP 주소로 풀 리졸버에게 질의를 전송합니다. 그리고 풀 리졸버로부터 응답을 받아 다시 그 응답을 스터브 리졸버에게 전달합니다. 그래서 스터브 리졸버의 입장에서 보면 포워더와 풀 리졸버는 같은 기능을 갖춘 것처럼 보입니다(그림 7-5).

친근한 포워더의 예로는 홈 라우터(가정용 공유기)가 있습니다. 대부분의 홈 라우터는 포워더의 기능을 갖추고 있고 홈 네트워크에 접속된 기기의 스터브 리졸버로부터 질의를 접수해 접속처 ISP의 풀 리졸버에게 전송합니다.

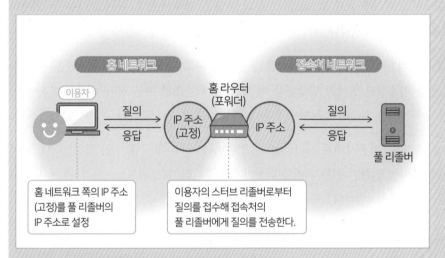

그림 7-5 DNS 포워더(홈 라우터의 기능을 사용하는 예시)

DNS 포워더를 사용할 때는 다음과 같은 장점이 있습니다.

1. 기능이 한정된 기기로 풀 리졸버에 상응하는 기능을 간단하게 제공할 수 있다.
2. 어떤 네트워크 내의 이용자가 사용하는 풀 리졸버가 변경되거나 다수의 ISP를 구분하여 사용할 때 그 네트워크 내의 DNS 설정을 변경할 필요가 없어진다.

4장의 칼럼 '통일되지 않은 명칭에 주의하자'에서 설명한 것처럼 포워더도 DNS 프록시 등과 같이 다른 명칭으로 불리고 있음에 주의해야 합니다.

풀 리졸버의 가용성

7장 01절 '풀 리졸버의 중요성'에서 설명한 것처럼 풀 리졸버가 제공하는 이름 풀이 서비스는 높은 가용성이 요구되는 중요한 서비스입니다. 그렇기에 이중화를 통한 가용성 향상을 강력히 권장합니다. 6장 02절 '권한이 있는 서버의 가용성'에서는 어떤 존을 관리하는 권한이 있는 서버를 여러 대 지정할 수 있음을 설명했습니다. 풀 리졸버에도 그와 같은 구조가 있습니다.

일반적인 스터브 리졸버는 질의처인 풀 리졸버를 여러 대 지정할 수 있습니다(그림 7-6). 풀 리졸버가 여러 대 지정되었을 때 대부분의 스터브 리졸버는 설정된 순서대로 질의를 보내고, 처음 질의를 보낸 풀 리졸버로부터 응답을 얻지 못했을 때는 그다음 풀 리졸버에게 같은 질의를 보냅니다.

이처럼 풀 리졸버도 여러 대의 서버를 통한 이중화로 가용성을 높일 수 있습니다(그림 7-7). 이를 이용하면 장애가 발생했을 때 모든 풀 리졸버가 이용 불가능 상태가 되어 이름 풀이 서비스를 제공하지 못하게 되는 위험성을 줄일 수 있습니다.

대부분의 ISP는 이용자에게 제공하는 풀 리졸버를 여러 대(두 대 이상) 설치합니다. 이러한 풀 리졸버는 권한이 있는 서버와 마찬가지로 물리적, 네트워크적으로 다른 형태로 구축되는 것이 바람직합니다.

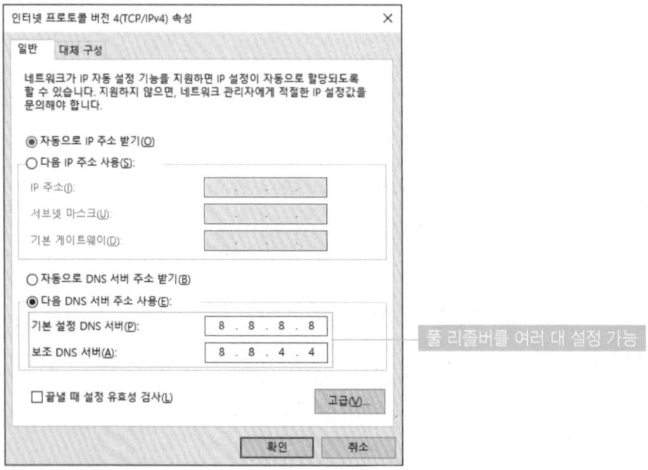

그림 7-6 Windows 10 설정 화면

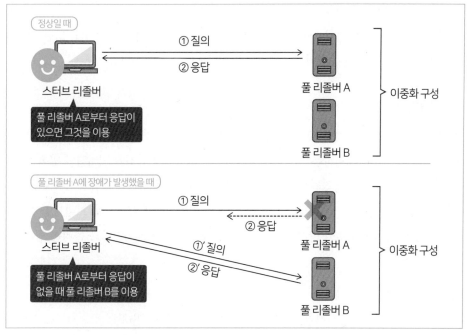

그림 7-7 **풀 리졸버를 이중화해서 가용성을 높인다**

또한, 이용자 쪽의 가용성을 높이는 수단으로 인터넷상에서 제공되는 퍼블릭 DNS 서비스를 조합하여 사용하는 것도 생각해 볼 수 있습니다(7장 02절의 '퍼블릭 DNS 서비스' 참고).

풀 리졸버의 접근 제한

• 풀 리졸버와 권한이 있는 서버의 서비스 대상의 차이

보통 조직 내에 설치되는 풀 리졸버는 조직 내의 네트워크에만 이름 풀이 서비스를 제공하면 되고 인터넷상에 이름 풀이 서비스를 제공할 필요는 없습니다. 이는 인터넷 접속서비스나 데이터 센터 서비스를 제공하는 사업자가 설치하는 풀 리졸버도 마찬가지이며각각의 고객용 네트워크에만 이름 풀이 서비스를 제공하면 됩니다. 한편, 권한이 있는서버는 인터넷상의 풀 리졸버에게 서비스를 제공하기에, 보통은 서비스 범위를 한정하지않고 모든 네트워크로부터 질의를 접수하는 상태로 공개됩니다.

157

이처럼 DNS 서비스를 제공하는 서버라도 풀 리졸버와 권한이 있는 서버는 서비스의 종류, 대상, 설정해야 할 접근 제한의 내용에 차이가 있음을 주의해야 합니다. 또한, 이 내용은 11장 05절 '서버의 종류와 접근 제한의 설정'에서 자세히 설명합니다.

● 풀 리졸버의 접근 제한

풀 리졸버의 기능은 다양한 프로그램으로부터 호출되는 스터브 리졸버의 요청을 받아 이름 풀이 서비스를 제공하는 것입니다. 그러나 풀 리졸버의 설정에 미비점이 있어 이 기능을 악용하여 사이버 공격의 발판으로 삼기도 합니다. 예를 들면, 출발지 IP 주소를 공격 대상의 IP 주소로 위장한 이름 풀이 요구를 풀 리졸버에게 대량으로 보내, 그 대량의 응답을 공격 대상에게 보내는 **DNS 반사 공격(DNS reflection attack)**이라고 불리는 공격 수법이 있습니다.

이런 행위로부터 풀 리졸버를 지키기 위한 대책으로는 풀 리졸버가 이름 풀이 서비스를 제공하는 네트워크를 제한하는 방법이 있습니다. 예를 들면, 인터넷 접속 서비스나 데이터 센터 서비스를 제공하는 사업자가 풀 리졸버의 서비스 대상을 고객용 네트워크로만 한정하는 접근 제어를 실시하는 것은 DNS 반사 공격에 대응하는 효과적인 대책 중 하나입니다(그림 7-8). DNS 반사 공격은 9장에서 설명합니다.

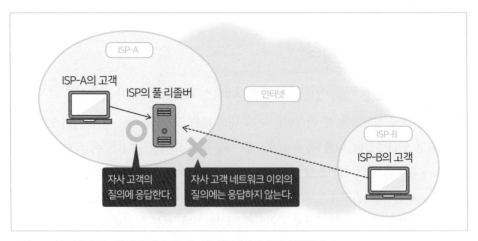

그림 7-8 ISP 등에서는 풀 리졸버의 서비스 대상을 자사 고객에 한정한다

오픈 리졸버의 위험성

오픈 리졸버(open resolver)는 접근 제한이 되어 있지 않아 인터넷상에서 자유롭게 이름 풀이 서비스를 사용할 수 있는 풀 리졸버입니다. '누구라도 사용할 수 있는, 네트워크 전체에 공개된'이라는 의미에서 '오픈(open)'이라고 불리고 있습니다.

오픈 리졸버에는 관리자의 의도에 반하여 누구라도 사용할 수 있게 된 것과 관리자가 다양한 보안 대책을 실시한 후에 의도적으로 누구라도 사용할 수 있도록 한 '퍼블릭 DNS 서비스'라고 불리는 것이 있습니다(퍼블릭 DNS 서비스는 다음 항에서 설명합니다). 이 가운데 전자인 관리자의 의도에 반하여 오픈 리졸버 상태가 된 것에는 심각한 위험성이 있습니다. 이런 오픈 리졸버에는 앞서 말한 DNS 반사 공격의 발판이 될 뿐만 아니라 캐시 포이즈닝을 비롯한 DNS를 노린 사이버 공격을 받기 쉬워지는 등의 위험이 있습니다. 또한, DNS 반사 공격이 대규모일 때 자신이 운용하고 있는 시스템이나 네트워크가 과부하되어 공격의 여파를 받기도 합니다.

이처럼 의도하지 않은 형태로 작동하는 오픈 리졸버는 위험하다는 것을 인식하고 그런 상태가 되지 않도록 적절히 운용해야 합니다.

COLUMN 풀 리졸버 운용의 변천

조직 내에서 운용하는 풀 리졸버에 접근 제한을 하고 오픈 리졸버에는 하지 않는 것은 현재로서는 당연하지만 과거에는 꼭 그렇지는 않았습니다. 1990년대부터 2000년대 초반까지는 조직 밖에서의 이용을 금지하지 않은 풀 리졸버가 인터넷상에 많이 있었습니다. 권한이 있는 서버와 풀 리졸버의 기능을 모두 설정할 수 있는 BIND라고 하는 DNS 소프트웨어가 거의 유일한 선택지였던 것과 인터넷은 성선설이라는 사고가 아직 남아 있어 풀 리졸버를 이용하지 못하는 환경에 있는 이용자에게 풀 리졸버를 선의로 제공하는 운용 사례가 존재했던 것 등이 그 배경으로 꼽힙니다.

그러나 DNS 반사 공격이나 캐시 포이즈닝의 위험성이 현실화되어 오픈 리졸버의 위험성이 널리 퍼지게 되면서 운용 상식이 변화했습니다. 풀 리졸버는 조직 내에만 서비스를 제공하는 것이 당연시되었고 오픈 리졸버를 박멸하는 노력이 이루어지게 되었습니다. 아래는 그런 노력의 한 사례입니다.

오픈 리졸버 확인 사이트(JPCERT/CC가 운영)
`URL` http://www.openresolver.jp/en/

(계속)

이런 노력에 의해 오픈 리졸버는 비교적 감소했습니다. 그래도 오래된 설정이나 이 장의 칼럼 '결함을 가지는 홈 라우터'에서 소개하는 홈 라우터의 존재 등에 의해 현재도 적지 않은 수의 오픈 리졸버가 확인되고 있습니다. 이런 상황에서 누구라도 이용 가능하다는 점에 의미를 두고 다양한 보안 대책을 실시한 후 의도적으로 오픈 리졸버로 운용하는 퍼블릭 DNS 서비스가 출현했습니다. 퍼블릭 DNS 서비스는 7장 02절의 '퍼블릭 DNS 서비스'에서 설명합니다.

COLUMN 결함을 가지는 홈 라우터

이 장의 칼럼 'DNS 포워더'에서 설명한 것처럼 대부분의 홈 라우터는 포워더의 기능을 갖추고 있고, 홈 네트워크에 접속된 기기의 스터브 리졸버로부터 DNS 질의를 접수해 접속처 ISP의 풀 리졸버에게 전송합니다.

그러나 홈 라우터 중에는 적절한 접근 제한이 되어 있지 않아 홈 네트워크에 더해 외부 네트워크로부터의 질의도 접수해 접속처 ISP의 풀 리졸버에게 전송해 버리는 결함을 가지는 것이 있습니다(그림 7-9). 이런 홈 라우터는 오픈 리졸버의 상태이며 게다가 ISP 쪽 입장에서는 이용자의 평상시 접근과 구별이 가지 않기에 접근 제어가 어렵다는 문제가 있습니다. 이러한 결함을 가지는 홈 라우터는 전 세계에 존재하며 DNS 반사 공격이나 랜덤 서브 도메인 공격(9장 05절의 '랜덤 서브 도메인 공격' 참고)의 발판이 되는 등 많은 문제가 되고 있습니다.

이 문제의 대책으로는 결함을 가지는 홈 라우터의 교환, 펌웨어 업데이트, ISP 네트워크에서 IP53B(9장 06절의 '랜덤 서브 도메인 공격에 대한 대책' 참고)를 실시하는 방법 등이 있습니다.

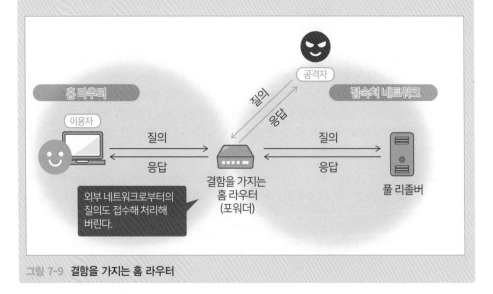

그림 7-9 결함을 가지는 홈 라우터

퍼블릭 DNS 서비스

대표적인 **퍼블릭 DNS 서비스**에는 Google Public DNS, Quad9, 1.1.1.1 등이 있으며, 각 서비스 제공자가 정하는 관리 정책하에 인터넷 이용자에게 이름 풀이 서비스를 제공하고 있습니다.

• Google Public DNS

`URL` https://developers.google.com/speed/public-dns/

Google Public DNS는 구글이 매일 하고 있는 웹사이트의 크롤링(crawling, 웹 검색 결과를 표시하기 위한 정보 수집)의 효율을 높이기 위해서 개발한 풀 리졸버를 이용자에게 서비스로 제공하는 형태로 공개한 것입니다. 8.8.8.8과 8.8.4.4라는 IP 주소로 서비스를 제공하고 있고, 외우기 쉬운 IP 주소로 퍼블릭 DNS 서비스를 제공한다는 트렌드의 선구자적인 역할을 하게 되었습니다.

• Quad9

`URL` https://www.quad9.net/

Quad9은 IBM과 Packet Clearing House(PCH)가 공동으로 운용하고 있으며 높은 보안을 자랑합니다. 구체적으로는 멀웨어 배포나 피싱에 사용되고 있는 등, 보안상의 위협이 확인된 웹사이트에 대한 도메인 이름의 이름 풀이를 신속하게 필터링하여 이용자를 보호합니다. Quad9의 이름은 서비스를 제공하고 있는 9.9.9.9라는 IP 주소에서 유래합니다.

• 1.1.1.1

`URL` https://1.1.1.1/

1.1.1.1은 CDN 서비스 등을 취급하는 Cloudflare가 운용하고 있으며, 공동으로 운용하는 형태로 아시아 태평양 지역의 IP 주소 레지스트리인 APNIC(에이피닉)이 IP 주소를 제공하고 있습니다. 이용자의 개인 정보 보호를 주력으로 하며, 사용 이력을 기록하지 않고, 얻은 접속 정보를 이용하지 않는다는 뜻을 선언하고 있습니다. 1.1.1.1이라는 이름은 서비스를 제공하고 있는 IP 주소(1.1.1.1과 1.0.0.1)에서 유래합니다.

이 밖에도 다양한 서비스 제공자가 관리하는 퍼블릭 DNS 서비스가 있습니다. 이러한 서비스는 7장 02절의 '풀 리졸버의 가용성'에서 설명한 이용자 쪽의 가용성 향상이나 이름 풀이의 작동을 확인할 때 참고나 비교 등에 이용하는 선택지 중 하나가 될 수 있습니다.

Practical
Guide to
DNS

CHAPTER 8
DNS 작동 확인

이 장에서는 DNS의 운용이나 트러블 슈팅을 할 때 필요한 작동 확인과 감시와 관련하여 기본적인 사고방식, 명령줄 도구, DNS 체크 사이트, 감시해야 할 항목과 대표적인 도구를 설명하고 소개합니다.

이 장의 키워드

- 인시던트
- 액시던트
- 명령줄 도구
- nslookup 명령어
- dig 명령어
- drill 명령어
- kdig 명령어
- 재귀적 질의
- 비재귀적 질의
- 반복 질의
- DNS 메시지
- Header 섹션
- Question 섹션
- Answer 섹션
- Authority 섹션
- Additional 섹션
- RD 비트
- RA 비트
- AA 비트
- DNS 체크 사이트
- Zonemaster
- DNSViz
- KRNIC DNS 자가 점검
- 사활 감시
- Nagios
- 트래픽 감시
- DSC
- MRTG
- syslog

01

DNS 작동 확인의 기초

DNS를 지속적으로 작동시키기 위해서는 작동 확인(정확하게 작동하고 있는지를 확인)이나 트러블 발생 시 원인 조사와 해결(트러블 슈팅), 권한이 있는 서버나 풀 리졸버의 감시 등을 통해 서비스의 가용성을 높여야 합니다. 이번 장에서는 DNS 작동 확인의 기본과 작동 확인에 사용하는 명령줄 도구, DNS 체크 사이트, 감시 도구를 설명하고 소개합니다.

또한, 이번 장에서는 DNS 작동 확인에 필요한 범위로 DNS에서 주고받는 메시지의 형식과 그 내용, 명령줄 도구의 출력값을 읽는 방법에 대해서도 해설합니다. 다만, 이 책은 초보자를 위해 DNS의 구조와 운용을 해설하기 때문에 최소한의 범위에서 설명합니다. 더 자세한 내용을 알고 싶다면 관련된 RFC나 각 명령어의 매뉴얼을 참고하기 바랍니다.

※ 이 장에 나오는 명령어의 출력 예시나 도메인 이름은 명령어 버전의 차이, 각 사이트의 설정 변경, 이용자의 환경이나 상황 변화에 따라 바뀔 수 있습니다.

DNS의 서비스 상태를 확인하는 방법

DNS와 같이 여러 구성 요소가 연계하여 작동하는 서비스의 상태를 확인할 때는 다음 두 가지를 확인해야 합니다.

1. 서비스와 관계있는 각 구성 요소가 정확하게 작동하고 있을 것
2. 각 구성 요소가 적절히 연계하여 전체적으로 정확하게 작동하고 있을 것

또한, 서비스를 안정적으로 지속시키기 위해서는 그 서비스의 이용 상태나 발생하는 이벤트·인시던트를 파악하고 적절히 대응하는 것이 중요합니다. 대표적인 대응 방법에는 다음과 같은 사항이 있습니다.

- 관계있는 서버(DNS는 권한이 있는 서버나 풀 리졸버)의 서비스 상태를 감시
- 접속 수나 트래픽 양의 확인을 통해 돌발적인 접속 증가나 사이버 공격을 감지

이제, DNS의 구성 요소 중 권한이 있는 서버나 풀 리졸버의 상태를 개별적으로 확인하기 위한 명령줄 도구, 이름 풀이의 상태를 전체적으로 확인할 수 있는 DNS 체크 사이트, 서비스의 상태나 이벤트를 파악하기 위한 서버의 감시에 대해 순서대로 설명합니다.

COLUMN 인시던트와 액시던트

인시던트(incident)는 중대한 사건·사고로 발전할 가능성이 있는 일이나 사건을 말합니다. 우발적으로 일어났는지, 누군가에 의해 의도적으로 일어났는지는 구별되지 않습니다. 정보 보안에서 대표적인 인시던트의 예로는 정보 유출, 피싱, 무단 침입, 멀웨어 감염, 웹사이트 변조, 서비스 거부 공격(DoS 공격) 등이 있습니다.

한편, **액시던트(accident)**는 실제로 사건·사고가 발생한 상황을 말합니다. 즉, 인시던트 중 실제로 사건·사고가 발생한 상황이 액시던트로 취급됩니다.

02

명령줄 도구

DNS의 작동 상태를 확인하기 위한 명령어

DNS의 작동을 확인하는 데 사용하는 대표적인 명령줄 도구를 표 8-1에 나타냅니다. 명령어는 도메인 이름, 리소스 레코드의 타입, 풀 리졸버나 권한이 있는 서버의 호스트 이름/IP 주소를 변수로 지정해서 질의를 보내며, 얻은 응답을 읽기 쉬운 형태로 표시합니다.

표 8-1 대표적인 명령줄 도구

명령어	개발처	DNS 소프트웨어	개요
dig	Internet Systems Consortium	BIND URL https://www.isc.org/bind/	BIND에 포함된 명령줄 도구. 다양한 OS에 표준 탑재되어 있다.
drill	NLnet Labs	LDNS URL https://www.nlnetlabs.nl/projects/ldns/about/	dig와 거의 같은 기능을 갖추고 있다. BIND를 포함하지 않는 OS에 dig의 대안으로 표준 탑재되는 사례가 늘고 있다.
kdig	CZ.NIC	Knot DNS URL https://www.knot-dns.cz	dig와 거의 같은 기능을 하며 독자적인 기능도 갖추고 있다.
nslookup	Internet Systems Consortium	BIND URL https://www.isc.org/bind/	dig가 표준 탑재되기 이전부터 사용된 명령줄 도구. Windows에서는 현재도 표준 탑재되어 있다.

가장 많이 보급된 DNS 서버 소프트웨어인 BIND에 표준 탑재되어 있었던 **nslookup 명령어는 dig 명령어로** 교체되었습니다. 그러나 Windows에는 현재도 옛 BIND의 nslookup 명령어가 표준 탑재되어 있다는 점에서 표에 넣었습니다. nslookup 명령어는 설계가 낡기 때문에 출력되는 정보가 한정되어 있어 DNS의 작동 확인이나 트러블 슈팅을 할 때 필요한 정보를 얻지 못하는 경우가 있습니다. 그렇기에 다른 명령줄 도구를 사용하지 못할 때 사용하기를 권장합니다. 또한, 2021년 현재 Windows에 dig, drill, kdig 명령어는

표준 탑재되지 않았습니다.

앞으로 이 장에서는 다양한 OS에 표준 탑재된 dig 명령어와 BIND를 포함하지 않는 OS에 표준 탑재되는 사례가 늘고 있는 dig 명령어의 대안인 **drill 명령어**를 중심으로 소개합니다.

dig 명령어와 drill 명령어

dig 명령어와 drill 명령어의 기본적인 구문을 아래에 나타냅니다. 명령어 인수의 의미는 표 8-2와 같습니다.

dig/drill 명령어의 기본 구문

```
dig/drill [옵션] [@서버] 도메인 이름 [타입] [클래스]
```

[ ]는 생략 가능합니다. 또한, 인수의 순서는 구분하지 않습니다.

표 8-2 **dig/drill 명령어 인수의 의미**

항목	의미
옵션	옵션을 지정합니다(주요 옵션은 표 8-3 참고).
@서버	질의할 서버(권한이 있는 서버, 풀 리졸버, 포워더)를 도메인 이름 또는 IP 주소로 지정합니다. 생략하면 시스템에 설정되어 있는 풀 리졸버가 사용됩니다.
도메인 이름	질의할 도메인 이름을 지정합니다.
타입	질의할 타입을 지정합니다. 생략하면 A(IPv4 주소)가 지정됩니다.
클래스	질의할 클래스를 지정합니다. 생략하면 IN(인터넷)이 지정됩니다.

그림 8-1과 그림 8-2에 dig 명령어와 drill 명령어를 사용해 Google Public DNS(7장 02절의 '퍼블릭 DNS 서비스' 참고)에 www.google.com의 A 리소스 레코드를 질의하고 그 출력 예시를 나타냅니다.

dig 명령어나 drill 명령어를 사용하면 DNS 통신에서 주고받는 **DNS 메시지**의 내용이 **섹션**별로 출력됩니다(그림 8-1과 그림 8-2의 예시에 'SECTION'이 출력되어 있음에 주의). DNS 메시지의 구조와 섹션은 이번 절의 'DNS 메시지의 형식'에서 설명합니다.

BIND 9.9 이후 버전에 포함된 dig 명령어는 기본적으로 EDNS0(11장에서 설명)가 붙은 질의를 보내기 때문에 drill 명령어의 출력 결과와는 다른 부분이 있습니다. 그림 8-1 의 예시에서 dig 명령어의 출력 결과가 drill 명령어보다 메시지 사이즈가 11바이트 크고 (rcvd 값: dig는 59바이트, drill은 48바이트), dig는 Additional 섹션(뒤에서 설명)에 리소스 레코드가 하나 추가되어 있습니다(ADDITIONAL 값: dig는 1, drill은 0).

```
% dig @8.8.8.8 www.google.com IN A ↵

; <<>> DiG 9.11.2 <<>> @8.8.8.8 www.google.com IN A
; (1 server found)
;; global options: +cmd
;; Got answer:
;; ->>HEADER<<- opcode: QUERY, status: NOERROR, id: 424
;; flags: qr rd ra; QUERY: 1, ANSWER: 1, AUTHORITY: 0, ADDITIONAL: 1

;; OPT PSEUDOSECTION:
; EDNS: version: 0, flags:; udp: 512
;; QUESTION SECTION:
;www.google.com.                 IN      A

;; ANSWER SECTION:
www.google.com.         88      IN   A      172.217.25.100

;; Query time: 37 msec
;; SERVER: 8.8.8.8#53(8.8.8.8)
;; WHEN: Fri Apr 16 20:18:44 KST 2021
;; MSG SIZE rcvd: 59
```

그림 8-1 dig 명령어의 출력 예시

```
% drill @8.8.8.8 www.google.com IN A ↵

;; ->>HEADER<<- opcode: QUERY, rcode: NOERROR, id: 53569
;; flags: qr rd ra ; QUERY: 1, ANSWER: 1, AUTHORITY: 0, ADDITIONAL: 0
;; QUESTION SECTION:
;; www.google.com.    IN    A

;; ANSWER SECTION:
www.google.com.         88      IN    A      172.217.25.100

;; AUTHORITY SECTION:
```

(계속)

```
;; ADDITIONAL SECTION:

;; Query time: 2 msec
;; SERVER: 8.8.8.8
;; WHEN: Fri Apr 16 20:18:44 2021
;; MSG SIZE rcvd: 48
```

그림 8-2 drill 명령어의 출력 예시

이처럼 dig 명령어나 drill 명령어는 DNS 메시지의 세세한 차이도 확인할 수 있어서 DNS의 작동 상태를 확인하기 위한 유용한 도구로 DNS 관리자들 사이에서 널리 쓰이고 있습니다.

dig, drill, kdig 명령어의 대표적인 옵션

명령줄 도구로 옵션을 지정해서 다양한 DNS 질의를 보낼 수 있습니다. dig, drill, kdig 명령어의 주요 옵션을 비교해 표 8-3에 나타냅니다. 각 명령어는 포함되어 있는 DNS 소프트웨어의 버전에 따라 옵션의 기본값이나 지정 가능한 내용이 다를 수 있으므로 매뉴얼 등을 확인하기 바랍니다.

표 8-3 dig, drill, kdig 명령어의 주요 옵션 비교

옵션으로 지정하는 기능	dig (BIND 9.11.2에 포함)	drill (LDNS 1.7.0에 포함)	kdig (Knot DNS 2.6.1에 포함)
이름 풀이 요구를 활성화	+recurse 또는 +rec(기본값)	-o RD(기본값)	+recurse 또는 +rec(기본값)
이름 풀이 요구를 비활성화	+norecurse 또는 +norec	-o rd	+norecurse 또는 +norec
EDNS0를 활성화	+edns(기본값)	자동 설정(-D 등. EDNS0를 사용하는 옵션을 지정하면 자동으로 활성화)	+edns
EDNS0를 비활성화	+noedns	없음(기본값)	+noedns(기본값)
질의의 DNSSEC OK(DO)비트를 세팅	+dnssec	-D	+dnssec

(계속)

TCP로 질의	+tcp	+t	+tcp
루트부터 위임 정보를 추적	+trace	-T	없음
지정된 IP 주소를 역방향 용 도메인 이름으로 변환	-x	-x	-x
여러 줄로 출력	+multiline 또는 +multi	없음	+multiline 또는 +multi

● 이름 풀이 요구와 관계있는 옵션

옵션 중에서 특히 중요한 것은 4장에서 설명한 **이름 풀이 요구**와 관련된 옵션입니다. 이름 풀이 요구란 '**나 대신 이름 풀이를 해주고**, ○○의 IP 주소를 알려주세요'라는 질의로, 스터브 리졸버에서 풀 리졸버로 보내집니다. 한편, 풀 리졸버에서 권한이 있는 서버로 보내지는 질의는 '○○의 IP 주소를 알려주세요'와 같이 이름 풀이 요구가 비활성화되어 있습니다.

즉, DNS의 작동을 확인할 때는 질의를 보낼 곳이 풀 리졸버인지, 권한이 있는 서버인지에 따라서 이름 풀이 요구의 활성화 여부를 구분해야 합니다. dig, drill, kdig 명령어는 모두 이 구분을 지원하고 있으며 질의를 보낼 때 이름 풀이 요구의 활성화 여부를 옵션으로 지정할 수 있습니다.

COLUMN 재귀적 질의와 비재귀적 질의

DNS에서는 이름 풀이 요구가 활성화되어 있는 질의를 **재귀적 질의**(recursive query)라고 하며, 비활성화되어 있는 질의를 **비재귀적 질의**(non-recursive query)라고 합니다. 즉, 스터브 리졸버에서 풀 리졸버로 보내지는 질의가 재귀적 질의이며, 풀 리졸버에서 권한이 있는 서버로 보내지는 질의가 비재귀적 질의입니다(그림 8-3).

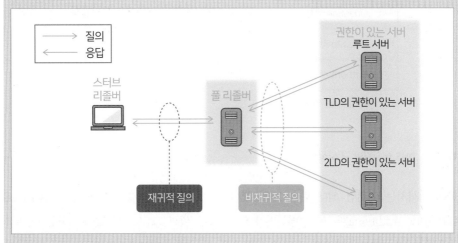

그림 8-3 **재귀적 질의와 비재귀적 질의**

이 두 종류의 질의 이름은 DNS의 작동을 어느 정도 알고 있는 사람이 보면 뒤바뀌어 있다고도 생각할 수 있습니다. 이에 잘못 해설한 서적이나 자료가 많아 DNS의 작동을 이해하는 데 방해가 되고 있습니다. 재귀적 질의는 **상대방에게 이름 풀이를 요구하는**, 즉 상대방에게 재귀적 작동을 요구하기 위한 질의임을 기억해 두면 이런 오해를 막을 수 있습니다. 또한, 비재귀적 질의는 **반복 질의**(iterative query)라고도 불립니다.

DNS 메시지의 형식

dig 명령어나 drill 명령어의 출력 결과를 정확하게 이해하기 위해서는 DNS에서 주고받는 메시지(**DNS 메시지**)의 내용을 어느 정도 알아둘 필요가 있습니다. 중요한 것은 DNS 메시지의 형식과 그 형식이 어떻게 처리되는지입니다. 여기서는 dig 명령어나 drill 명령어의 출력 결과를 이해하기 위해서 필요한 부분에 중점을 두고 DNS 메시지의 형식과 그 처리를 설명합니다.

DNS 메시지의 특징 중 하나로 **질의와 응답에 같은 구조(형식)가 사용되는** 경우가 있습니다. DNS 메시지의 형식을 그림 8-4에 나타냅니다.

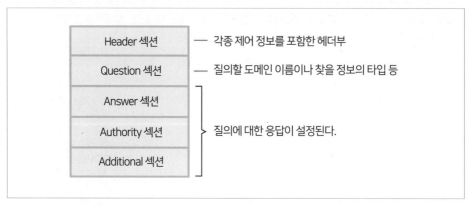

그림 8-4 **DNS 메시지의 구조(형식)**

DNS 메시지는 이처럼 최대 다섯 개의 섹션으로 구성되어 있습니다. 섹션 중 Answer, Authority, Additional은 섹션 데이터가 없는 경우 섹션 그 자체가 없어집니다. DNS는 질의의 **Header 섹션**에 필요한 정보를 설정하고, **Question 섹션**에 질의할 도메인 이름, 타입 등을 설정합니다. 그리고 응답의 Header 섹션에 응답의 개요가 설정되고, Question 섹션에 질의 내용이 그대로 복사됩니다.

응답의 **Answer 섹션**, **Authority 섹션**, **Additional 섹션**에는 질의에 대한 응답 내용이 적절히 설정됩니다. 이러한 섹션에 어떤 내용이, 어떻게 세팅되는지는 응답 결과에 따라 다릅니다. Header 섹션에는 다양한 지정값, 상태, 응답 코드 등이 포함되어 있습니다(그림 8-5).

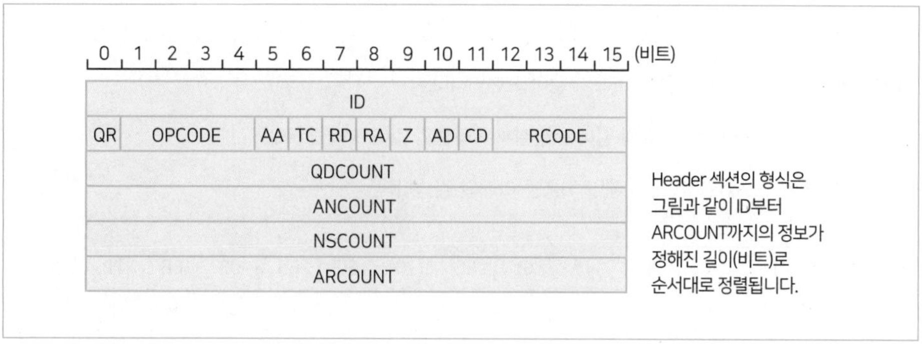

```
   0  1  2  3  4  5  6  7  8  9  10 11 12 13 14 15  (비트)
```

ID															
QR	OPCODE			AA	TC	RD	RA	Z	AD	CD	RCODE				
QDCOUNT															
ANCOUNT															
NSCOUNT															
ARCOUNT															

Header 섹션의 형식은
그림과 같이 ID부터
ARCOUNT까지의 정보가
정해진 길이(비트)로
순서대로 정렬됩니다.

그림 8-5 DNS 메시지 중 Header 섹션의 형식

Header 섹션에서 각 필드의 의미를 표 8-4에 나타냅니다.

표 8-4 Header 섹션에서 각 필드의 의미

필드명	의미
ID	DNS의 트랜잭션 ID. 질의할 때 랜덤하게 생성되며 응답 패킷에 복사
QR	질의가 0, 응답이 1
OPCODE	질의의 종류를 지정. 0은 일반 질의, 4는 NOTIFY, 5는 UPDATE
AA	응답할 때 의미를 갖는 비트로 1이면 관리 권한을 갖는 응답임을 나타낸다.
TC	응답할 때 의미를 갖는 비트로 1이면 패킷의 길이 제한 등으로 인해 잘라졌음을 나타낸다.
RD	이름 풀이를 요구하는 비트. 0은 권한이 있는 서버로의 질의, 1은 풀 리졸버로의 질의
RA	이름 풀이가 가능함을 나타내는 비트. 0은 미지원, 1은 지원
Z	미래를 위해 예약(항상 0)
AD	질의할 때 세팅되며 1이면 응답의 AD 비트를 이해할 수 있음을 나타낸다. 응답할 때 세팅되며 1이면 DNSSEC 검증에 성공했음을 나타낸다.
CD	질의할 때 세팅되며 1이면 DNSSEC 검증을 비활성화한다.
RCODE	응답 코드(표 8-5 참고)
QDCOUNT	질의(QUESTION) 섹션의 수로 일반적으로 1
ANCOUNT	응답(ANSWER) 섹션의 리소스 레코드 수
NSCOUNT	위임 정보(AUTHORITY) 섹션의 리소스 레코드 수
ARCOUNT	부가 정보(ADDITIONAL) 섹션의 리소스 레코드 수

실전편

CHAPTER 8

02 명령줄 도구

DNS 메시지에서 도메인 이름은 아래와 같이 표현됩니다.

<라벨의 길이><라벨><라벨의 길이><라벨>···<라벨의 길이><라벨><0>

예를 들면, example.kr이라는 도메인 이름은 아래와 같습니다.

값(16진수)	07	65	77	61	6D	70	6C	65	02	6B	72	00
문자	(7)	e	x	a	m	p	l	e	(2)	k	r	(0)

즉, example.kr(7글자+'.'+2글자=10글자)을 DNS 메시지 안에서 표현하기 위해서는 12바이트가 필요합니다. DNS의 기본 사양을 정하고 있는 RFC 1035에서는 도메인 이름의 최대 길이를 255바이트 또는 그 이하로 정하고 있습니다. 그렇기에 도메인 이름의 최대 길이는 마지막에 '.'을 붙인 절대 도메인 이름(6장의 칼럼 '절대 도메인 이름, 상대 도메인 이름, 전체 주소 도메인 이름이 존재하는 이유' 참고)으로는 254글자, '.'을 붙이지 않으면 253글자입니다.

dig 명령어의 출력 결과 해석하기

지금까지 설명한 내용을 생각하면서 그림 8-1의 dig 명령어의 출력 결과를 해석해 봅시다. 이 장 서두에서도 언급한 것처럼 이 책은 초보자를 위해서 DNS의 구조와 운용을 해설하기 때문에 여기서는 dig 명령어의 출력 결과 중 DNS 운용에서 특히 중요한 부분만 간추려서 설명합니다. dig 명령어나 drill 명령어의 출력 결과를 자세하게 알고 싶다면 각 명령어의 매뉴얼을 참고해 주세요.

• 그림 8-1의 출력 결과 중 5번째 줄

```
;; ->>HEADER<<- opcode: QUERY, status: NOERROR, id: 424
;; flags: qr rd ra; QUERY: 1, ANSWER: 1, AUTHORITY: 0, ADDITIONAL: 1
```

여기에는 응답의 Header 섹션 내용이 표시됩니다. 특히 중요한 것은 'status'와 'flags'의 내용입니다. status에는 응답 코드가 표시됩니다. 주요 응답 코드를 표 8-5에 나타냅니다. 이 예시에서는 일반 응답을 나타내는 NOERROR가 표시되어 있습니다.

표 8-5 status에 표시되는 주요 응답 코드와 그 의미

응답 코드	의미
NOERROR	일반 응답
SERVFAIL	서버 쪽의 이상으로 이름 풀이에 실패했다.
NXDOMAIN	해당 이름과 그 아래 계층에는 어떤 리소스 레코드도 존재하지 않는다.
REFUSED	접근 제한이나 관리 정책에 의해 요청을 거부했다.

flags의 'qr rd ra'는 응답에 각 플래그 비트가 세팅되어 있음을 나타냅니다. 여기서는 rd 와 ra가 세팅되어 있음에 주목해 주세요. rd는 'Recursion Desired'이며 dig 명령어가 보낸 질의가 '이름 풀이 요구'였음을 나타냅니다. ra는 'Recursion Available'이며 응답한 상대(여기서는 Google Public DNS)가 이름 풀이 요구를 처리할 수 있는, 즉 풀 리졸버임을 나타냅니다.

• 그림 8-1의 출력 결과 중 10번째 줄

```
;; QUESTION SECTION:
;www.google.com.              IN     A
```

여기에는 응답의 Question 섹션 내용이 표시됩니다. 질의의 도메인 이름과 타입(www. google.com의 A 리소스 레코드)이 그대로 복사되어 있습니다.

• 그림 8-1의 출력 결과 중 13번째 줄

```
;; ANSWER SECTION:
www.google.com.     88     IN     A     172.217.25.100
```

여기에는 응답의 Answer 섹션 내용이 표시됩니다. www.google.com의 A 리소스 레코드의 내용, 즉 www.google.com의 IPv4 주소가 표시되어 있습니다. 또한, 이 내용에는 Authority 섹션이 없기 때문에 표시되지 않습니다. Additional 섹션은 있지만 들어가 있는 내용이 이번 절의 'dig 명령어와 drill 명령어'에서 언급한 EDNS0의 OPT 유사 리소스 레코드(11장에서 설명)뿐이므로 여기에는 표시되지 않습니다(EDNS0의 정보는 'OPT PSEUDOSECTION'의 부분에 표시되어 있습니다).

• 그림 8-1의 출력 결과 중 16번째 줄

```
;; Query time: 37 msec
;; SERVER: 8.8.8.8#53(8.8.8.8)
;; WHEN: Wed Mar 31 19:11:24 KST 2021
;; MSG SIZE rcvd: 59
```

마지막으로는 질의부터 응답까지의 시간, 상대방의 IP 주소와 포트 번호, 날짜, 응답 DNS 메시지 사이즈가 표시됩니다.

03

dig 명령어를 사용한 작동 확인

권한이 있는 서버나 풀 리졸버를 설정했을 때 정확하게 작동하고 있는지 알기 위해서 DNS 메시지의 내용을 확인하게 됩니다. 여기서는 dig 명령어를 사용해서 작동을 확인하는 예시를 중심으로 설명합니다.

권한이 있는 서버의 작동 확인하기

설정한 리소스 레코드를 권한이 있는 서버가 정확하게 응답하고 있는지 확인할 때는 응답의 리소스 레코드 내용에 더해, DNS 메시지의 Header 섹션에 있는 **AA비트**가 세팅되어 있는지 확인합니다. AA는 'Authoritative Answer'이며 응답한 서버가 질의받은 도메인 이름의 정보에 대해 관리 권한이 있음을 나타냅니다.

또한, 8장 02절의 'dig, drill, kdig 명령어의 대표적인 옵션'에서 설명한 것처럼 이번에는 명령어를 보낼 곳이 권한이 있는 서버이므로, dig 명령어를 실행할 때 이름 풀이 요구를 비활성화하는 **+norecurse(+norec로 생략 가능) 옵션을 지정합니다.** dig 명령어의 출력 예시를 그림 8-6에 나타내며, 응답을 해석해서 확인하는 예시와 그 내용을 그림 8-7에 나타냅니다.

```
% dig +norec @202.11.16.49 jprs.co.jp A ⏎

; <<>> DiG 9.13.0 <<>> +norec @202.11.16.49 jprs.co.jp
; (1 server found)
;; global options: +cmd
;; Got answer:
;; ->>HEADER<<- opcode: QUERY, status: NOERROR, id: 25371
;; flags: qr aa; QUERY: 1, ANSWER: 1, AUTHORITY: 4, ADDITIONAL: 9

;; OPT PSEUDOSECTION:
```

(계속)

```
; EDNS: version: 0, flags:; udp: 4096
;; QUESTION SECTION:
;jprs.co.jp.                 IN    A

;; ANSWER SECTION:
jprs.co.jp.        300 IN   A      117.104.133.165

;; AUTHORITY SECTION:
jprs.co.jp.        86400 IN   NS    ns2.jprs.co.jp.
jprs.co.jp.        86400 IN   NS    ns3.jprs.co.jp.
jprs.co.jp.        86400 IN   NS    ns4.jprs.co.jp.
jprs.co.jp.        86400 IN   NS    ns1.jprs.co.jp.

;; ADDITIONAL SECTION:
ns1.jprs.co.jp.    86400 IN   A     202.11.16.49
ns2.jprs.co.jp.    86400 IN   A     202.11.16.59
ns3.jprs.co.jp.    86400 IN   A     203.105.65.178
ns4.jprs.co.jp.    86400 IN   A     203.105.65.181
ns1.jprs.co.jp.    86400 IN   AAAA  2001:df0:8::a153
ns2.jprs.co.jp.    86400 IN   AAAA  2001:df0:8::a253
ns3.jprs.co.jp.    86400 IN   AAAA  2001:218:3001::a153
ns4.jprs.co.jp.    86400 IN   AAAA  2001:218:3001::a253

;; Query time: 6 msec
;; SERVER: 202.11.16.49#53(202.11.16.49)
;; WHEN: Fri May 14 18:22:10 KST 2021
;; MSG SIZE rcvd: 303
```

그림 8-6 **권한이 있는 서버에 dig 명령어를 실행했을 때의 출력 예시**[1]

---

1 역자 주 IPv6 및 기타 섹션의 정보를 표현하기 위해 원서 그대로 jprs.co.jp를 예시로 하였습니다.

【설정 내용】
- jprs.co.jp 존의 권한이 있는 서버를 아래 내용으로 설정했다.
  · 호스트 이름: ns1.jprs.co.jp, ns2.jprs.co.jp, ns3.jprs.co.jp, ns4.jprs.co.jp
  · ns1.jprs.co.jp의 IP 주소: 202.11.16.49, 2001:df0:8::a153
  · ns2.jprs.co.jp의 IP 주소: 202.11.16.59, 2001:df0:8::a253
  · ns3.jprs.co.jp의 IP 주소: 203.105.65.178, 2001:218:3001::a153
  · ns4.jprs.co.jp의 IP 주소: 203.105.65.181, 2001:218:3001::a253

【확인 방법】
- dig 명령어를 사용해 ns1.jprs.co.jp의 IP 주소 202.11.16.49로 도메인 이름 jprs.co.jp, 타입 A를 지정한 질의를 보내서 작동을 확인했다.
- 상대방이 권한이 있는 서버이므로 +norec 옵션으로 이름 풀이 요구를 비활성화했다.

【확인 내용】
- dig 명령어의 결과를 해석해서 아래 내용을 확인하여 ns1.jprs.co.jp가 설정한 대로 작동하고 있다고 판단했다.
  ① Header 섹션에 AA비트가 세팅되어 있다.
  ② Answer 섹션에 jprs.co.jp의 A 리소스 레코드가 하나 설정되어 있다.
  ③ Authority 섹션에 jprs.co.jp의 권한이 있는 서버에 대한 NS 리소스 레코드 세트가 정확하게 설정되어 있다.
  ④ Authority 섹션에 설정된 권한이 있는 서버의 A, AAAA 리소스 레코드가 Additional 섹션에 정확하게 설정되어 있다.

그림 8-7 **설정한 권한이 있는 서버의 작동을 dig 명령어로 확인하는 방법과 확인 내용**

다음으로는, ns1.jprs.co.jp가 권한이 있는 서버로만 작동하고 있는지, 즉 **풀 리졸버로 작동하지 않고 있음**을 확인합니다. 이번 예시에서는 ns1.jprs.co.jp의 IP 주소 202.11.16.49로 그 서버에서 관리하지 않는 도메인 이름인 www.google.com의 A 리소스 레코드에 대한 질의를 보냅니다. 이때 이름 풀이 요구를 활성화해서, 즉 **+norecurse(+norec) 옵션을 지정하지 않고** 질의를 보내서 작동을 확인합니다(그림 8-8).

이번 예시에서는 Header 섹션의 status 내용(응답 코드)이 'REFUSED(요구를 거절했다)'로 되어 있습니다. 또한, **이름 풀이 요구를 처리할 수 있음을 나타내는 RA비트가 설정되어 있지 않다는(flags에 ra가 없다)** 점에서 ns1.jprs.co.jp가 풀 리졸버로 작동하지 않고 있음을 확인할 수 있습니다.

```
% dig @202.11.16.49 www.google.com A ↵

; <<>> DiG 9.13.0 <<>> @202.11.16.49 www.google.com A
; (1 server found)
;; global options: +cmd
;; Got answer:
;; ->>HEADER<<- opcode: QUERY, status: REFUSED, id: 36911
;; flags: qr rd; QUERY: 1, ANSWER: 0, AUTHORITY: 0, ADDITIONAL: 1
;; WARNING: recursion requested but not available

;; OPT PSEUDOSECTION:
; EDNS: version: 0, flags:; udp: 4096
;; QUESTION SECTION:
;www.google.com.                        IN    A

;; Query time: 3 msec
;; SERVER: 202.11.16.49#53(202.11.16.49)
;; WHEN: Wed Mar 31 19:55:17 KST 2021
;; MSG SIZE rcvd: 43
```

그림 8-8 **풀 리졸버로 작동하지 않고 있음을 확인**

풀 리졸버의 작동 확인하기

풀 리졸버의 작동 확인은 질의에 대해 원하는 리소스 레코드가 돌아오는지, 즉 이름 풀이가 정확하게 이루어지고 있는지를 확인하는 것입니다. 여기서는 서울특별시 홈페이지의 도메인 이름인 'www.seoul.go.kr'의 IPv4 주소를 현재 설정된 풀 리졸버를 사용해 질의합니다.

dig 명령어에서 '@서버'의 지정을 생략하면 시스템에 설정된 풀 리졸버가 사용됩니다. 또한, 명령어를 보낼 곳이 풀 리졸버이기에 +norecurse(+norec) 옵션은 지정하지 않습니다. dig 명령어의 출력 예시를 그림 8-9에 나타냅니다.[2]

---

2 (역자 주) 현재 설정된 풀 리졸버에 따라서는 flags에 ra가 없어 WARNING 문구가 나오거나 Authority Section 등 다른 섹션이 추가로 표시되기도 합니다. 그럴 때에는 다른 풀 리졸버를 지정해서 확인하시기 바랍니다.
예) dig 명령어의 맨 뒤에 @8.8.8.8 또는 @9.9.9.9 등을 추가로 입력해서 실행합니다.

```
% dig www.seoul.go.kr A ↵

; <<>> DiG 9.9.4-RedHat-9.9.4-72.el7 <<>> www.seoul.go.kr A
;; global options: +cmd
;; Got answer:
;; ->>HEADER<<- opcode: QUERY, status: NOERROR, id: 48696
;; flags: qr rd ra; QUERY: 1, ANSWER: 1, AUTHORITY: 0, ADDITIONAL: 1

;; OPT PSEUDOSECTION:
; EDNS: version: 0, flags:; MBZ: 0005 , udp: 4096
;; QUESTION SECTION:
;www.seoul.go.kr.                IN    A

;; ANSWER SECTION:
www.seoul.go.kr.      5         IN    A      115.84.166.115

;; Query time: 31 msec
;; SERVER: 192.168.237.2#53(192.168.237.2)
;; WHEN: Sat May 08 19:07:09 KST 2021
;; MSG SIZE  rcvd: 60
```

그림 8-9 풀 리졸버에 dig 명령어를 실행했을 때의 출력 예시

이 결과로부터 응답 코드가 NOERROR(일반 응답)이고 Answer 섹션에 www.seoul.go.kr 의 IPv4 주소를 가진 A 리소스 레코드가 있어 www.seoul.go.kr의 IPv4 주소를 이름 풀이할 수 있다고 알 수 있습니다.

또한, 이름 풀이 요구를 처리할 수 있음을 나타내는 RA 비트가 설정되어 있다(flags에 ra 가 있다)는 점에서 현재 사용하고 있는 풀 리졸버가 실제로 풀 리졸버로 작동하고 있음을 확인할 수 있습니다.

04

dig 명령어의 응용: 풀 리졸버가 되어 이름 풀이하기

여기서는 풀 리졸버의 이름 풀이를 명령줄 도구로 따라 해 봅니다. 먼저 간단한 이름 풀이의 예시를 설명하고, 이어서 CDN이나 클라우드 서비스에서 자주 사용되는 CNAME 리소스 레코드(6장 05절의 '외부 서비스를 자사 도메인 이름으로 이용하기' 참고)를 설정했을 때의 이름 풀이를 설명합니다. 후자의 예시에서는 이름 풀이의 처리가 복잡하고 단계가 많아지는 점에 주목해 주세요.

지금부터 **우리는 풀 리졸버입니다**. 풀 리졸버가 질의를 보내는 곳은 권한이 있는 서버이기에 **이름 풀이 요구를 비활성화하는**, 즉 각 명령어에 아래 옵션을 지정해야 합니다.

> dig 명령어: +norecurse (+norec으로 생략 가능)
> drill 명령어: -o rd
> kdig 명령어: +norecurse (+norec으로 생략 가능)

또한, 이번 예시에서 DNSSEC(10장 03절과 13장에서 설명)과 EDNS0(11장 09절에서 설명)는 고려하지 않습니다. 앞으로는 dig, drill, kdig 명령어를 사용하여 그 결과를 설명합니다. 사용할 명령어는 통일하는 것이 사용하기 쉽고 설명하기도 쉽지만, 어느 명령어를 사용해도 DNS 자체의 기본적인 작동은 같음을 나타내기 위해 일부러 섞어서 사용했습니다. DNS 메시지와 이름 풀이에 대한 이해를 더해 나가기 바랍니다.

예시 1) kisa.or.kr의 A 리소스 레코드 질의하기

여기서는 간단하게 진행되는 이름 풀이의 예시를 살펴봅니다. 이 책을 포함해 일반적인 DNS 관련 서적이나 기술 자료에서 자주 소개되는 것이 이 형태의 이름 풀이입니다.

① 루트 서버에 'kisa.or.kr A'를 질의

우선 이름 풀이의 기점인 루트 서버에 kisa.or.kr의 A 리소스 레코드를 질의합니다. 루트 서버의 IP 주소는 7장의 칼럼 '힌트 파일과 프라이밍'에서 설명한 프라이밍을 통해 얻은 것을 사용합니다. 다음 예시에서는 a.root-servers.net의 IPv4 주소로 질의합니다. 이번 질의에서는 dig 명령어를 사용합니다.

화면 8-1 **루트 서버에 'kisa.or.kr A'를 질의**

```
% dig +norec @198.41.0.4 kisa.or.kr A ⏎

; <<>> DiG 9.9.4-RedHat-9.9.4-72.el7 <<>> +norec @198.41.0.4 kisa.or.kr A
; (1 server found)
;; global options: +cmd
;; Got answer:
;; ->>HEADER<<- opcode: QUERY, status: NOERROR, id: 34813
;; flags: qr; QUERY: 1, ANSWER: 0, AUTHORITY: 6, ADDITIONAL: 11

;; OPT PSEUDOSECTION:
; EDNS: version: 0, flags:; udp: 1472
;; QUESTION SECTION:
;kisa.or.kr.                    IN      A

;; AUTHORITY SECTION:
kr.                172800  IN      NS      b.dns.kr.
kr.                172800  IN      NS      c.dns.kr.
kr.                172800  IN      NS      d.dns.kr.
kr.                172800  IN      NS      e.dns.kr.
kr.                172800  IN      NS      f.dns.kr.
kr.                172800  IN      NS      g.dns.kr.

;; ADDITIONAL SECTION:
b.dns.kr.          172800  IN      A       210.101.60.1
c.dns.kr.          172800  IN      A       210.101.61.1
d.dns.kr.          172800  IN      A       203.83.159.1
e.dns.kr.          172800  IN      A       202.30.124.100
f.dns.kr.          172800  IN      A       210.101.62.1
g.dns.kr.          172800  IN      A       202.31.190.1
d.dns.kr.          172800  IN      AAAA    2001:dcc:4::1
e.dns.kr.          172800  IN      AAAA    2001:dcc:5::100
f.dns.kr.          172800  IN      AAAA    2001:dcc:6::1
g.dns.kr.          172800  IN      AAAA    2001:dc5:a::1
```

(계속)

```
;; Query time: 39 msec
;; SERVER: 198.41.0.4#53(198.41.0.4)
;; WHEN: Sat May 08 20:21:40 KST 2021
;; MSG SIZE  rcvd: 347
```

이 응답으로부터 아래 내용을 알 수 있습니다.

- 일반 응답이다(status가 NOERROR).
- Answer 섹션이 없다(ANSWER가 0).
- 권한을 갖는 응답이 아닌 위임 정보가 응답되었다(flags에 aa가 없다).

그리고 아래 내용이 표시되어 있습니다.

- Authority 섹션에 kr에 대한 위임이 있다.
- 위임처는 b.dns.kr~g.dns.kr이다.

또한, 아래 내용을 알 수 있습니다.

- Additional 섹션에 b.dns.kr~g.dns.kr의 IP 주소가 추가되어 있다.

② kr의 권한이 있는 서버에 'kisa.or.kr A'를 질의

루트 서버가 위임 정보를 응답했기 때문에 위임처인 kr 존의 권한이 있는 서버 중 아무 서버에나 kisa.or.kr의 A 리소스 레코드를 질의합니다. 다음 예시에서는 d.dns.kr의 IPv6 주소로 질의합니다. 이번 질의에서는 drill 명령어를 사용합니다.

화면 8-2 kr의 권한이 있는 서버에 'kisa.or.kr A'를 질의[3]

```
% drill -o rd @2001:dcc:4::1 kisa.or.kr A ↵

;; ->>HEADER<<- opcode: QUERY, rcode: NOERROR, id: 32454
;; flags: qr ; QUERY: 1, ANSWER: 0, AUTHORITY: 2, ADDITIONAL: 2
;; QUESTION SECTION:
;; kisa.or.kr.          IN      A
```

(계속)

3 역자주 한국의 IP 환경은 대부분 IPv4만 지원하기 때문에 이 예시를 바로 확인할 수 없음에 주의해 주세요. 옮긴이는 IPv6 환경에서 확인했습니다.

```
;; ANSWER SECTION:

;; AUTHORITY SECTION:
kisa.or.kr.                 86400   IN      NS      hera.kisa.or.kr.
kisa.or.kr.                 86400   IN      NS      center.kisa.or.kr.

;; ADDITIONAL SECTION:
hera.kisa.or.kr.            86400   IN      A       211.252.150.20
center.kisa.or.kr.          86400   IN      A       211.252.150.11

;; Query time: 41 msec
;; SERVER: 2001:dcc:4::1
;; WHEN: Sat May 15 17:50:29 2021
;; MSG SIZE  rcvd: 100
```

이 응답으로부터 아래 내용을 알 수 있습니다.

- 일반 응답이다[rcode(dig의 status에 해당)가 NOERROR].

- Answer 섹션이 없다(ANSWER가 0).

- 권한을 갖는 응답이 아닌 위임 정보가 응답되었다(flags에 aa가 없다).

그리고 아래 내용이 표시되어 있습니다.

- Authority 섹션에 kisa.or.kr에 대한 위임이 있다.

- 위임처는 center.kisa.or.kr, hera.kisa.or.kr이다.

또한, 아래 내용을 알 수 있습니다.

- Additional 섹션에 center.kisa.or.kr, hera.kisa.or.kr의 IP 주소가 추가되어 있다.

③ kisa.or.kr의 권한이 있는 서버에 'kisa.or.kr A'를 질의

kr의 권한이 있는 서버가 위임 정보를 응답했기 때문에 위임처인 kisa.or.kr 존의 권한이 있는 서버 중 아무 서버에나 kisa.or.kr의 A 리소스 레코드를 질의합니다. 다음 예시에서는 center.kisa.or.kr의 IPv4 주소로 질의합니다. 이번 질의에서는 kdig 명령어를 사용합니다.

화면 8-3 kisa.or.kr의 권한이 있는 서버에 'kisa.or.kr A'를 질의

```
% kdig +norec @211.252.150.11 kisa.or.kr A ⏎

;; ->>HEADER<<- opcode: QUERY; status: NOERROR; id: 37635
;; Flags: qr aa; QUERY: 1; ANSWER: 1; AUTHORITY: 2; ADDITIONAL: 2

;; QUESTION SECTION:
;kisa.or.kr.                      IN    A

;; ANSWER SECTION:
kisa.or.kr.              600      IN    A      1.209.199.227

;; AUTHORITY SECTION:
kisa.or.kr.              600      IN    NS     hera.kisa.or.kr.
kisa.or.kr.              600      IN    NS     center.kisa.or.kr.

;; ADDITIONAL SECTION:
hera.kisa.or.kr.         600      IN    A      211.252.150.20
center.kisa.or.kr.       600      IN    A      211.252.150.11

;; Received 116 B
;; Time 2021-05-08 22:15:12 KST
;; From 211.252.150.11@53(UDP) in 10.0 ms
```

이 응답으로부터 아래 내용을 알 수 있습니다.

- 일반 응답이다(status가 NOERROR).
- Answer 섹션에 응답이 하나 있다(ANSWER가 1).
- 권한을 갖는 응답이 반환되었다(flags에 aa가 있다).

그리고 아래 내용이 표시되어 있습니다.

- Answer 섹션에 kisa.or.kr의 A 리소스 레코드가 있다.

따라서 이것이 원하는 정보이며 kisa.or.kr의 IPv4 주소는 1.209.199.227입니다.

예시 2) www.ietf.org의 AAAA 리소스 레코드 질의하기

이 예시에서는 실제로 인터넷에서 이루어지는 이름 풀이를 이해하기 위해서 최근 트렌드인 CDN이나 클라우드 서비스를 이용하고 있을 때의 풀 리졸버의 처리를 따라 해 봅니다. 현재 인터넷의 많은 서비스에서는 이 형태로 이름 풀이가 이루어집니다. 이전 항의 설명에 비해 이름 풀이의 처리가 복잡해지고 필요한 질의 단계가 늘어나지만 각 단계의 처리 흐름을 의식하고 파악하면서 읽어 나가주세요.

① 루트 서버에 'www.ietf.org AAAA'를 질의

이전 항과 마찬가지로 이름 풀이의 기점인 루트 서버에 질의합니다. 이번 질의에서는 drill 명령어를 사용합니다.

화면 8-4 **루트 서버에 'www.ietf.org AAAA'를 질의**

```
% drill -o rd @198.41.0.4 www.ietf.org AAAA ⏎

;; ->>HEADER<<- opcode: QUERY, rcode: NOERROR, id: 13187
;; flags: qr ; QUERY: 1, ANSWER: 0, AUTHORITY: 6, ADDITIONAL: 12
;; QUESTION SECTION:
;; www.ietf.org.          IN      AAAA

;; ANSWER SECTION:

;; AUTHORITY SECTION:
org.    172800  IN      NS      a0.org.afilias-nst.info.
org.    172800  IN      NS      a2.org.afilias-nst.info.
org.    172800  IN      NS      b0.org.afilias-nst.org.
org.    172800  IN      NS      b2.org.afilias-nst.org.
org.    172800  IN      NS      c0.org.afilias-nst.info.
org.    172800  IN      NS      d0.org.afilias-nst.org.

;; ADDITIONAL SECTION:
a0.org.afilias-nst.info.        172800  IN      A       199.19.56.1
a2.org.afilias-nst.info.        172800  IN      A       199.249.112.1
b0.org.afilias-nst.org.         172800  IN      A       199.19.54.1
b2.org.afilias-nst.org.         172000  IN      A       199.249.120.1
c0.org.afilias-nst.info.        172800  IN      A       199.19.53.1
d0.org.afilias-nst.org.         172800  IN      A       199.19.57.1
a0.org.afilias-nst.info.        172800  IN      AAAA    2001:500:e::1
a2.org.afilias-nst.info.        172800  IN      AAAA    2001:500:40::1
```

(계속)

```
b0.org.afilias-nst.org.            172800          IN AAAA     2001:500:c::1
b2.org.afilias-nst.org.            172800          IN AAAA     2001:500:48::1
c0.org.afilias-nst.info.           172800          IN AAAA     2001:500:b::1
d0.org.afilias-nst.org.            172800          IN AAAA     2001:500:f::1

;; Query time: 37 msec
;; SERVER: 198.41.0.4
;; WHEN: Sat May  8 22:30:13 2021
;; MSG SIZE  rcvd: 432
```

이 응답으로부터 아래 내용을 알 수 있습니다.

- 일반 응답이다(rcode가 NOERROR).

- Answer 섹션이 없다(ANSWER가 0).

- 권한을 갖는 응답이 아닌 위임 정보가 응답되었다(flags에 aa가 없다).

그리고 아래 내용이 표시되어 있습니다.

- Authority 섹션에 org에 대한 위임이 있다.

- 위임처는 d0.org.afilias-nst.org 등이 있다.

또한, 아래 내용을 알 수 있습니다.

- Additional 섹션에 d0.org.afilias-nst.org 등의 IP 주소가 추가되어 있다.

② org의 권한이 있는 서버에 'www.ietf.org AAAA'를 질의

루트 서버가 위임 정보를 응답했기 때문에 위임처인 org 존의 권한이 있는 서버 중 아무 서버에나 www.ietf.org의 AAAA 리소스 레코드를 질의합니다. 이번 예시에서는 d0.org. afilias-nst.org의 IPv6 주소로 질의합니다.

화면 8-5 **org의 권한이 있는 서버에 'www.ietf.org AAAA'를 질의**[4]

```
% drill -o rd @2001:500:f::1 www.ietf.org AAAA ↵
```

(계속)

---

4 [역자 주] 한국의 IP 환경은 대부분 IPv4만 지원하기 때문에 이 예시를 바로 확인할 수 없음에 주의해 주세요. 옮긴이는 IPv6 환경에서 확인했습니다.

```
;; ->>HEADER<<- opcode: QUERY, rcode: NOERROR, id: 58360
;; flags: qr ; QUERY: 1, ANSWER: 0, AUTHORITY: 6, ADDITIONAL: 0
;; QUESTION SECTION:
;; www.ietf.org.        IN      AAAA

;; ANSWER SECTION:

;; AUTHORITY SECTION:
ietf.org.               86400   IN      NS      ns1.yyz1.afilias-nst.info.
ietf.org.               86400   IN      NS      ns1.mia1.afilias-nst.info.
ietf.org.               86400   IN      NS      ns0.amsl.com.
ietf.org.               86400   IN      NS      ns1.hkg1.afilias-nst.info.
ietf.org.               86400   IN      NS      ns1.ams1.afilias-nst.info.
ietf.org.               86400   IN      NS      ns1.sea1.afilias-nst.info.

;; ADDITIONAL SECTION:

;; Query time: 4 msec
;; SERVER: 2001:500:f::1
;; WHEN: Sat May 09 18:26:15 2021
;; MSG SIZE rcvd: 187
```

이 응답으로부터 아래 내용을 알 수 있습니다.

- 일반 응답이다(rcode가 NOERROR).
- Answer 섹션이 없다(ANSWER가 0).
- 권한을 갖는 응답이 아닌 위임 정보가 응답되었다(flags에 aa가 없다).

그리고 아래 내용이 표시되어 있습니다.

- Authority 섹션에 ietf.org에 대한 위임이 있다.
- 위임처는 ns1.yyz1.afilias-nst.info 등이 있다.

그러나 이 NS 리소스 레코드로 지정되는 권한이 있는 서버는 **외부 이름**(이 장의 칼럼 '내부 이름과 외부 이름' 참고)이기 때문에 Additional 섹션이 없습니다. 그래서 풀 리졸버는 권한이 있는 서버의 호스트 이름에 대한 IP 주소를 별도로 얻어야 합니다. 만약 그 시점까지의 이름 풀이로 얻은 캐시에 이용 가능한 정보가 없으면 풀 리졸버는 이 권한이 있는 서버의 호스트 이름에 대한 이름 풀이를 루트부터 하게 됩니다.

COLUMN 내부 이름과 외부 이름

내부 이름(In-bailiwick)은 위임처의 권한이 있는 서버 호스트 이름을 분류하기 위한 용어로 아래 두 가지 타입으로 분할됩니다(그림 8-10).

(a) **In-domain**: 호스트 이름이 NS 리소스 레코드를 설정한 존 컷의 도메인 이름 또는 그 자손이다. 이때 부모 존에 글루 레코드를 설정해야 하며 설정하지 않으면 이름 풀이에 실패한다.

(b) **Sibling domain**: 호스트 이름이 위임자의 도메인 이름 또는 그 자손이지만 In-domain은 아니다. 이때 부모 존에 글루 레코드를 설정하는 것은 허용되나 필수는 아니다.

그림 8-10의 (a)가 In-domain, (b)가 Sibling domain입니다. In-bailiwick이 아닌 이름은 **외부 이름 (Out-of-bailiwick)**이라고 불립니다. 이 용어에 대한 자세한 내용은 DNS의 용어를 정의하고 있는 RFC 8499를 참고해 주세요.

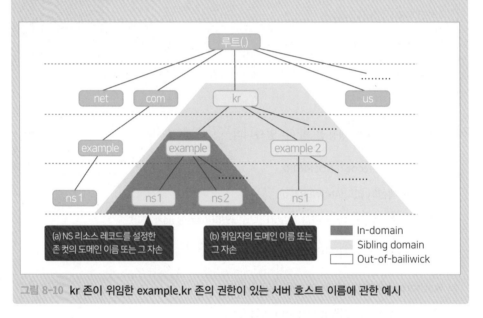

그림 8-10 kr 존이 위임한 example.kr 존의 권한이 있는 서버 호스트 이름에 관한 예시

③ 루트 서버에 'ns1.yyz1.afilias-nst.info A'를 질의

풀 리졸버인 우리가 다음으로 이름 풀이해야 하는 도메인 이름은 www.ietf.org가 아닌 ietf.org의 권한이 있는 서버 호스트 이름, 즉 ns1.yyz1.afilias-nst.info 등입니다. **이 호스트 이름을 이름 풀이하지 못하면 ietf.org의 권한이 있는 서버로 접근하지 못하기** 때문에 풀 리졸버는 **www.ietf.org의 이름 풀이를 일단 보류하고 ns1.yyz1.afilias-nst.info에 대한 이름 풀이를 해야** 합니다.

루트 서버에 ns1.yyz1.afilias-nst.info의 A 리소스 레코드를 질의합니다.

화면 8-6 **루트 서버에 'ns1.yyz1.afilias-nst.info A'를 질의**

```
% drill -o rd @198.41.0.4 ns1.yyz1.afilias-nst.info A ⏎

;; ->>HEADER<<- opcode: QUERY, rcode: NOERROR, id: 26767
;; flags: qr ; QUERY: 1, ANSWER: 0, AUTHORITY: 6, ADDITIONAL: 12
;; QUESTION SECTION:
;; ns1.yyz1.afilias-nst.info.    IN      A

;; ANSWER SECTION:

;; AUTHORITY SECTION:
info.    172800  IN      NS      a0.info.afilias-nst.info.
info.    172800  IN      NS      a2.info.afilias-nst.info.
info.    172800  IN      NS      b0.info.afilias-nst.org.
info.    172800  IN      NS      b2.info.afilias-nst.org.
info.    172800  IN      NS      c0.info.afilias-nst.info.
info.    172800  IN      NS      d0.info.afilias-nst.org.

;; ADDITIONAL SECTION:
a0.info.afilias-nst.info.      172800  IN      A       199.254.31.1
a2.info.afilias-nst.info.      172800  IN      A       199.249.113.1
b0.info.afilias-nst.org.       172800  IN      A       199.254.48.1
b2.info.afilias-nst.org.       172800  IN      A       199.249.121.1
c0.info.afilias-nst.info.      172800  IN      A       199.254.49.1
d0.info.afilias-nst.org.       172800  IN      A       199.254.50.1
a0.info.afilias-nst.info.      172800  IN      AAAA    2001:500:19::1
a2.info.afilias-nst.info.      172800  IN      AAAA    2001:500:41::1
b0.info.afilias-nst.org.       172800  IN      AAAA    2001:500:1a::1
b2.info.afilias-nst.org.       172800  IN      AAAA    2001:500:49::1
c0.info.afilias-nst.info.      172800  IN      AAAA    2001:500:1b::1
d0.info.afilias-nst.org.       172800  IN      AAAA    2001:500:1c::1

;; Query time: 43 msec
;; SERVER: 198.41.0.4
;; WHEN: Sun May  9 00:00:35 2021
;; MSG SIZE  rcvd: 434
```

이 응답으로부터 아래 내용을 알 수 있습니다.

- 일반 응답이다(rcode가 NOERROR).

- Answer 섹션이 없다(ANSWER가 0).

- 권한을 갖는 응답이 아닌 위임 정보가 응답되었다(flags에 aa가 없다).

그리고 아래 내용이 표시되어 있습니다.

- Authority 섹션에 info에 대한 위임이 있다.
- 위임처는 a0.info.afilias-nst.info 등이 있다.

또한, 아래 내용을 알 수 있습니다.

- Additional 섹션에 a0.info.afilias-nst.info 등의 IP 주소가 추가되어 있다.

④ info의 권한이 있는 서버에 'ns1.yyz1.afilias-nst.info A'를 질의

루트 서버가 위임 정보를 응답했기 때문에 위임처인 info 존의 권한이 있는 서버 중 아무 서버에나 ns1.yyz1.afilias-nst.info의 A 리소스 레코드를 질의합니다. 다음 예시에서는 a2.info.afilias-nst.info의 IPv4 주소로 질의합니다.

화면 8-7 info의 권한이 있는 서버에 'ns1.yyz1.afilias-nst.info A'를 질의

```
% drill -o rd @199.249.113.1 ns1.yyz1.afilias-nst.info A ↵

;; ->>HEADER<<- opcode: QUERY, rcode: NOERROR, id: 8492
;; flags: qr ; QUERY: 1, ANSWER: 0, AUTHORITY: 4, ADDITIONAL: 8
;; QUESTION SECTION:
;; ns1.yyz1.afilias-nst.info.     IN      A

;; ANSWER SECTION:

;; AUTHORITY SECTION:
afilias-nst.info.      86400   IN      NS      a0.dig.afilias-nst.info.
afilias-nst.info.      86400   IN      NS      c0.dig.afilias-nst.info.
afilias-nst.info.      86400   IN      NS      b0.dig.afilias-nst.info.
afilias-nst.info.      86400   IN      NS      d0.dig.afilias-nst.info.

;; ADDITIONAL SECTION:
d0.dig.afilias-nst.info.       86400   IN      A       65.22.9.1
c0.dig.afilias-nst.info.       86400   IN      A       65.22.8.1
b0.dig.afilias-nst.info.       86400   IN      A       65.22.7.1
a0.dig.afilias-nst.info.       86400   IN      A       65.22.6.1
d0.dig.afilias-nst.info.       86400   IN      AAAA    2a01:8840:9::1
c0.dig.afilias-nst.info.       86400   IN      AAAA    2a01:8840:8::1
```

(계속)

```
b0.dig.afilias-nst.info.        86400     IN        AAAA      2a01:8840:7::1
a0.dig.afilias-nst.info.        86400     IN        AAAA      2a01:8840:6::1

;; Query time: 45 msec
;; SERVER: 199.249.113.1
;; WHEN: Sun May  9 00:06:00 2021
;; MSG SIZE  rcvd: 323
```

이 응답으로부터 아래 내용을 알 수 있습니다.

- 일반 응답이다(rcode가 NOERROR).
- Answer 섹션이 없다(ANSWER가 0).
- 권한을 갖는 응답이 아닌 위임 정보가 응답되었다(flags에 aa가 없다).

그리고 아래 내용이 표시되어 있습니다.

- Authority 섹션에 afilias-nst.info에 대한 위임이 있다.
- 위임처는 a0.dig.afilias-nst.info 등이 있다.

또한, 아래 내용을 알 수 있습니다.

- Additional 섹션에 a0.dig.afilias-nst.info 등의 IP 주소가 추가되어 있다.

⑤ **afilias-nst.info의 권한이 있는 서버에 'ns1.yyz1.afilias-nst.info A'를 질의**

info의 권한이 있는 서버가 위임 정보를 응답했기 때문에 위임처인 afilias-nst.info 존의 권한이 있는 서버 중 아무 서버에나 ns1.yyz1.afilias-nst.info의 A 리소스 레코드를 질의합니다. 다음 예시에서는 a0.dig.afilias-nst.info의 IPv4 주소로 질의합니다.

화면 8-8 **afilias-nst.info의 권한이 있는 서버에 'ns1.yyz1.afilias-nst.info A'를 질의**

```
% drill -o rd @65.22.6.1 ns1.yyz1.afilias-nst.info A ↵

;; ->>HEADER<<- opcode: QUERY, rcode: NOERROR, id: 32510
;; flags: qr aa ; QUERY: 1, ANSWER: 1, AUTHORITY: 4, ADDITIONAL: 0
;; QUESTION SECTION:
;; ns1.yyz1.afilias-nst.info.    IN      A
```

(계속)

```
;; ANSWER SECTION:
ns1.yyz1.afilias-nst.info.        3600      IN        A         65.22.9.1

;; AUTHORITY SECTION:
yyz1.afilias-nst.info.    3600      IN        NS        a0.dig.afilias-nst.info.
yyz1.afilias-nst.info.    3600      IN        NS        b0.dig.afilias-nst.info.
yyz1.afilias-nst.info.    3600      IN        NS        c0.dig.afilias-nst.info.
yyz1.afilias-nst.info.    3600      IN        NS        d0.dig.afilias-nst.info.

;; ADDITIONAL SECTION:

;; Query time: 61 msec
;; SERVER: 65.22.6.1
;; WHEN: Sun May  9 00:10:08 2021
;; MSG SIZE  rcvd: 131
```

이 응답으로부터 아래 내용을 알 수 있습니다.

- 일반 응답이다(rcode가 NOERROR).

- Answer 섹션에 응답이 하나 있다(ANSWER가 1).

- 권한을 갖는 응답이 반환되었다(flags에 aa가 있다).

그리고 아래 내용이 표시되어 있습니다.

- Answer 섹션에 ns1.yyz1.afilias-nst.info의 A 리소스 레코드가 있다.

따라서 이것이 원하는 정보이며 ns1.yyz1.afilias-nst.info의 IPv4 주소는 65.22.9.1입니다.

③~⑤까지의 단계를 거쳐 ietf.org 존을 관리하는 권한이 있는 서버의 IP 주소를 알게 되었습니다. 이로써 보류되었던 www.ietf.org의 A 리소스 레코드의 이름 풀이를 계속하게 됩니다.

⑥ ietf.org의 권한이 있는 서버에 'www.ietf.org AAAA'를 질의

www.ietf.org의 이름 풀이로 돌아와서 ietf.org 존의 권한이 있는 서버 중 아무 서버에나 www.ietf.org의 AAAA 리소스 레코드를 질의합니다. 다음 예시에서는 방금 전 이름 풀이한 ns1.yyz1.afilias-nst.info의 IPv4 주소로 질의합니다.

화면 8-9 ietf.org의 권한이 있는 서버에 'www.ietf.org AAAA'를 질의

```
% drill -o rd @65.22.9.1 www.ietf.org AAAA ↵

;; ->>HEADER<<- opcode: QUERY, rcode: NOERROR, id: 43031
;; flags: qr aa ; QUERY: 1, ANSWER: 1, AUTHORITY: 0, ADDITIONAL: 0
;; QUESTION SECTION:
;; www.ietf.org.          IN      AAAA

;; ANSWER SECTION:
www.ietf.org.  1800       IN      CNAME   www.ietf.org.cdn.cloudflare.net.

;; AUTHORITY SECTION:

;; ADDITIONAL SECTION:

;; Query time: 62 msec
;; SERVER: 65.22.9.1
;; WHEN: Sun May  9 00:19:06 2021
;; MSG SIZE  rcvd: 75
```

이 응답으로부터 아래 내용을 알 수 있습니다.

- 일반 응답이다(rcode가 NOERROR).
- Answer 섹션에 응답이 하나 있다(ANSWER가 1).
- 권한을 갖는 응답이 반환되었다(flags에 aa가 있다).

그러나 아래 내용이 표시되어 있습니다.

- Answer 섹션에 있는 것은 www.ietf.org의 AAAA 리소스 레코드가 아닌 CNAME 리소스 레코드이다.

따라서 이름 풀이하려고 했던 **www.ietf.org는 사실 별명이고 www.ietf.org.cdn.cloudflare. net이 정식 이름임**을 알게 되었습니다. 아무래도 www.ietf.org에서는 Cloudflare의 CDN 서비스를 이용하고 있는 것 같습니다.

응답으로서 CNAME이 반환된 경우, 풀 리솔버는 CNAME의 내용인 정식 이름(canonical name)으로 다시 이름 풀이를 하며 그 결과가 이름 풀이의 최종 결과입니다. 따라서 **다시 루트부터 'www. ietf.org.cdn.cloudflare.net AAAA'의 이름 풀이를 하게** 됩니다.

⑦ 루트 서버에 'www.ietf.org.cdn.cloudflare.net AAAA'를 질의

루트 서버에 www.ietf.org.cdn.cloudflare.net의 AAAA 리소스 레코드를 질의합니다.

화면 8-10 루트 서버에 'www.ietf.org.cdn.cloudflare.net AAAA'를 질의

```
% drill -o rd @198.41.0.4 www.ietf.org.cdn.cloudflare.net AAAA ⏎

;; ->>HEADER<<- opcode: QUERY, rcode: NOERROR, id: 31286
;; flags: qr tc ; QUERY: 1, ANSWER: 0, AUTHORITY: 13, ADDITIONAL: 11
;; QUESTION SECTION:
;; www.ietf.org.cdn.cloudflare.net.    IN      AAAA

;; ANSWER SECTION:

;; AUTHORITY SECTION:
net.    172800  IN      NS      e.gtld-servers.net.
net.    172800  IN      NS      f.gtld-servers.net.
net.    172800  IN      NS      m.gtld-servers.net.
net.    172800  IN      NS      i.gtld-servers.net.
net.    172800  IN      NS      j.gtld-servers.net.
net.    172800  IN      NS      b.gtld-servers.net.
net.    172800  IN      NS      a.gtld-servers.net.
net.    172800  IN      NS      c.gtld-servers.net.
net.    172800  IN      NS      k.gtld-servers.net.
net.    172800  IN      NS      h.gtld-servers.net.
net.    172800  IN      NS      l.gtld-servers.net.
net.    172800  IN      NS      g.gtld-servers.net.
net.    172800  IN      NS      d.gtld-servers.net.

;; ADDITIONAL SECTION:
e.gtld-servers.net.     172800  IN      A       192.12.94.30
e.gtld-servers.net.     172800  IN      AAAA    2001:502:1ca1::30
f.gtld-servers.net.     172800  IN      A       192.35.51.30
f.gtld-servers.net.     172800  IN      AAAA    2001:503:d414::30
m.gtld-servers.net.     172800  IN      A       192.55.83.30
m.gtld-servers.net.     172800  IN      AAAA    2001:501:b1f9::30
i.gtld-servers.net.     172800  IN      A       192.43.172.30
i.gtld-servers.net.     172800  IN      AAAA    2001:503:39c1::30
j.gtld-servers.net.     172800  IN      A       192.48.79.30
j.gtld-servers.net.     172800  IN      AAAA    2001:502:7094::30
b.gtld-servers.net.     172800  IN      A       192.33.14.30

;; Query time: 40 msec
;; SERVER: 198.41.0.4
;; WHEN: Sun May  9 00:32:21 2021
;; MSG SIZE  rcvd: 506
```

196

이 응답으로부터 아래 내용을 알 수 있습니다.

- 일반 응답이다(rcode가 NOERROR).
- Answer 섹션이 없다(ANSWER가 0).
- 권한을 갖는 응답이 아닌 위임 정보가 응답되었다(flags에 aa가 없다).

그리고 아래 내용이 표시되어 있습니다.

- Authority 섹션에 net에 대한 위임이 있다.
- 위임처는 a.gtld-servers.net 등이 있다.

또한, 아래 내용을 알 수 있습니다.

- Additional 섹션에 a.gtld-servers.net 등의 IP 주소가 추가되어 있다.

⑧ net의 권한이 있는 서버에 'www.ietf.org.cdn.cloudflare.net AAAA'를 질의

루트 서버가 위임 정보를 응답했기 때문에 위임처인 net 존의 권한이 있는 서버 중 아무 서버에나 www.ietf.org.cdn.cloudflare.net의 AAAA 리소스 레코드를 질의합니다. 다음 예시에서는 a.gtld-servers.net의 IPv4 주소로 질의합니다.

화면 8-11 net의 권한이 있는 서버에 'www.ietf.org.cdn.cloudflare.net AAAA'를 질의

```
% drill -o rd @192.5.6.30 www.ietf.org.cdn.cloudflare.net AAAA ⏎

;; ->>HEADER<<- opcode: QUERY, rcode: NOERROR, id: 50526
;; flags: qr ; QUERY: 1, ANSWER: 0, AUTHORITY: 5, ADDITIONAL: 10
;; QUESTION SECTION:
;; www.ietf.org.cdn.cloudflare.net.     IN      AAAA

;; ANSWER SECTION:

;; AUTHORITY SECTION:
cloudflare.net. 172800  IN      NS      ns1.cloudflare.net.
cloudflare.net. 172800  IN      NS      ns2.cloudflare.net.
cloudflare.net. 172800  IN      NS      ns3.cloudflare.net.
cloudflare.net. 172800  IN      NS      ns4.cloudflare.net.
cloudflare.net. 172800  IN      NS      ns5.cloudflare.net.
```

(계속)

```
;; ADDITIONAL SECTION:
ns1.cloudflare.net.        172800   IN       A        173.245.59.31
ns1.cloudflare.net.        172800   IN       AAAA     2400:cb00:2049:1::adf5:3b1f
ns2.cloudflare.net.        172800   IN       A        198.41.222.131
ns2.cloudflare.net.        172800   IN       AAAA     2400:cb00:2049:1::c629:de83
ns3.cloudflare.net.        172800   IN       A        198.41.222.31
ns3.cloudflare.net.        172800   IN       AAAA     2400:cb00:2049:1::c629:de1f
ns4.cloudflare.net.        172800   IN       A        198.41.223.131
ns4.cloudflare.net.        172800   IN       AAAA     2400:cb00:2049:1::c629:df83
ns5.cloudflare.net.        172800   IN       A        198.41.223.31
ns5.cloudflare.net.        172800   IN       AAAA     2400:cb00:2049:1::c629:df1f

;; Query time: 6 msec
;; SERVER: 192.5.6.30
;; WHEN: Sun May  9 00:36:37 2021
;; MSG SIZE  rcvd: 359
```

이 응답으로부터 아래 내용을 알 수 있습니다.

- 일반 응답이다(rcode가 NOERROR).
- Answer 섹션이 없다(ANSWER가 0).
- 권한을 갖는 응답이 아닌 위임 정보가 응답되었다(flags에 aa가 없다).

그리고 아래 내용이 표시되어 있습니다.

- Authority 섹션에 cloudflare.net에 대한 위임이 있다.
- 위임처는 ns1.cloudflare.net~ns5.cloudflare.net이다.

또한, 아래 내용을 알 수 있습니다.

- Additional 섹션에 ns1.cloudflare.net~ns5.cloudflare.net의 IP 주소가 추가되어 있다.

⑨ cloudflare.net의 권한이 있는 서버에 'www.ietf.org.cdn.cloudflare.net AAAA'를 질의

net의 권한이 있는 서버가 위임 정보를 응답했기 때문에 위임처인 cloudflare.net 존의 권한이 있는 서버 중 아무 서버에나 www.ietf.org.cdn.cloudflare.net의 AAAA 리소스 레코드를 질의합니다. 다음 예시에서는 ns1.cloudflare.net의 IPv6 주소로 질의합니다.

화면 8-12 cloudflare.net의 권한이 있는 서버에 'www.ietf.org.cdn.cloudflare.net AAAA'를 질의[5]

```
% drill -o rd @2400:cb00:2049:1::adf5:3b1f www.ietf.org.cdn.cloudflare.net AAAA ↵

;; ->>HEADER<<- opcode: QUERY, rcode: NOERROR, id: 58451
;; flags: qr aa ; QUERY: 1, ANSWER: 2, AUTHORITY: 0, ADDITIONAL: 0
;; QUESTION SECTION:
;; www.ietf.org.cdn.cloudflare.net.      IN      AAAA

;; ANSWER SECTION:
www.ietf.org.cdn.cloudflare.net.   300   IN    AAAA    2400:cb00:2048:1::6814:55
www.ietf.org.cdn.cloudflare.net.   300   IN    AAAA    2400:cb00:2048:1::6814:155

;; AUTHORITY SECTION:

;; ADDITIONAL SECTION:

;; Query time: 5 msec
;; SERVER: 2400:cb00:2049:1::adf5:3b1f
;; WHEN: Sun May  9 00:36:37 2021
;; MSG SIZE  rcvd: 105
```

이 응답으로부터 아래 내용을 알 수 있습니다.

- 일반 응답이다(rcode가 NOERROR).
- Answer 섹션에 응답이 두 개 있다(ANSWER가 2).
- 권한을 갖는 응답이 반환되었다(flags에 aa가 있다).

그리고 아래 내용이 표시되어 있습니다.

- Answer 섹션에 www.ietf.org.cdn.cloudflare.net의 AAAA 리소스 레코드 세트가 있다.

따라서 이것이 원하는 정보이며 www.ietf.org.cdn.cloudflare.net의 IPv6 주소는 2400:cb00:2048:1::6814:55와 2400:cb00:2048:1::6814:155입니다. 그리고 지금까지의 단계를 거쳐서 아래의 최종 결과를 얻게 됩니다.

- www.ietf.org의 정식 이름은 www.ietf.org.cdn.cloudflare.net이다.

---

5 **역자주** 한국의 IP 환경은 대부분 IPv4만 지원하기 때문에 이 예시를 바로 확인할 수 없음에 주의해 주세요. 옮긴이는 IPv6 환경에서 확인했습니다.

- www.ietf.org.cdn.cloudflare.net의 IPv6 주소는 2400:cb00:2048:1::6814:55와 2400:cb00:2048:1::6814:155이다.

- 따라서 www.ietf.org에 IPv6로 접속하기 위해서는 2400:cb00:2048:1::6814:55 또는 2400:cb00:2048:1::6814:155로 접속하면 된다.

실제 인터넷상의 풀 리졸버는 이처럼 이름 풀이 도중에 필요해진 권한이 있는 서버의 IP 주소나 정식 이름으로 표시된 도메인 이름에 대한 이름 풀이도 하며 많은 단계를 거쳐 얻은 정보를 호출자인 스터브 리졸버에게 반환하고 있답니다.

마지막으로, dig 명령어를 사용해 Google Public DNS(7장 02절의 '퍼블릭 DNS 서비스' 참고)에 www.ietf.org의 AAAA 리소스 레코드를 질의했을 때의 출력 예시를 나타냅니다. 조금 전, 최종 결과로 얻은 정보는 풀 리졸버가 반환하는 응답에 포함되어 있음을 알 수 있습니다.

화면 8-13 Google Public DNS에 www.ietf.org의 AAAA 리소스 레코드를 질의했을 때의 출력 예시

```
% dig @8.8.8.8 www.ietf.org IN AAAA ↵

; <<>> DiG 9.9.4-RedHat-9.9.4-72.el7 <<>> @8.8.8.8 www.ietf.org IN AAAA
; (1 server found)
;; global options: +cmd
;; Got answer:
;; ->>HEADER<<- opcode: QUERY, status: NOERROR, id: 41405
;; flags: qr rd ra ad; QUERY: 1, ANSWER: 3, AUTHORITY: 0, ADDITIONAL: 1

;; OPT PSEUDOSECTION:
; EDNS: version: 0, flags:; udp: 512
;; QUESTION SECTION:
;www.ietf.org.                          IN  AAAA

;; ANSWER SECTION:
www.ietf.org.                 1330 IN CNAME   www.ietf.org.cdn.cloudflare.net.
www.ietf.org.cdn.cloudflare.net. 299  IN  AAAA    2606:4700::6810:2d63
www.ietf.org.cdn.cloudflare.net. 299  IN  AAAA    2606:4700::6810:2c63

;; Query time: 67 msec
;; SERVER: 8.8.8.8#53(8.8.8.8)
;; WHEN: Sun May 09 01:10:01 KST 2021
;; MSG SIZE  rcvd: 142
```

CHAPTER 8
Practical
Guide to
DNS

05

유용한 DNS 체크 사이트

지금까지 DNS의 작동 확인에 사용할 수 있는 명령줄 도구의 사용법과 실제 작동 확인의 예시를 설명했습니다. 여기서는 DNS의 작동 확인에 사용할 수 있는 유용한 웹사이트(DNS 체크 사이트)를 소개합니다. 이 웹사이트는 공개된 권한이 있는 서버군에 대해 다양한 시점에서 체크를 실시하고 그 결과를 보기 쉬운 형태로 표시해 줍니다. 각각의 특징을 알고 잘 사용하면, 권한이 있는 서버의 작동이나 부모-자식 간의 연계 상태를 간단히 파악할 수 있습니다.

이 책에서는 아래 세 개의 DNS 체크 사이트를 소개합니다.

- Zonemaster

  URL https://www.zonemaster.net/

- DNSViz

  URL https://dnsviz.net/

- KRNIC DNS 자가 점검

  URL https://한국인터넷정보센터.한국/jsp/business/operate/dnsModify.jsp

Zonemaster

Zonemaster는 .se(스웨덴)의 ccTLD 레지스트리인 IIS와 .fr(프랑스)의 ccTLD 레지스트리인 AFNIC이 공동개발·제공하는 DNS 체크 사이트입니다(그림 8-11). Zonemaster는 지정된 도메인 이름의 체크 결과를 열 종류의 카테고리로 분류해 나타냅니다. 체크 결과는 사이트에 보존되어 있고, 보존된 데이터가 있으면 원하는 시기의 체크 결과를 표시할 수 있습니다. 또한, 부모 존으로부터 위임을 받기 전의 권한이 있는 서버를 사전 체크할 수도 있습니다.

Zonemaster의 사용법은 첫 페이지에 있는 'Domain name'이라고 되어 있는 입력란에 확인하고 싶은 도메인 이름을 입력하면 됩니다.

그림 8-11 Zonemaster

체크 결과는 대상 도메인 이름의 상태에 따라 파랑(Info), 노랑(Notice), 주황(Warning), 빨강(Error, Critical)의 총 네 가지 색으로 구분됩니다. 파랑이 아니더라도 반드시 DNS 작동에 문제가 되는 것은 아니지만 무엇이 어떻게 체크되고, 평가되고 있는지를 확인함으로써 대상 도메인 이름의 다양한 상태를 파악할 수 있습니다.

과거의 결과를 표시하기 위해서는 결과 위쪽에 있는 History 버튼을 클릭합니다. 그러면 지금까지 실시한 체크의 날짜가 리스트로 나오며 확인하고 싶은 날짜를 선택합니다. Zonemaster로 위임을 받기 전의 권한이 있는 서버를 체크할 때는 입력란 아래에 있는 'Options' 스위치를 켜고 'Nameservers'란에 새롭게 위임을 받을 권한이 있는 서버의 위임 정보를 입력하고 체크를 실행합니다.

그림 8-12는 kisa.or.kr에 대해 일반적인 체크를 한 결과입니다. 전체 94개 항목 중 Info가 77개, Notice가 4개, Warning이 13개이고 Error, Critical은 0개입니다. 체크 직후에는 ADDRESS 줄의 왼쪽이 '+'가 되며 클릭하면 그림 8-12처럼 그 내용이 표시되고 Warning이 된 이유를 알 수 있습니다. 이 예시에서는 kisa.or.kr의 권한이 있는 서버 중 hera.kisa.or.kr에 PTR 리소스 레코드가 없다고 경고하고 있습니다. 이는 DNS 운용에서 큰 문제가 되지는 않습니다.

그림 8-12 Zonemaster로 kisa.or.kr을 체크한 화면

DNSViz

DNSViz는 미국 산디아 국립연구소와 Verisign Labs가 제공하고 있는 DNS 체크 사이트로, DNSSEC의 신뢰의 연쇄 상태를 시각적으로 확인할 수 있다는 점이 특징입니다(그림 8-13). 또한, 과거의 체크 결과는 사이트에 보존되어 있고, 보존된 데이터가 있으면 원하는 시기의 체크 결과를 표시할 수 있습니다.[6]

DNSViz를 사용하기 위해서 첫 페이지의 'Enter a domain name'이라는 입력란에 확인하고 싶은 도메인 이름을 입력합니다. 과거에 아무도 체크한 적이 없으면 새로 분석할지를 사용자에게 확인한 후에 실제 분석이 이루어지며 그 결과가 표시됩니다. 반대로 누군가가 체크한 적이 있다면 그 시점의 체크 결과가 표시됩니다. 또한, 현재 시점의 최신 결과로 업데이트하고 싶으면 'Update Now'를 클릭합니다.

DNSViz는 입력된 도메인 이름에 대해서 DNSSEC의 신뢰의 연쇄를 나타내는 그림을 표시합니다. 타원이나 모서리가 둥근 직사각형으로 표시되어 있는 것이 신뢰의 연쇄에 관한 리소스 레코드입니다. 그림 8-14에 DNSViz로 kisa.or.kr을 체크했을 때의 표시 예시

---

6 DNSSEC의 개요나 사용되는 용어는 이 절의 내용도 포함해 10장과 13장에서 설명합니다.

를 나타냅니다. 타원이나 모서리가 둥근 직사각형을 잇는 화살표가 DNSSEC의 신뢰의
연쇄나 서명의 상태를 나타냅니다.

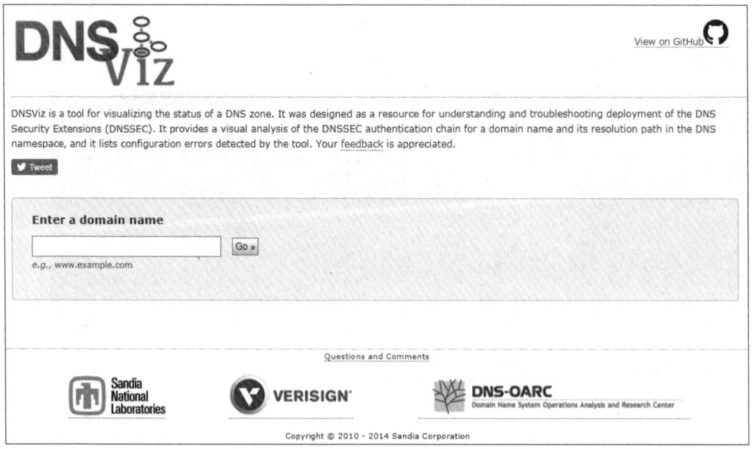

그림 8-13 DNSViz

이를 통해 DNSSEC의 신뢰의 연쇄가 정확하게 구축되어 있는지, 서명이 유효한지 등
DNSSEC에 관한 설정 상태나 문제의 원인을 시각적으로 확인할 수 있습니다. 게다가,
체크 결과가 사이트에 기록, 즉 아카이브되기 때문에 DNSSEC의 키 갱신 등 운용상 중
요한 작업을 할 때 기록을 남기는 용도로도 사용할 수 있습니다. 과거의 체크 결과를 보
기 위해서는 결과 페이지의 오른쪽 위에 있는 달력이나 날짜 입력란에서 원하는 날짜를
지정한 후 'Go'를 클릭하면 됩니다.

DNSViz는 유용한 정보가 상세하면서 알기 쉽게 표시되기 때문에 DNSSEC을 운용할
때 매우 소중한 사이트입니다. 권한이 있는 서버를 운용할 때는 자신이 관리하는 키나
서명이 정확하게 운용되고 있는지를 확인하고, 풀 리졸버를 운용할 때는 DNSSEC 검증
에러가 발생한 도메인 이름의 상태를 확인할 때 이용할 수 있습니다.

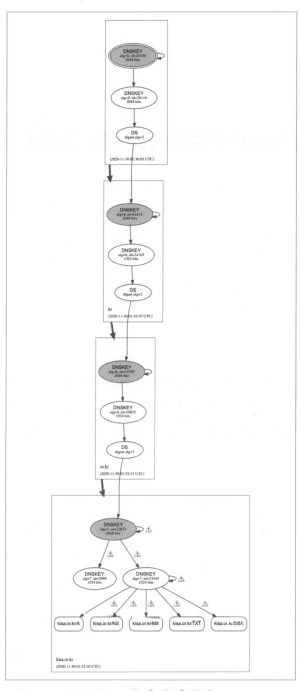

그림 8-14 DNSViz로 kisa.or.kr을 체크한 화면

KRNIC DNS 자가 점검

KRNIC DNS 자가 점검 사이트는 KISA가 제공하는 DNS 설정을 확인하는 사이트입니다(그림 8-15).

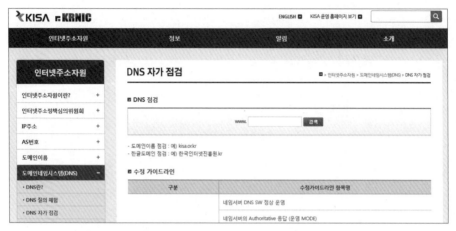

그림 8-15 KRNIC DNS 자가 점검

도메인 이름을 입력하면 UDP 및 TCP 질의 처리 상태, 권한이 있는 서버 상태, 위임 상태, 오픈 DNS 운영 여부 등을 확인할 수 있습니다. 분류는 두 종류로 '정상'과 '미흡'이 있는데, '미흡'으로 표시된 항목은 확인하여 적절한 조치를 취하도록 합니다(그림 8-16).

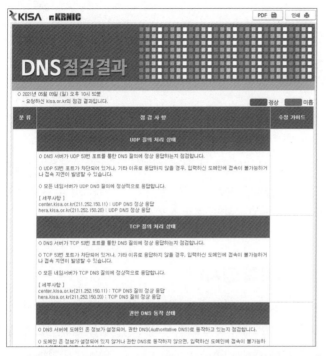

그림 8-16 **KRNIC DNS 자가 점검 사이트에서 체크한 결과(일부만 표시)**

여기서 소개한 세 개의 사이트는 일부 사례이며 그 밖에도 여러 체크 사이트가 존재합니다. 각 체크 사이트는 독자적인 관점으로 체크할 내용에 대해 연구하고 있습니다. 이런 사이트를 사용하면 DNS 설정이 정확하게 되었는지를 외부에서 확인할 수 있습니다.

정확하게 설정했고 제대로 운용되고 있다고 생각하더라도 실제로 체크 사이트를 이용해서 확인해 보면 미처 생각하지 못했던 설정 실수나 운용상의 문제가 나오기도 합니다. 이러한 사이트를 잘 사용해서 권한이 있는 서버나 풀 리졸버를 원활하게 운용하기 바랍니다.

06
서버의 감시

권한이 있는 서버나 풀 리졸버의 운용은 '설정하면 끝'이 아니라 제대로 작동하고 있는가, 사이버 공격을 받고 있지는 않은가와 같은 관점에서 정기적으로 계속해서 감시해야 합니다. 여기서는 서버의 감시에 관한 기본적인 항목을 소개합니다.

제대로 작동하고 있는가? (사활 감시)

서버가 제대로 작동하며 서비스를 제공하고 있는지 감시하는 것을 **사활 감시**라고 합니다. 사활 감시는 서버나 소프트웨어 등 시스템이 제대로 작동하고 있는지를 다른 시스템에서 감시하는 것입니다. DNS는 질의에 대해 적절한 응답을 얻을 수 있는지 확인하여 사활 감시를 합니다.

• 권한이 있는 서버의 사활 감시 예시

그 권한이 있는 서버가 관리하는(존재하는) 도메인 이름을 정기적으로 질의하여 설정한 정보가 반환되는지 확인합니다.

• 풀 리졸버의 사활 감시 예시

조직 내의 도메인 이름이나 유명한 도메인 이름을 정기적으로 질의하여 이름 풀이가 가능한지 확인합니다.

감시 소프트웨어를 사용하는 방법도 있습니다. 예를 들면, 오픈 소스 소프트웨어 감시 도구인 Nagios에는 권한이 있는 서버나 풀 리졸버를 체크하기 위한 모듈이 있어 응답을 얻을 수 없게 되면 경고를 보냅니다(그림 8-17).

Nagios – The Industry Standard In IT Infrastructure Monitoring

URL https://www.nagios.org/

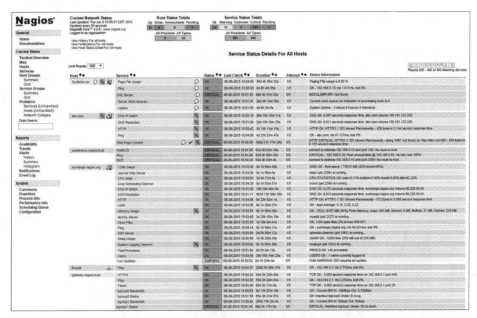

그림 8-17 **Nagios의 화면**
https://www.nagios.com/wp-content/uploads/2016/02/Visibility_Drop.jpg에서 인용

사이버 공격을 받고 있지는 않은가? (트래픽 감시)

일반적으로 권한이 있는 서버나 풀 리졸버에서 송수신한 패킷 수는 거의 같습니다. 송수신한 패킷 수가 크게 차이 나는 때는 사이버 공격을 의심해 볼 수 있습니다. 예를 들면, 9장에서 설명할 카민스키형 공격 수법을 이용한 풀 리졸버로의 캐시 포이즈닝 공격은 하나의 질의에 대해 대량의 위장 응답이 반환됩니다. 또한, 질의 수가 이상하게 증가하거나 외부로 보내지는 질의의 이상한 증가를 보이는 때에도 사이버 공격의 가능성이 있습니다.

분석 소프트웨어를 사용하는 방법도 있습니다. 예를 들면, DNS 전용 트래픽 분석 도구로 Measurement Factory가 개발하고 현재는 DNS-OARC에 의해 유지 관리되고 있는

DSC(DNS Statistics Collector)라는 도구가 있습니다.

DSC – DNS Stats Collector ｜DNS-OARC

URL https://www.dns-oarc.net/tools/dsc

DSC는 정기적으로 DNS 패킷을 수집해서 특정량을 추출하고 집약해 그래프화해 주는 도구입니다. 시간별 질의 수나 질의 타입 비율의 변화, 출발지 주소별 질의 수, TLD별 질의 수, EDNS0나 DNSSEC의 상태, 질의나 응답 패킷 사이즈의 분포 등을 볼 수 있습니다(그림 8-18).

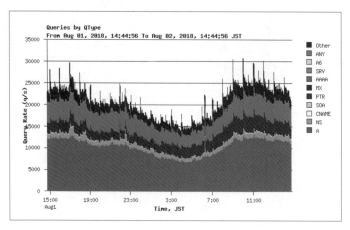

그림 8-18 DSC를 실행했을 때

패킷 수와 트래픽 양의 확인은 권한이 있는 서버나 풀 리졸버의 인터페이스 부분 등에서 패킷 수와 트래픽 양을 정기적으로 측정하고 MRTG와 같은 가시화 도구로 감시하는 것이 좋습니다(그림 8-19).

Tobi Oetiker's MRTG – The Multi Router Traffic Grapher

URL https://oss.oetiker.ch/mrtg/

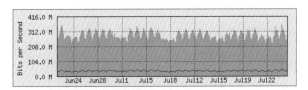

그림 8-19 MRTG를 실행했을 때
https://m.root-servers.org/에서 인용

언제 무엇이 일어났는가? (시스템 로그 수집과 확인)

DNS 서버 소프트웨어는 이상 발생 시의 로그 등을 syslog로 출력할 수 있습니다. 로그를 수집해 정기적으로 확인하도록 합시다. 그림 8-20에 실제로 운영되고 있는 권한이 있는 서버의 syslog 출력 예시를 나타냅니다(샘플이므로 일부 내용을 변경했습니다).

◆ DNS NOTIFY에 의한 존 전송의 예시

DNS NOTIFY를 받아 존 전송을 실시했다. 다음에 다른 호스트로부터 NOTIFY가 왔을 때, 존은 최신 상태였다.

```
30-Jul-2018 20:02:08.218 general: info: zone example.jp/IN/view-001: notify from
192.0.2.100#57562: serial 1532948409
30-Jul-2018 20:02:08.220 general: info: zone example.jp/IN/view-001: Transfer started.
30-Jul-2018 20:02:08.225 general: info: zone example.jp/IN/view-001: transferred serial
1532948409: TSIG '20180702-example-jp-key'
30-Jul-2018 20:02:08.297 general: info: zone example.jp/IN/view-001: notify from
192.0.2.200#30904: zone is up to date
```

◆ RRL의 적용 예시

192.0.2.0/24라는 IP 주소 블록으로부터의 example.jp에 대한 질의에 RRL이 적용되었다.

```
24-Jul-2018 19:05:34.803 rate-limit: info: limit NXDOMAIN responses to 192.0.2.0/24 for example.
jp (fa0a5706)
24-Jul-2018 19:05:34.803 rate-limit: info: client @0x7f8db038f020 192.0.2.47#51352 (aaa.example.
jp): view view-001: rate limit slip NXDOMAIN response to 192.0.2.0/24 for example.jp (fa0a5706)
24-Jul-2018 19:05:34.803 rate-limit: info: client @0x7f8db038f020 192.0.2.179#34865 (bbb.example.
jp): view view-001: rate limit drop NXDOMAIN response to 192.0.2.0/24 for example.jp (fa0a5706)
24-Jul-2018 19:05:34.804 rate-limit: info: client @0x7f8db038f020 192.0.2.75#12497 (ccc.example.
jp): view view-001: rate limit slip NXDOMAIN response to 192.0.2.0/24 for example.jp (fa0a5706)
<중략>
24-Jul-2018 19:05:34.993 rate-limit: info: client @0x7f8db03808a0 192.0.2.179#17948 (ddd.example.
jp): view view-001: rate limit drop NXDOMAIN response to 192.0.2.0/24 for example.jp (fa0a5706)
24-Jul-2018 19:05:34.994 rate-limit: info: client @0x7f8db03808a0 192.0.2.151#33651 (eee.example.
jp): view view-001: rate limit slip NXDOMAIN response to 192.0.2.0/24 for example.jp (fa0a5706)
24-Jul-2018 19:05:34.998 rate-limit: info: client @0x7f8db03808a0 192.0.2.105#31530 (fff.example.
jp): view view-001: rate limit drop NXDOMAIN response to 192.0.2.0/24 for example.jp (fa0a5706)
24-Jul-2018 19:08:52.000 rate-limit: info: stop limiting NXDOMAIN responses to 192.0.2.0/24 for
example.jp (fa0a5706)
```

(계속)

◆ 존 전송의 실패 예시

존 전송을 시도했으나 권한을 갖지 않는 상태였기에 실패했다.

```
30-Jul-2018 23:59:47.393 xfer-out: debug 6: client @0x7f8d944aa610 192.0.2.1#45897 (ggg.example.
jp): view view-001: AXFR request
30-Jul-2018 23:59:47.393 xfer-out: info: client @0x7f8d944aa610 192.0.2.1#45897 (ggg.example.jp):
view view-001: bad zone transfer request: 'ggg.example.jp/IN': non-authoritative zone (NOTAUTH)
30-Jul-2018 23:59:47.393 xfer-out: debug 3: client @0x7f8d944aa610 192.0.2.1#45897 (ggg.example.
jp): view view-001: zone transfer setup failed
```

올바르지 않은 존 전송이므로 접근 제한에 의해 거부했다.

```
30-Jul-2018 21:22:51.708 security: error: client @0x7f8dac59bbd0 192.0.2.2#50674 (example.jp):
view view-001: zone transfer 'example.jp/AXFR/IN' denied
30-Jul-2018 21:22:53.618 security: error: client @0x7f8d885074c0 192.0.2.2#50689 (example.jp):
view view-001: zone transfer 'example.jp/AXFR/IN' denied
```

그림 8-20 syslog 출력 예시

Practical
Guide to
DNS

CHAPTER 9
DNS에 대한 사이버 공격과
그 대책

이 장에서는 DNS를 노리거나 발판으로 삼는 등 다양한 사이버 공격을 알아보고,
그 대책에 주목하여 분류하고 살펴봅니다.

이 장의 키워드

- 공격 대상과 공격 수법 이해 • DoS 공격
- DDoS 공격
- 무엇으로부터 무엇을 어떻게 지킬지에 대한 이해
- 공격의 영향 범위에 대한 이해
- IP Anycast
- TCP
- UDP
- 연결형
- 비연결형
- DNS 반사 공격
- 랜덤 서브 도메인 공격
- BIND의 취약점을 이용한 DoS 공격
- 캐시 포이즈닝
- 카민스키형 공격 수법
- 도메인 이름 하이잭
- 등록 정보 무단 수정
- DNS 하이잭
- 접근 제어
- RRL
- IP53B
- DNS 소프트웨어 패치
- 제로 데이 공격
- 다양성의 확보
- 출발지 포트 무작위화
- 레지스트리 록

CHAPTER 9
Practical
Guide to
DNS

01

대상과 수법에 따른 DNS 관련 공격의 분류

시스템이나 서비스에 대한 사이버 공격과 그 대책을 생각할 때는 공격을 분석하고 이해하는 것이 무엇보다 중요합니다. 또한, 이번 장에서는 사이버 공격을 간단히 '공격'이라고 표현하겠습니다. 여기서는 무엇이 어떤 방법으로 공격받는지, 즉 **공격 대상과 공격 수법**에 주목하여 분류하고 정리해 나갑니다.

공격 대상과 공격 수법에 따른 분류

공격 대상을 중심으로 DNS에 대한 공격은 아래 두 종류로 분류할 수 있습니다.

(1) 공격 대상이 DNS 그 자체이다.
(2) 공격 대상은 타인이지만 그 공격에 DNS를 이용하고 있다.

(1)은 DNS 자체를 공격해서 서비스 불가 상태로 빠뜨리는 공격 수법입니다. 권한이 있는 서버나 풀 리졸버의 서비스를 방해하여 서비스의 제공자나 이용자가 제 역할을 못하게 합니다. (2)는 다른 사람을 공격할 때 DNS를 이용하는, 즉 DNS를 공격의 수단으로 삼는 공격 수법입니다. DNS의 이름 풀이 결과를 가짜로 바꿔서 이용자가 가짜 사이트에 접속하도록 유도하거나, DNS를 사용해 공격 규모를 증대시키는 것 등이 이에 해당합니다.

공격 수법을 중심으로 DNS에 대한 공격은 아래 세 종류로 분류할 수 있습니다.

(A) 공격 대상 네트워크(대역)나 서버의 처리 용량을 흘러넘치게 한다.
(B) 사양(프로토콜)의 약점을 이용한다.
(C) 프로그램의 버그나 설정 및 운용상의 문제점을 이용한다.

(A)는 네트워크나 서버의 처리 능력을 넘는 데이터를 보내는 공격 수법입니다. (B)는 통신 프로토콜에 존재하는 약점을 이용해 오작동시키는 공격 수법입니다. (C)는 서버 소프트웨어나 애플리케이션 등에 존재하는 버그, 서버나 시스템의 설정 및 운용상의 문제점을 이용한 공격 수법입니다.

공격 대상과 공격 수법을 조합하면 DNS에 대한 공격은 표 9-1처럼 여섯 개로 분류할 수 있습니다. 공격 수법을 분류하고 정리할 때 무엇이 어떤 방법으로 공격받는지를 생각하는 것이 중요하며 (1), (2)가 '무엇이'에 해당하며, (A), (B), (C)가 '어떤 방법으로'에 해당합니다.

표 9-1 DNS에 대한 공격의 분류

어떤 방법으로 무엇이	(A) 대역이나 처리 용량을 흘러넘치게 한다	(B) 프로토콜의 약점을 이용한다	(C) 프로그램, 설정, 운용상의 문제점을 이용한다
(1) DNS 자체	1-A	1-B	1-C
(2) 타인(DNS를 이용)	2-A	2-B	2-C

각 공격의 예시

DNS에 대한 대표적인 공격 수법을 표 9-1의 분류를 이용해서 표 9-2에 나타냅니다. 이 장에서는 표 안의 **굵은 글씨**로 표시한 공격 수법의 내용과 대책을 소개합니다.

표 9-2 DNS에 대한 공격 수법의 예시와 그 분류

분류	공격 수법의 예시
1-A	권한이 있는 서버나 풀 리졸버로 대량의 데이터를 보내는 DDoS 공격, 랜덤 서브 도메인 공격
1-B	권한이 있는 서버나 풀 리졸버로 TCP SYN Flood 공격, 랜덤 서브 도메인 공격
1-C	**BIND의 취약점을 이용한 DoS 공격**
2-A	오픈 리졸버를 이용한 **DNS 반사 공격**
2-B	캐시 포이즈닝에 의한 가짜 사이트로의 유도
2-C	**등록 정보 무단 변경에 의한 도메인 이름 하이잭**, 프로그램의 버그를 이용한 캐시 포이즈닝에 의한 가짜 사이트로의 유도, 홈 라우터의 DNS 설정을 무단 변경하여 가짜 사이트로 유도

공격 수법에 따라서는 공격 대상이나 공격 수법이 여러 분류에 해당하는 것도 있습니다. 예를 들면, 이 장에서 소개하는 랜덤 서브 도메인 공격은 권한이 있는 서버나 풀 리졸버의 처리 용량을 흘러넘치게 하는 공격 수법이지만, 공격에 DNS 프로토콜 사양의 약점도 이용하고 있기에 1-A와 1-B 양쪽으로 분류됐습니다.

COLUMN DoS 공격과 DDoS 공격

DoS 공격(Denial of Service attack)은 특정 네트워크나 컴퓨터에 처리 능력을 상회하는 부하를 걸거나 시스템의 취약점을 이용한 수법을 통해 서비스의 운용 및 제공을 방해하는 공격입니다. DoS 공격의 일종으로 **DDoS 공격(Distributed Denial of Service attack)**이 있습니다. 이것은 공격지를 분산시켜 여러 곳에서 특정 네트워크나 컴퓨터를 일제히 공격하는 수법입니다.

DoS 공격은 항상 새로운 수법이 생기고 있으며 공격 규모나 발생 빈도는 증가 경향을 보입니다.

02

대상과 효과에 따른
공격 대책의 분류

앞 절에서는 DNS 관련 공격에 대해서 공격 대상과 공격 수법에 주목하여 여섯 가지로 분류하고 정리했습니다. 여기서는 공격 대책에 대해서 **무엇으로부터 무엇을 어떻게 지킬지**, 즉 지킬 대상과 대책의 효과에 주목하여 분류하고 정리해 나갑니다.

지킬 대상과 대책의 효과에 따른 분류

지킬 대상을 중심으로 DNS에 대한 공격 대책은 아래 두 종류로 분류할 수 있습니다.

> (가) DNS의 구성 요소를 지킨다.
> (나) DNS의 데이터를 지킨다.

(가)는 DNS의 각 구성 요소인 스터브 리졸버, 풀 리졸버, 권한이 있는 서버가 적절히 기능할 수 있도록 지키는 것입니다. DDoS 공격 대책이나 공격의 발판으로 이용되지 않도록 하기 위한 대책 등이 이에 해당합니다. (나)는 DNS가 제공하는 데이터를 지키는 것입니다. 이용자가 가짜 이름 풀이 결과로 인해 가짜 사이트로 유도되는 것을 막는 대책이나 외부로부터의 부정한 존 전송 요구로 인해 존 데이터를 부정하게 얻는 것을 막는 대책 등이 이에 해당합니다.

또한, 대책의 효과를 중심으로 DNS에 대한 공격 대책은 아래 두 종류로 분류할 수 있습니다.

> (a) 공격 자체를 무력화한다.
> (b) 공격의 효과를 떨어트린다.

ⓐ는 취약점을 해소하기 위해 소프트웨어를 패치하는 등 공격 자체를 무력화하는 대책입니다. ⓑ는 서버를 여러 곳에 두거나 2차 인증 등을 도입해서 공격에 필요한 자원, 난이도, 순서, 시간과 같은 요소를 늘려 공격의 효과를 떨어트리는 대책입니다.

이것을 조합해 보면 DNS에 대한 공격 대책은 표 9-3처럼 네 개로 분류할 수 있습니다. (가), (나)가 '무엇을'에 해당하며, ⓐ, ⓑ가 '어떻게 지킬지'에 해당합니다.

표 9-3 DNS에 대한 공격 대책의 분류

어떻게 지킬지 무엇을	(a) 공격 자체를 무력화한다	(b) 공격의 효과를 떨어트린다
(가) DNS의 구성 요소	가-a	가-b
(나) DNS의 데이터	나-a	나-b

03

공격의 영향 범위

DNS의 구성 요소인 스터브 리졸버, 풀 리졸버, 권한이 있는 서버는 공격을 받았을 때 그 영향 범위가 서로 다릅니다. 여기서는 각 요소가 공격을 받아서 서비스에 영향이 미쳤을 때의 영향 범위를 알아봅니다.

스터브 리졸버의 영향 범위

어떤 기기의 스터브 리졸버가 공격을 받아 그 서비스에 영향이 미쳤을 때, 기기에서 작동하는 모든 애플리케이션의 이름 풀이에 영향이 미칩니다. 또한, 포워더(7장의 칼럼 'DNS 포워더' 참고) 역할을 하는 홈 라우터(가정용 라우터)가 공격받았을 때의 영향은 해당 홈 네트워크에 접속된 모든 기기, 즉 그 가정의 모든 이용자에게 미칩니다(그림 9-1).

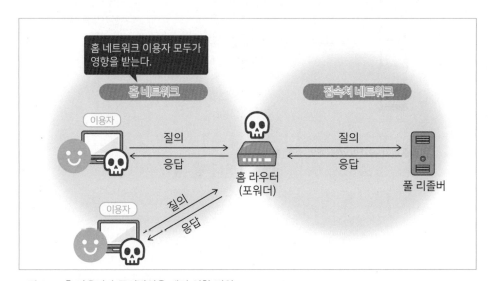

그림 9-1 홈 라우터가 공격받았을 때의 영향 범위

풀 리졸버의 영향 범위

풀 리졸버가 공격을 받아 그 서비스에 영향이 미쳤을 때, 그 풀 리졸버를 사용하고 있는 모든 이용자 환경의 이름 풀이에 영향이 미칩니다(그림 9-2). ISP 등 많은 이용자를 갖는 대규모 풀 리졸버는 그 영향이 광범위합니다. 그렇기에 ISP가 운용하는 풀 리졸버나 7장에서 소개한 주요 퍼블릭 DNS 서비스에는 **IP Anycast**[1]를 비롯해 가용성을 높이기 위한 다양한 구조가 도입되어 있습니다.

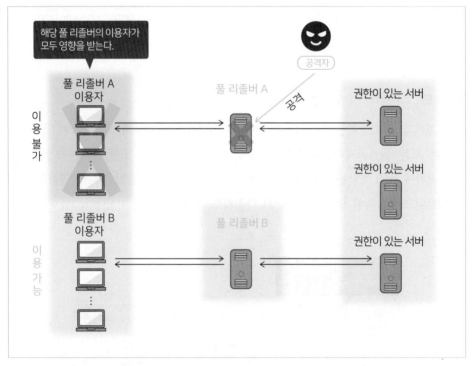

그림 9-2 **풀 리졸버가 공격받았을 때의 영향 범위**

---

1 IP Anycast는 이 장의 칼럼 'IP Anycast란?'을 참고해 주세요.

권한이 있는 서버의 영향 범위

권한이 있는 서버가 공격을 받아 그 서비스에 영향이 미쳤을 때, 그 서버가 관리하는 모든 존(도메인 이름)의 이름 풀이에 영향이 미칩니다. 그 도메인 이름을 관리하는 모든 권한이 있는 서버가 서비스 불가 상태가 되면, 이용자는 그 도메인 이름을 이용한 서비스에 접근할 수 없게 되어 결국 서비스를 이용하지 못하게 됩니다. 그렇기에 공격자의 시점에서 생각해 보면 공격 대상인 도메인 이름의 권한이 있는 서버를 공격하는 것은 그 도메인을 이용하는 서비스 전체를 정지 상태로 만들기 위한 유용한 수단입니다. 또한, 그 존이 위임하고 있는 서브 도메인이 있다면 그것 역시 영향 범위에 포함됩니다(그림 9-3).

만약 루트 서버나 어떤 TLD의 모든 권한이 있는 서버가 서비스 불가 상태가 되면 그 영향은 지대합니다. 그런 상황이 발생하지 않도록 그러한 서버에도 IP Anycast 등의 구조를 도입하여 가용성을 향상하는 대책을 마련하였습니다.

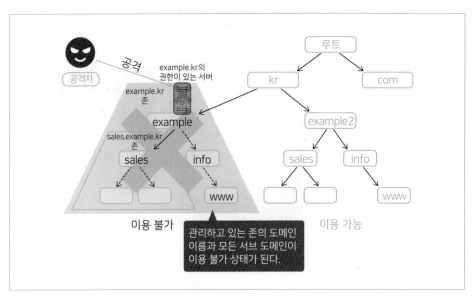

그림 9-3 **권한이 있는 서버가 공격받았을 때의 영향 범위**

COLUMN IP Anycast란?

IP Anycast란 공통된 서비스용 IP 주소를 여러 호스트에서 공유할 수 있도록 하는 구조입니다. 1장에서 설명한 것처럼 IP 주소는 호스트마다 할당됩니다. 그러나 IP Anycast를 이용하면 공통된 서비스용 IP 주소를 여러 호스트에 동시에 할당할 수 있습니다. 서비스용 IP 주소로 통신을 하면, 통신은 그 IP 주소를 공유하는 여러 호스트 중 어느 한 대에 도달합니다. 그러면 이용자는 여러 호스트 중 네트워크에서 가장 가까운 호스트와 통신하게 됩니다(그림 9-4).

IP Anycast를 도입하면 다음과 같은 효과를 기대할 수 있습니다.

1. 부하 분산, 이중화: 여러 호스트로 요청을 분산하여 부하 분산이나 이중화를 실현한다.
2. 응답 시간의 단축: 호스트를 광범위하게 분산 배치하여 응답 시간을 단축한다.
3. 공격의 국소화: 한 곳으로부터의 DoS 공격은 네트워크에서 가장 가까운 호스트에만 도달하기에 다른 호스트는 피해를 입지 않게 된다.
4. 공격 효과의 억제: 광범위한 DDoS 공격이 여러 호스트로 분산되어서 그 효과를 억제할 수 있다.

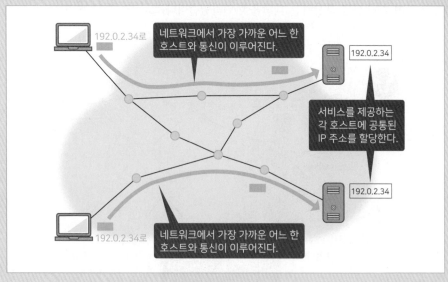

그림 9-4 **IP Anycast에 의한 통신**

04

DNS의 특성이 공격에 미치는 영향

DNS에 대한 공격과 그 대책을 생각할 때는 DNS의 특성이 공격에 미치는 영향을 고려해야 합니다. 여기서는 그러한 특성과 고려해야 할 영향을 설명합니다.

통신 프로토콜에 따른 영향

DNS 통신에는 TCP와 UDP가 사용되며 권한이 있는 서버나 풀 리졸버는 두 프로토콜을 모두 지원해야 합니다. UDP에는 다양한 장점이 있지만 그 특성상 출발지 IP 주소를 위장한 공격이 성립되기 쉽습니다(이 장의 칼럼 'DNS에서 사용하는 통신 프로토콜' 참고).

보급 상황에 따른 영향

DNS는 인터넷 기반 서비스 중 하나이며 DNS 서비스를 제공하는 권한이 있는 서버나 풀 리졸버는 인터넷에 많이 존재합니다. 그만큼 공격에 이용 가능한 권한이 있는 서버나 풀 리졸버도 인터넷에 존재하게 됩니다.

통신 특성에 따른 영향

DNS 통신에서는 질의와 응답이 1대1로 대응하며, 질의를 하나 보내서 대응하는 응답이 하나 돌아오면 1회분의 통신은 완료됩니다. 또한, 질의 내용이 응답에 그대로 복사되기에(8장 02절의 'DNS 메시지의 형식' 참고) 응답 사이즈는 질의 사이즈보다 반드시 큽니다. 이러한 특성이 DNS 통신을 공격 규모의 증대에 이용하기 쉽게 만듭니다.

COLUMN DNS에서 사용하는 통신 프로토콜

DNS는 통신 수단으로 **TCP(Transmission Control Protocol)**와 **UDP(User Datagram Protocol)** 양쪽을 사용합니다. TCP는 상대방과 연결을 확립하고 나서 통신을 시작하기에(**연결형**) 출발지를 위장하는 것은 어렵지만 통신을 시작하기까지의 시간이 길어집니다(그림 9-5). 이에 비해 UDP는 상대방과 연결을 확립하지 않고 질의를 보내기에(**비연결형**) TCP와 비교해 통신 비용이 낮고 지연도 적습니다(그림 9-6).

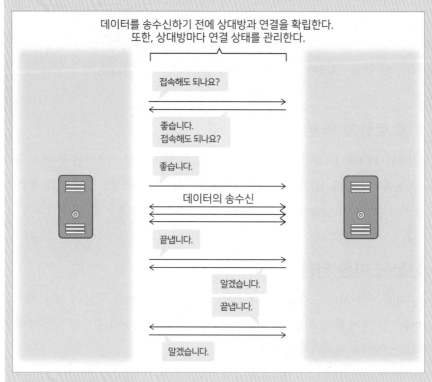

그림 9-5 **연결형 통신의 흐름**

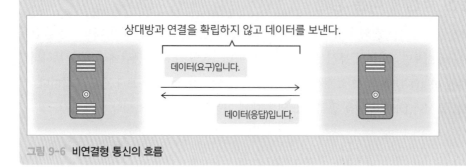

그림 9-6 **비연결형 통신의 흐름**

CHAPTER 9
Practical
Guide to
DNS

대표적인 공격 수법과 그 개요

여기서는 DNS에 대한 여러 가지 공격 수법과 그 개요를 소개합니다.

DNS 반사 공격

DNS 반사 공격은 DNS를 이용한 DoS 공격 중 하나입니다. 출발지 IP 주소를 위장한 질의를 풀 리졸버나 권한이 있는 서버로 보내고 해당 서버가 응답을 공격 대상으로 보내어 서비스 불가 상태로 만듭니다(그림 9-7).

DNS 반사 공격은 이 장의 공격 분류 중 '2-A'에 해당합니다(표 9-4).

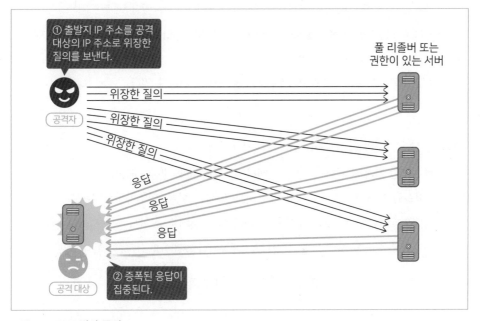

그림 9-7 **DNS 반사 공격**

표 9-4 DNS 반사 공격의 분류

무엇이 / 어떤 방법으로	(A) 대역이나 처리 용량을 흘러넘치게 한다	(B) 프로토콜의 약점을 이용한다	(C) 프로그램, 설정, 운용 상의 문제점을 이용한다
(1) DNS 자체	1-A	1-B	1-C
(2) 타인(DNS를 이용)	2-A	2-B	2-C

DNS 반사 공격은 공격자가 출발지 IP 주소를 공격 대상의 IP 주소로 위장한 질의를 풀 리졸버나 권한이 있는 서버로 보냅니다. 풀 리졸버나 권한이 있는 서버는 그림 9-7처럼 공격 대상에게 응답을 반환하기에 공격자 입장에서 보면 서버가 공격을 반사(reflector/reflection)하고 있는 것처럼 보입니다. DNS에서는 질의보다 응답이 패킷 사이즈가 크며, 작은 질의 패킷으로 큰 공격 패킷을 생성(공격을 증폭)할 수 있다는 점에서 **DNS 증폭 공격**(DNS amplification attack)으로도 불립니다.

DNS 반사 공격은 9장 04절에서 설명한 DNS의 특성을 공격에 이용하며, 그 특성은 다음과 같습니다.

① 통신 프로토콜로 UDP를 사용하기에 공격지 IP 주소를 위장한 공격이 가능한 데 더해, 공격을 반사시킴으로써 진짜 공격지를 특정할 수 없게 만들 수 있다.

② 공격에 사용 가능한 풀 리졸버나 권한이 있는 서버가 인터넷에 많이 존재하여 공격지 범위를 넓힌 DDoS 공격이 가능하다.

③ 응답 사이즈가 질의 사이즈보다 커져서 공격 규모를 키울 수 있다.

랜덤 서브 도메인 공격

랜덤 서브 도메인 공격은 권한이 있는 서버나 풀 리졸버에 대한 DDoS 공격 수법 중 하나입니다. 질의의 도메인 이름에 무작위의 서브 도메인 이름을 추가함으로써 풀 리졸버의 캐시 기능을 무력화하고, 공격 대상인 권한이 있는 서버로 질의를 집중시켜서 권한이 있는 서버나 풀 리졸버를 서비스 불가 상태로 만듭니다(그림 9-8).

랜덤 서브 도메인 공격은 이 장의 공격 분류 중 '1-A'와 '1-B'에 해당합니다(표 9-5).

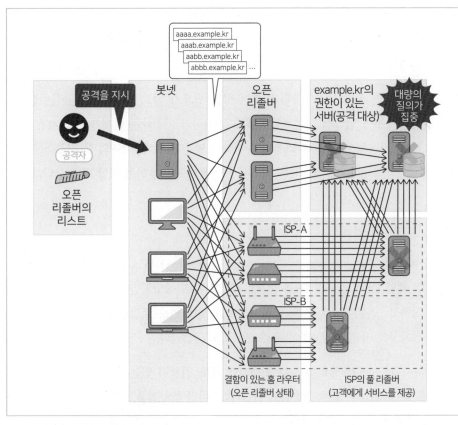

그림 9-8 랜덤 서브 도메인 공격

표 9-5 랜덤 서브 도메인 공격의 분류

무엇이 \ 어떤 방법으로	(A) 대역이나 처리 용량을 흘러넘치게 한다	(B) 프로토콜의 약점을 이용한다	(C) 프로그램, 설정, 운용 상의 문제점을 이용한다
(1) DNS 자체	1-A	1-B	1-C
(2) 타인(DNS를 이용)	2-A	2-B	2-C

랜덤 서브 도메인 공격은 봇넷[원격 조종이 가능한 다수의 컴퓨터(봇)로 구성된 가상 네트워크] 등을 이용해서 공격 대상인 도메인 이름에 무작위의 서브 도메인을 추가한 대량의 질의를 여러 풀 리졸버로 보냅니다. 무작위의 서브 도메인을 추가한 질의의 도메인 이름은 캐시에 존재하지 않으므로 풀 리졸버에 도착하는 모든 질의가 공격 대상인 권한이 있는 서버로 보내지게 됩니다.

랜덤 서브 도메인 공격은 **DNS 물 고문(water torture) 공격**이라고도 불립니다. 이 명칭은 2014년에 이 공격을 보고한 미국 Secure64 Software가 예전에 중국 등에서 이루어졌던 '중국식 물 고문'에서 이름을 가져온 것에 따릅니다.

랜덤 서브 도메인 공격은 질의자의 IP를 위장할 필요가 없고, 공격에 사용되는 질의와 일반 질의의 구별이 힘들어 근본적인 대책을 실시하기 어렵다는 문제가 있습니다. 또한, ISP의 고객이 사용하고 있는 홈 라우터에 결함이 있는 경우에는 ISP의 풀 리졸버에 접근 제어(7장 02절의 '풀 리졸버의 접근 제한' 참고)를 도입했어도 충분히 방어할 수 없습니다.

BIND의 취약점을 이용한 DoS 공격

BIND는 미국 ISC(Internet Systems Consortium)가 개발한 DNS 소프트웨어입니다. 대부분의 UNIX 계열 OS에서 표준 DNS 소프트웨어로 자리 잡았지만 기능이 풍부해 내부 처리가 복잡하고, 권한이 있는 서버와 풀 리졸버를 하나의 프로그램(named)으로 겸용하고 있다는 설계상의 이유로 취약점이 종종 보고되고 있습니다.

BIND에는 원격지에서 질의를 하나 보내기만 해도 권한이 있는 서버나 풀 리졸버의 프로세스를 다운시킬 수 있는 취약점도 있습니다. 이런 취약점을 외부에서 이용하면 권한이 있는 서버나 풀 리졸버의 서비스를 방해하는 DoS 공격이 가능해집니다. BIND의 취약점을 이용한 DoS 공격은 이 장의 공격 분류 중 '1-C'에 해당합니다(표 9-6).

표 9-6 **BIND의 취약점을 이용한 DoS 공격의 분류**

어떤 방법으로 무엇이	(A) 대역이나 처리 용량을 흘러넘치게 한다	(B) 프로토콜의 약점을 이용한다	(C) 프로그램, 설정, 운용 상의 문제점을 이용한다
(1) DNS 자체	1-A	1-B	1-C
(2) 타인(DNS를 이용)	2-A	2-B	2-C

캐시 포이즈닝

캐시 포이즈닝(cache-poisoning)은 가짜 DNS 응답을 풀 리졸버에 캐시시킴으로써 이용자의 접속을 공격자가 준비해 둔 서버로 유도하여 피싱이나 보낸 이메일의 가로채기 등을 꾀하는 공격 수법입니다.

캐시 포이즈닝의 예시를 일반적인 이름 풀이와 비교하는 형태로 그림 9-9와 그림 9-10에 나타냅니다. 캐시 포이즈닝은 이 장의 공격 분류 중 '2-B'와 '2-C'에 해당합니다(표 9-7).

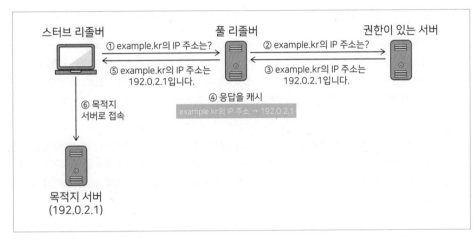

그림 9-9 일반적인 이름 풀이

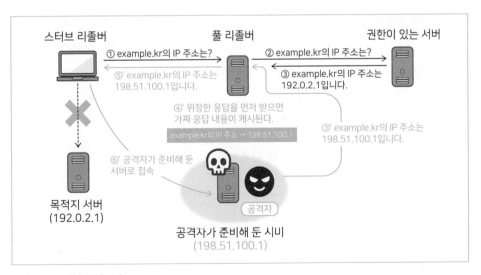

그림 9-10 캐시 포이즈닝

229

표 9-7 캐시 포이즈닝의 분류

어떤 방법으로 무엇이	(A) 대역이나 처리 용량을 흘러넘치게 한다	(B) 프로토콜의 약점을 이용한다	(C) 프로그램, 설정, 운용 상의 문제점을 이용한다
(1) DNS 자체	1-A	1-B	1-C
(2) 타인(DNS를 이용)	2-A	2-B	2-C

COLUMN 카민스키형 공격 수법

카민스키형 공격 수법은 2008년에 댄 카민스키(Dan Kaminsky)가 발표한 캐시 포이즈닝의 효율을 향상하는 수법입니다. 카민스키형 공격 수법은 공격 대상인 도메인 이름에 무작위의 서브 도메인을 추가한 이름을 사용함으로써 연속적인 공격을 가능하게 했습니다. 게다가 2008년에 베른하르트 멀러(Bernhard Müller)에 의해 카민스키형 공격 수법으로 이용 가능한 공격 패턴이 발표되어 캐시 포이즈닝의 위험도가 높아졌습니다.

대책으로는 이 장에서 설명하는 출발지 포트 무작위화 외에도 출발지 주소 무작위화, 접근 제어를 통한 이용자의 한정, 10장에서 소개할 DNS 쿠키 이용 등을 꼽을 수 있습니다. 또한, 공격 대상인 도메인 이름이 DNSSEC으로 보호되고 있는 경우에는 DNSSEC 검증을 통해 캐시 포이즈닝에 의해 주입된 가짜 응답을 검출할 수 있습니다. DNSSEC의 구조는 13장에서 설명합니다.

등록 정보 무단 수정에 의한 도메인 이름 하이잭

도메인 이름 하이잭(hijack)은 도메인 이름에 대해 관리 권한이 없는 제3자가 부정한 수단으로 도메인 이름을 자신의 지배하에 두는 것을 말합니다. 도메인 이름 하이잭에 성공하게 되면 공격자가 준비한 가짜 사이트로 접속이 유도되고 피싱, 웹사이트 이용자에게 멀웨어 주입, 쿠키 변경, 이메일 가로채기, SPF 리소스 레코드 위장에 의한 사칭 메일 발송 등 다양한 행위에 악용될 가능성이 있습니다.

도메인 이름 하이잭의 대표적인 방법은 아래와 같습니다.

1. 레지스트리에 등록된 정보를 부정한 방법으로 수정한다.
2. 권한이 있는 서버에 부정한 데이터를 등록한다.
3. 풀 리졸버에 부정한 데이터를 캐시시킨다.

이 중 첫 번째 항목, 즉 등록 정보 무단 수정에 의한 도메인 이름 하이잭은 등록자에서 레지스트리까지의 정보 흐름(2장 참고)에 끼어들어서 등록 정보를 부정한 방법으로 수정합니다(그림 9-11). 등록 정보 무단 수정에 의한 도메인 이름 하이잭은 이 장의 분류 중 '2-C'에 해당합니다(표 9-8).

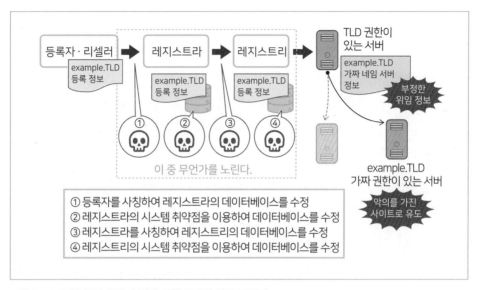

그림 9-11 등록 정보 무단 수정에 의한 도메인 이름 하이잭

표 9-8 등록 정보 무단 수정에 의한 도메인 이름 하이잭의 분류

어떤 방법으로 무엇이	(A) 대역이나 처리 용량을 흘러넘치게 한다	(B) 프로토콜의 약점을 이용한다	(C) 프로그램, 설정, 운용 상의 문제점을 이용한다
(1) DNS 자체	1-A	1-B	1-C
(2) 타인(DNS를 이용)	2-A	2-B	2-C

COLUMN 도메인 이름 하이잭과 DNS 하이잭

DNS와 관련한 서적이나 보도 등에서 도메인 이름 하이잭을 의미하는 용어로 **DNS 하이잭**이 사용되기도 합니다. 도메인 이름 하이잭과 DNS 하이잭은 RFC에서 정의된 용어가 아니며 정확한 정의가 있는 것도 아닙니다. 현재 상황에서 DNS 하이잭은 이용자의 기기에 설정된 풀 리졸버 설정을 무단으로 변경하거나, 풀 리졸버에서의 필터링·블로킹 등도 포함한 도메인 이름과 IP 주소의 매핑 수정 행위 전반늘 나타내는 용어로 사용되고 있으며 도메인 이름 하이잭보다 넓은 의미로 사용되는 경우가 많습니다.

도메인 이름 하이잭과 DNS 하이잭의 원인이 되는 현상은 다양합니다. 따라서 상황이 발생했을 때는 먼저 그 원인을 규명한 후에 적절한 대책을 취하는 것이 중요합니다.

06

공격에 대한 대책

공격 대책인 방어를 이해하기 위해서는 무엇으로부터 무엇을 어떻게 지킬지, 즉 예상해 두어야 하는 공격, 지켜야 할 목표, 취해야 할 대책이나 만들어야 할 체제 등이 중요합니다. 또한, 그 대책으로 지킬 수 있는 것과 지킬 수 없는 것은 무엇인지, 즉 **대책의 유효 범위를 이해**하는 것도 필요합니다.

여기서는 이전 절에서 설명한 공격 수법에 대해서 대표적인 대책을 설명합니다.

DNS 반사 공격에 대한 대책

DNS 반사 공격과 같은 DDoS 공격에 대한 대책을 고려할 때 두 가지 포인트가 있습니다. 첫 번째는 **DDoS 공격의 피해자가 됐을 때 어떻게 방어하면 좋을까**이며, 두 번째는 **DDoS 공격의 가해자나 발판이 되지 않기 위해서는 어떤 대책을 세우면 좋을까**입니다. 이런 고민은 랜덤 서브 도메인 공격 등 다른 DDoS 공격에서도 마찬가지입니다.

여기서는 후자, 즉 자신이 관리하는 풀 리졸버나 권한이 있는 서버가 DNS 반사 공격의 발판이 되지 않기 위한 대책을 설명합니다.

● 풀 리졸버에서의 대책: 적절한 접근 제어 실시

풀 리졸버에서의 대책으로는 그 풀 리졸버가 서비스를 제공하는 네트워크로부터의 접근만 허용하는 IP 주소를 기반으로 한 **적절한 접근 제어를 실시**하는 것이 효과적입니다. 이를 통해 자신이 관리하는 풀 리졸버가 외부에 대해 DNS 반사 공격의 발판이 되는 것을 막을 수 있습니다(그림 9-12).

또한, 적절한 접근 제어를 실시하면 앞서 말한 캐시 포이즈닝 공격의 위험을 줄이는 데도 효과적입니다. 풀 리졸버에서 적절한 접근 제어를 실시하는 것은 이 장의 대책 분류 중 '가-b'에 해당합니다(표 9-9).

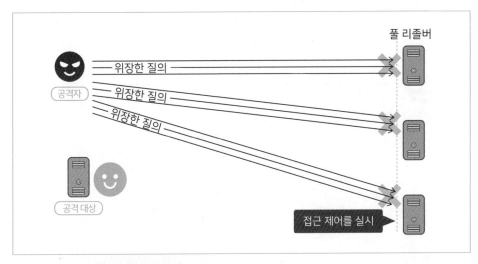

그림 9-12 풀 리졸버에서의 접근 제어

표 9-9 풀 리졸버에서 적절한 접근 제어를 실시하는 것의 분류

어떻게 지킬지 무엇을	(a) 공격 자체를 무력화한다	(b) 공격의 효과를 떨어트린다
(가) DNS의 구성 요소	가-a	가-b
(나) DNS의 데이터	나-a	나-b

• 권한이 있는 서버에서의 대책: RRL의 적용

권한이 있는 서버는 인터넷 전체에 서비스를 제공해야 하기 때문에 IP 주소 기반으로 접근 제어를 하는 것은 매우 어렵습니다. 그래서 최근에는 주요 권한이 있는 서버에 **RRL(Response Rate Limiting)**이라고 불리는 권한이 있는 서버를 이용한 DNS 반사 공격의 효과를 저감하는 구조가 도입되었습니다(그림 9-13).

RRL은 '응답 빈도의 제한'을 의미합니다. DNS 반사 공격과 같은 DDoS 공격은 공격시가 분산되어 있어서 모든 공격지를 효과적으로 제한(필터링)하는 것은 어렵습니다. RRL은 이러한 DDoS 공격에 대해서 **공격 대상인 IP 주소는 단일하거나 특정 네트워크 내에 속해 있다**는 점에 착안해 **어떤 목적지에 대해 같은 내용의 응답이 일정 빈도를 넘을 때에는 응답을 보내지 않도록 하는 등의 제한을 발동**시키는 구조입니다.

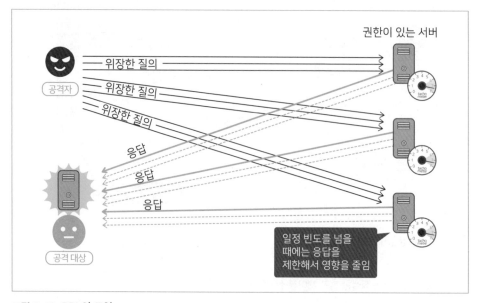

그림 9-13 RRL의 도입

권한이 있는 서버에 DNS RRL을 적용하는 것은 이 장의 대책 분류 중 '가-b'에 해당합니다(표 9-10).

표 9-10 권한이 있는 서버에 DNS RRL을 적용하는 것의 분류

무엇을 \ 어떻게 지킬지	(a) 공격 자체를 무력화한다	(b) 공격의 효과를 떨어트린다
(가) DNS의 구성 요소	가-a	가-b
(나) DNS의 데이터	나-a	나-b

> **COLUMN** 서버 특성 차이로 인한 대책의 차이
>
> 풀 리졸버는 권한이 있는 서버가 보내는 응답을 캐시하며, 캐시된 내용을 권한이 있는 서버로 질의하는 경우는 없습니다. RRL은 이를 이용해 단시간에 같은 상대에게 같은 내용을 응답하는 것을 이상 작동이라고 판단함으로써 권한이 있는 서버를 이용한 DNS 반사 공격에 대응하고 있습니다.
>
> 한편, 스터브 리졸버는 캐시가 없을 때가 많아 일반적으로 단시간에 같은 내용을 풀 리졸버로 재질의하기도 합니다. 그렇기에 계획 없이 풀 리졸버에 RRL을 도입하면 스터브 리졸버의 이용자에게 악영향을 끼칠 위험성이 있습니다.

랜덤 서브 도메인 공격에 대한 대책

랜덤 서브 도메인 공격에 대한 효과적인 대책으로는 아래와 같은 사항을 꼽을 수 있습니다.

- 필요한 접근 제한이 되어 있지 않아 외부로부터 부정하게 사용될 가능성이 있는 오픈 리졸버를 없앤다.
- 고객 쪽에 설치된 결함이 있는 홈 라우터 등의 기기가 악용당하지 않도록 ISP 쪽에서 **IP53B(Inbound Port 53 Blocking)**를 실시한다(그림 9-14, 그림 9-15).
- 풀 리졸버에서 필터링이나 질의 빈도에 따른 제한 등 공격의 영향을 완화하는 구조를 도입한다.
- 감시의 강화나 공격을 검출하는 구조를 도입한다.

9장 05절의 '랜덤 서브 도메인 공격'에서 설명한 것처럼 랜덤 서브 도메인 공격은 공격에 사용되는 질의와 일반 질의가 구분되지 않아 근본적인 대책을 마련하기 어렵다는 문제가 있습니다. 이로 인해 현재도 관계자들이 다양한 대응을 검토하고 있습니다.

ISP에서 IP53B를 실시하는 것은 이 장의 대책 분류 중 '가-b'에 해당합니다(표 9-11).

표 9-11 ISP에서 IP53B를 실시하는 것의 분류

무엇을 \ 어떻게 지킬지	(a) 공격 자체를 무력화한다	(b) 공격의 효과를 떨어트린다
(가) DNS의 구성 요소	가-a	가-b
(나) DNS의 데이터	나-a	나-b

COLUMN IP53B란?

IP53B는 이용자에게 할당한 IP 주소로 보내지는 UDP 53번 포트 통신을 ISP 네트워크에서 차단하는 것입니다. IP53B를 통해 이용자 쪽에서 작동하고 있는 오픈 리졸버(7장 02절의 '오픈 리졸버의 위험성' 참고)를 발판으로 삼는 공격을 막을 수 있습니다. 53번은 DNS 서비스를 위한 포트 번호로 이 포트로 보내지는 통신을 차단함으로써 이용자 쪽에 있는 오픈 리졸버로의 접근을 차단합니다. 또한, 이용자가 설치한 권한이 있는 서버로의 접근도 차단되기 때문에 IP53B는 보통 IP 주소를 동적으로 할당하고 있는 네트워크에만 적용합니다.

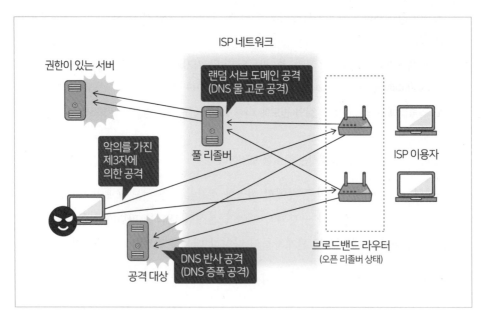

그림 9-14 IP53B를 도입하지 않았을 때

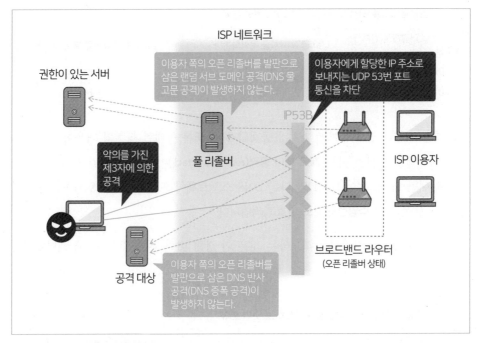

그림 9-15 IP53B를 도입했을 때

BIND의 취약점을 이용한 공격에 대한 대책

BIND의 취약점을 이용한 공격의 대책으로는 개발자가 제공하는 릴리스 정보나 취약점을 확인하여 **소프트웨어를 최신 버전**으로 유지하는 것이 효과적입니다.

KISA에서는 BIND 및 기타 소프트웨어의 취약점 정보를 아래 주소에서 공개하고 있습니다.

KISA 취약점 관련 정보

URL https://www.boho.or.kr/data/secNoticeList.do

취약점을 해소하기 위해 소프트웨어를 최신 버전으로 유지하는 것은 이 장의 대책 분류 중 '가-a'에 해당합니다(표 9-12).

표 9-12 소프트웨어를 최신 버전으로 유지하는 것의 분류

어떻게 지킬지 / 무엇을	(a) 공격 자체를 무력화한다	(b) 공격의 효과를 떨어트린다
(가) DNS의 구성 요소	가-a	가-b
(나) DNS의 데이터	나-a	나-b

최근에는 취약점 정보나 보안 패치가 공개되기 전 또는 공개된 직후의 대응이 충분하지 않은 상태에서 공격을 하는 **제로 데이 공격(zero day attack)**이 유행하고 있습니다. 이러한 공격에 대한 대책으로는 BIND와 다른 DNS 소프트웨어 또는 외부 DNS 서비스와의 병행 운용 등을 통한 **다양성의 확보**가 효과적입니다.[2]

DNS 소프트웨어의 다양성을 확보하는 것은 이 장의 대책 분류 중 '가-b'에 해당합니다 (표 9-13).

표 9-13 DNS 소프트웨어의 다양성을 확보하는 것의 분류

어떻게 지킬지 / 무엇을	(a) 공격 자체를 무력화한다	(b) 공격의 효과를 떨어트린다
(가) DNS의 구성 요소	가-a	가-b
(나) DNS의 데이터	나-a	나-b

캐시 포이즈닝에 대한 대책

캐시 포이즈닝은 주로 프로토콜의 약점에 기인하는 취약점이지만 DNS 소프트웨어의 구조를 연구하면 그 위험성을 낮출 수 있습니다. 위험성을 낮추기 위한 수법은 다양하지만 가장 중요한 것 중 하나는 **출발지 포트 무작위화**입니다. 출발지 포트 무작위화는 현재 공개된 대부분의 풀 리졸버에 표준 사양으로 탑재되어 있습니다.

출발지 포트 무작위화는 스터브 리졸버와 풀 리졸버에 구현되는 대책이며 UDP 통신에서 질의 패킷의 출발지 포트 번호(송신자의 포트 번호)를 질의마다 무작위로 변화시키는 수법입니다. 풀 리졸버에서 출발지 포트 무작위화를 구현한 예시를 그림 9-16에 나타냅니다.

---

2 DNS 소프트웨어에서의 다양성 확보는 10장 01절 '서버의 신뢰성에 관한 고려 사항'에서 설명합니다.

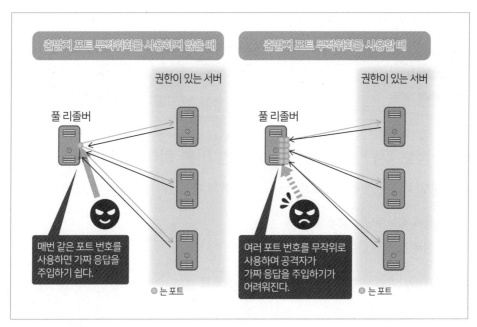

그림 9-16 출발지 포트 무작위화

출발지 포트 무작위화의 목적은 캐시 포이즈닝의 공격 성공률을 낮추는 것입니다. 여러 포트 번호를 무작위로 사용하기 때문에 공격자가 가짜 응답을 주입하기 어려워집니다. 출발지 포트 무작위화는 이 장의 대책 분류 중 '나-b'에 해당합니다(표 9-14).

표 9-14 출발지 포트 무작위화의 분류

어떻게 지킬지 무엇을	(a) 공격 자체를 무력화한다	(b) 공격의 효과를 떨어트린다
(가) DNS의 구성 요소	가-a	가-b
(나) DNS의 데이터	나-a	나-b

또한, 캐시 포이즈닝의 효과를 더욱더 떨어트리고 앞서 말한 DNS 반사 공격을 방지하기 위한 목적으로 **DNS 쿠키**의 도입이 시작되었습니다. DNS 쿠키의 개요는 10장에서 설명합니다. DNS 쿠키를 도입하는 것은 이 장의 대책 분류 중 '가-b'와 '나-b'에 해당합니다 (표 9-15).

표 9-15 DNS 쿠키를 도입하는 것의 분류

어떻게 지킬지 무엇을	(a) 공격 자체를 무력화한다	(b) 공격의 효과를 떨어트린다
(가) DNS의 구성 요소	가-a	가-b
(나) DNS의 데이터	나-a	나-b

등록 정보 무단 수정에 의한 도메인 이름 하이잭에 대한 대책

등록 정보 무단 수정에 의한 도메인 이름 하이잭의 대책에는 아래 두 가지가 있습니다.

1. 등록 정보 무단 수정의 방지
2. 등록 정보 무단 수정의 검출

등록 정보 무단 수정의 방지 및 검출을 위한 대책은 모두 이 장의 대책 분류 중 '나-b'에 해당합니다(표 9-16).

표 9-16 등록 정보 무단 수정의 방지 및 검출을 위한 대책의 분류

어떻게 지킬지 무엇을	(a) 공격 자체를 무력화한다	(b) 공격의 효과를 떨어트린다
(가) DNS의 구성 요소	가-a	가-b
(나) DNS의 데이터	나-a	나-b

아래에서 각 대책을 설명합니다.

• 무단 수정의 방지

등록 정보 무단 수정을 방지하는 대책으로 다음과 같은 항목을 꼽을 수 있습니다.

- 등록 시스템의 취약점 및 정보 유출에 대한 대책 실시

  등록 정보를 취급하는 각 시스템에서 적절한 취약점 대책이나 정보 유출 대책을 실시한다.
- 계정 관리의 적정화를 통한 사칭 방지

  2차 인증이나 사용자 인증서 등을 이용해 계정 탈취의 위험성을 저감한다.

- 레지스트리 록을 이용

  일부 TLD 레지스트리가 제공하고 있는 **레지스트리 록(registry lock)**을 이용한다.

레지스트리 록은 도메인 이름의 등록 정보가 의도치 않게 수정되는 것을 막기 위해 등록 정보의 변경을 제한하는 옵션 서비스 중 하나입니다. 등록자·리셀러 또는 레지스트라가 록 설정을 레지스트리에게 의뢰하면 정보를 수정할 때 패스프레이즈(passphrase)의 확인 등, 록을 해제하기 위한 특별한 절차가 필요합니다. 이를 통해 의도치 않은 등록 정보의 수정을 방지할 수 있습니다.

또한, 레지스트리 록을 설정했을 때는 평상시보다 등록 정보 갱신에 드는 시간이 길어지고, 패스프레이즈의 관리 등 이용자 쪽에도 부담이 늘어날 수 있어 주의해야 합니다.

● 무단 수정의 검출

등록자가 도메인 이름의 등록 정보를 정기적으로 확인하면 무단 수정을 검출할 수 있습니다. 이를 통해서 무단 수정이 발생했을 때 레지스트리에게 문의하거나 등록 정보의 롤백(되돌림)을 의뢰하는 등 신속하게 대처하여 피해 확대를 방지할 수 있습니다.

확인 항목으로는 레지스트리나 레지스트라의 Whois 정보, 레지스트리의 권한이 있는 서버에 설정된 위임 정보(NS/A/AAAA 레코드) 등을 꼽을 수 있습니다.

CHAPTER 10

보다 나은 DNS 운용을 위하여

Practical
Guide to
DNS

이 장에서는 DNS 운용의 신뢰성을 높이기 위해 고려해야 할 항목과 DNS 설정 및 운용과 관련한 잠재적 위험을 설명합니다. 또한, 캐시 포이즈닝에 대한 내성을 높이는 기술인 DNSSEC과 DNS 쿠키에 대해서 알아봅니다.

이 장의 키워드

- 플랫폼
- 다양성의 확보
- 운용 실적
- 운용 노하우
- 지원 체계
- BIND
- NSD
- Unbound
- PowerDNS Authoritative Server
- PowerDNS Recursor
- Knot DNS
- Knot Resolver
- 권한이 있는 서버 간의 존 데이터 불일치
- 부모-자식 간의 NS 리소스 레코드 불일치
- lame delegation(불완전한 위임)
- 외부 이름의 설정
- DNSSEC
- DNS 쿠키

CHAPTER 10
Practical
Guide to
DNS

서버의 신뢰성에 관한 고려 사항

이 절에서는 권한이 있는 서버나 풀 리졸버의 신뢰성을 높이기 위해서 고려해야 할 사항을 소개합니다. 구체적으로는 다음과 같습니다.

- 서버를 작동시키는 플랫폼의 신뢰성
- DNS 소프트웨어의 선택
- 서버를 설치할 네트워크의 선정

서버를 작동시키는 플랫폼의 신뢰성

이번 장에서 설명하는 **플랫폼(platform)**은 컴퓨터에서 애플리케이션을 작동시키기 위한 기초 부분, 즉 하드웨어나 OS를 말합니다. DNS 서버 소프트웨어, 즉 권한이 있는 서버나 풀 리졸버를 작동시킬 수 있는 플랫폼은 UNIX 계열 OS나 Windows 등 다양합니다. 일반적으로 DNS 소프트웨어는 플랫폼에 대해서 특별한 사항을 요구하지 않기에 일반적인 서버나 OS이면 충분합니다.

따라서 서버의 물리적 보안을 확보하거나, 최신 버전의 OS를 제조사로부터 받아 최신 상태를 유지하는 것과 같은 기본적인 대책은 DNS 소프트웨어를 작동시키기 위한 플랫폼에서도 중요한 항목입니다. 이 점은 권한이 있는 서버나 풀 리졸버의 기능을 갖춘 어플라이언스(특정 기능이나 용도에 특화된 기기)도 마찬가지이며 그러한 어플라이언스에서 작동하는 소프트웨어나 펌웨어를 최신 버전으로 유지하는 것은 시스템의 안정적인 운용에 직결됩니다.

바꿔 말하면, 유지 보수를 받지 못하는 낡은 하드웨어나 지원 기간이 종료되어 업데이트 지원이 되지 않는 낡은 OS를 계속 사용하는 것은 DNS 소프트웨어를 작동시키는 플랫폼으로 시스템의 신뢰성을 떨어트리는 원인이 됩니다. 또한, 서버 구축 시에는 최신 버전이었다고 해도 업데이트를 게을리하면 신뢰성을 떨어트리게 됩니다. 따라서 서버를 도입할 때는 운용 보수를 포함한 운용 체계의 검토와 구축을 진행하여 그와 같은 일이 없도록 준비해야 합니다.

덧붙여, 가능하다면 플랫폼에 대해서도 **다양성의 확보**를 위해 다른 시스템을 여럿 준비해 두는 것도 좋습니다. 하나의 시스템에 과도하게 의존하면 그 시스템에 어떤 문제가 발생했을 때 그 문제로 인해 조직 내의 모든 시스템이 정지할 위험이 있습니다. 예를 들면, 두 대의 서버를 다른 OS로 구축하고 운용하는 다양성을 확보해 두면, 어느 서버의 OS에 문제가 발생하더라도 다른 쪽 서버는 그 영향을 받지 않기에 제공하는 모든 서비스가 정지해 버리는 사태를 회피할 수 있습니다.

물론 운용 비용도 고려해야 하기에 현실적으로 모든 부분에서 다양성을 확보하는 것은 어렵습니다. 그러나 시스템 구축과 운용의 신뢰성 향상을 위해서는 다양성의 확보가 중요하다는 원리 원칙을 잊지 말아야 합니다.

DNS 소프트웨어의 선택

어느 DNS 소프트웨어를 선택할지 생각하는 것도 보다 나은 DNS 운용을 실현하기 위한 중요한 항목 중 하나입니다. DNS 소프트웨어를 선택할 때의 기준과 기준이 될 만한 항목의 예시를 아래에 나타냅니다.

● 운용 실적

지속적으로 개발 및 유지 보수되고 있으며 운용 실적이 있는 것이 바람직합니다. 이러한 소프트웨어를 이용하면 운용의 안정성 향상을 기대할 수 있습니다.

● 운용 노하우

해당 소프트웨어에 관한 운용 노하우가 축적되면 문제가 발생했을 때나 설정을 변경하고 싶을 때 등 다양한 상황에 신속하고 적절히 대응할 수 있습니다.

• 지원 체계

개발사의 지원 체계, 특히 상용 제품의 경우에는 안정적인 지원을 계속해서 받을 수 있는 것이 바람직합니다. DNS 소프트웨어의 종류에 따라서는 유상 지원이나 취약점 정보의 제공 등 다양한 지원 플랜을 제공하고 있으며 이러한 정보를 안정적인 운용에 활용할 수 있습니다.

• 다양성의 확보

이번 절의 '서버를 작동시키는 플랫폼의 신뢰성'에서 설명한 다양성의 확보는 DNS 소프트웨어 선택에서도 중요한 포인트입니다. 또한, 9장 06절 'BIND의 취약점을 이용한 공격에 대한 대책'에서 설명한 것처럼 다양성은 보안의 확보에도 중요합니다. DNS는 현재 여러 플랫폼에 여러 DNS 소프트웨어를 도입하는 것이 가능하기에 운용 비용을 감안하면서 시스템을 구축하면 좋습니다.

다양성의 확보에는 이 밖에도 다양한 기준이 있습니다. 오픈 소스 DNS 소프트웨어라면 기능에 대한 사전 평가나 운용 테스트도 비교적 쉬우므로 후보가 될 DNS 소프트웨어를 실제로 다뤄 본 후 요구에 일치하는 것을 선정하는 것도 가능합니다. 또한, 발견되는 취약점의 수나 빈도, 대응을 쉽게 할 수 있는지와 같은 점도 운용할 때는 중요하며 소프트웨어를 선택할 때 중요한 포인트 중 하나입니다.

주요 DNS 소프트웨어

여기서는 DNS 소프트웨어를 선택할 때 참고할 만한 정보로서 대표적인 오픈 소스 DNS 소프트웨어를 소개합니다.

이전에 오픈 소스 DNS 소프트웨어라고 하면 BIND를 의미했습니다. 그러나 지금은 BIND 이외에도 다양한 소프트웨어가 개발 및 이용되고 있으며 운용 사례도 증가하고 있습니다. 현재 개발 및 이용되고 있는 주요 오픈 소스 DNS 소프트웨어를 표 10-1에 나타냅니다.

표 10-1 **주요 오픈 소스 DNS 소프트웨어**

명칭	BIND	NSD	Unbound	PowerDNS Authoritative Server	PowerDNS Recursor	Knot DNS	Knot Resolver
개발사	ISC	NLnet Labs		PowerDNS.COM BV		CZ.NIC	
권한이 있는 서버 기능 제공	○	○		○		○	
풀 리졸버 기능 제공	○		○		○		○

• BIND

미국의 ISC가 개발한 DNS 소프트웨어입니다. 긴 역사를 가지며 많은 UNIX 계열 OS에서 표준 DNS 소프트웨어로 자리 잡았습니다. 권한이 있는 서버와 풀 리졸버를 하나의 프로그램(named)으로 겸용하고 있으며 기능도 풍부하다는 특징이 있습니다. 그러나 내부 처리의 복잡함이나 설계상의 이유로 취약점이 종종 보고되고 있습니다.

• NSD

네덜란드의 NLnet Labs가 개발한 DNS 소프트웨어입니다. 권한이 있는 서버 기능이 구현되어 있으며 간결한 구현으로 인해 보안성과 성능이 좋다는 특징이 있습니다.

• Unbound

네덜란드의 NLnet Labs가 개발한 DNS 소프트웨어입니다. Unbound라는 이름은 BIND를 대체하는 것을 목표로 개발된 데서 유래했으며 풀 리졸버로서 충분한 기능과 성능을 갖추고 있습니다.

• PowerDNS Authoritative Server

네덜란드의 PowerDNS.COM BV가 개발한 DNS 소프트웨어입니다. 권한이 있는 서버 기능이 구현되어 있으며 존 데이터를 MySQL이나 PostgreSQL 등 백엔드 데이터베이스에 저장하는 형태로 운용할 수 있다는 특징이 있습니다.

• PowerDNS Recursor

네덜란드의 PowerDNS.COM BV가 개발한 DNS 소프트웨어입니다. 풀 리졸버 기능이 구현되어 있으며 Lua 스크립트를 통한 필터링이나 이름 풀이 처리의 확장이 가능합니다.

• Knot DNS

체코의 ccTLD 레지스트리 CZ.NIC가 개발한 DNS 소프트웨어입니다. 권한이 있는 서버 기능이 구현되어 있으며 NSD와 마찬가지로 권한이 있는 서버 기능에 특화된 형태로 높은 성능을 실현하고 있습니다.

• Knot Resolver

CZ.NIC가 개발한 DNS 소프트웨어입니다. 2016년에 정식으로 릴리스된 풀 리졸버이며 여기서 소개한 DNS 소프트웨어 중 가장 새로운 것입니다.

서버를 설치할 네트워크의 선정

풀 리졸버와 권한이 있는 서버 사이의 통신을 확실히 하기 위해서는 외부와의 접속이 안정적이며 충분한 대역폭을 갖춘 네트워크에 설치하는 것이 바람직합니다.

6장 02절의 '프라이머리 서버와 세컨더리 서버의 배치'에서 설명한 것처럼 권한이 있는 서버를 여러 대 배치할 때는 이름 풀이의 안정성을 고려해 각각의 권한이 있는 서버를 다른 네트워크에 두는 것을 권장합니다. 또한, 7장 02절 '풀 리졸버의 설치'에서 설명한 것처럼 풀 리졸버는 스터브 리졸버, 즉 이용자로부터의 질의를 접수해 그 결과를 반환해야 합니다. 따라서 풀 리졸버는 안정된 외부 접속에 더해 이용자의 네트워크에서 접근하기 쉬워야 한다는 점도 고려해야 합니다.

CHAPTER 10
Practical
Guide to
DNS

02

DNS 설정과 운용에 관한
잠재적 위험

DNS의 안정성은 서버의 신뢰성뿐만 아니라 운용하고 있는 프로그램의 설정이나 존 데이터 등에도 의존합니다. 여기서는 DNS 운용상의 위험으로서 트러블의 원인이 될 만한 항목을 설명합니다.

권한이 있는 서버 간의 존 데이터 불일치

6장 02절 '권한이 있는 서버의 가용성'에서 존 전송을 이용한 권한이 있는 서버의 이중화에 대해서 설명했습니다. 존 전송에 트러블이 발생하면 프라이머리 서버와 세컨더리 서버가 보유하는 존 정보에 불일치가 발생하여 트러블의 원인이 되는 경우가 있습니다(그림 10-1).

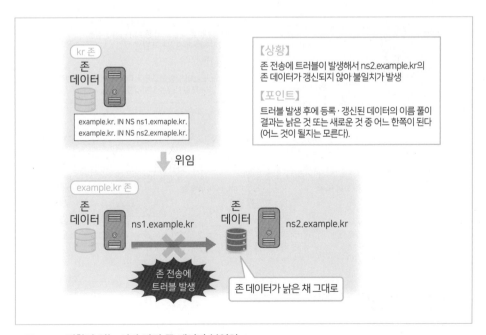

그림 10-1 권한이 있는 서버 간의 존 데이터 불일치

249

부모-자식 간의 NS 리소스 레코드 불일치

5장 03절 'EXAMPLE사를 예시로 한 설계와 구축'에서 설명한 것처럼 DNS에서는 부모 존과 자식 존 양쪽에 NS 리소스 레코드를 똑같이 설정해야 합니다. 그러나 어떤 이유로 인해 부모-자식 간의 NS 리소스 레코드의 내용에 불일치가 발생하여 위임에 관한 트러블의 원인이 되는 경우가 있습니다.

불일치가 발생하는 원인의 예로서 관리자가 자기 존의 권한이 있는 서버의 일부를 변경 했을 때, 레지스트리에게 위임 정보의 변경 신청을 게을리했을(또는 잊어버렸을) 때가 있습니다(그림 10-2). 또한, 권한이 있는 서버의 운용자(사업자) 변경, 즉 DNS를 이사할 때도 부모-자식 간의 불일치가 발생하지 않도록 작업을 진행해야 합니다. DNS의 이사는 12장에서 설명합니다.

부모-자식 간의 NS 리소스 레코드 불일치는 앞으로 설명할 lame delegation이나 DNS의 이사에 관한 트러블 등 다양한 장애의 원인이 됩니다.

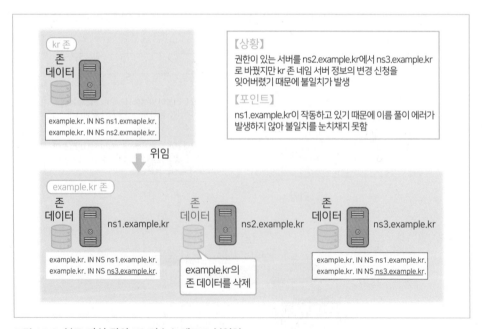

그림 10-2 부모-자식 간의 NS 리소스 레코드 불일치

lame delegation(불완전한 위임)

lame delegation은 위임자 존에 위임 정보로서 등록된 권한이 있는 서버가 위임처 존의 권한이 있는 서버로 작동하지 않는, 즉 위임이 불완전한 상태를 말합니다(그림 10-3).[1]

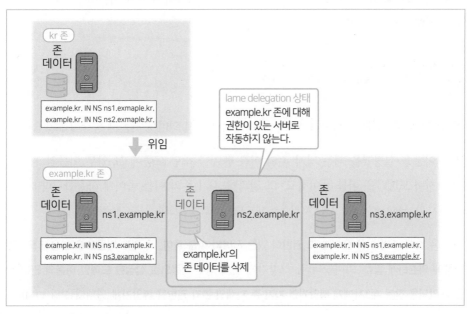

그림 10-3 lame delegation

lame delegation의 원인은 위임처의 권한이 있는 서버가 그 존의 권한이 있는 서버로서 정확하게 설정되지 않았거나, 세컨더리 서버가 프라이머리 서버와 장기간 통신하지 못하여 존 정보가 기간 만료되었거나, 실수로 그 존의 권한이 있는 서버로서 작동하지 않는 서버를 위임 정보로 등록하는 등 다양합니다.

위임처의 네임 서버가 모두 lame delegation이 되면 풀 리졸버는 위임처의 존 정보를 얻을 수 없게 되어 이름 풀이에 실패합니다. lame delegation은 11장 01절 'lame delegation'에서 자세히 설명합니다.

---

1 lame의 원래 의미는 '다리 부상이나 질병으로 인해 보행에 지장이 있는 상태(unable to walk without difficulty as the result of an injury or illness affecting the leg or foot)'입니다(옥스퍼드 영영사전, https://en.oxforddictionaries.com/definition/lame에서 인용). 또한, '설득력이 없는', '맛없는', '촌스러운'과 같은 뉘앙스로도 사용됩니다.

외부 이름의 설정

외부 이름(8장의 칼럼 '내부 이름과 외부 이름' 참고)을 권한이 있는 서버로서 설정하는 일은 흔합니다. 예를 들면, 사업자의 DNS 서비스를 사용할 때는 아래 예시와 같이 자기 존(예시에서는 example.kr)의 네임 서버 호스트 이름에 사업자의 도메인 이름(외부 이름)을 설정하는 것이 일반적입니다.

```
example.kr. IN NS ns1.사업자의 도메인 이름.
example.kr. IN NS ns2.사업자의 도메인 이름.
```

여기서는 외부 이름의 설정이 DNS의 존 관리에서 어떤 의미를 갖는지 생각해 보겠습니다.

외부 이름을 설정했을 때는 자기 존의 이름 풀이를 하던 도중에 그 외부 이름의 권한이 있는 서버 도메인을 이름 풀이하고, 그 결과를 자기 존의 이름 풀이에 사용합니다(8장 04절 '예시 2) www.ietf.org의 AAAA 리소스 레코드 질의하기' 참고).

이것은 **자기 존의 이름 풀이가 그 권한이 있는 서버의 이름 풀이, 즉 외부 이름으로 설정한 도메인 이름에 의존하게 됨**을 의미합니다. 그렇기에 만약 **외부 이름으로 설정한 도메인 이름의 관리 권한을 악의를 갖는 제3자에게 빼앗기면 자기 존 자체의 관리 권한을 빼앗기게** 됩니다(그림 10-4).

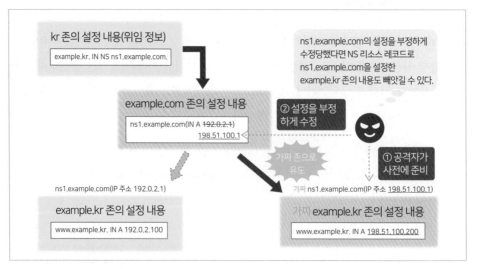

그림 10-4 이름 풀이의 의존 관계(외부 이름의 영향)

CHAPTER 10
Practical
Guide to
DNS

DNSSEC과 DNS 쿠키의 개요

DNSSEC과 DNS 쿠키는 9장 05절 '대표적인 공격 수법과 그 개요'에서 설명한 캐시 포이
즈닝에 대한 내성을 높임으로써 주고받는 데이터의 신뢰성을 향상하는 기술입니다. 여기
서는 DNSSEC과 DNS 쿠키의 개요를 설명합니다. 또한, DNSSEC의 보다 자세한 구조
는 13장에서 설명합니다.

DNSSEC의 개요

DNSSEC(DNS Security Extensions)은 DNS의 응답에 위조가 어려운 **전자 서명**을 추가해 응답을
받은 쪽, 즉 질의한 쪽에서 전자 서명을 검증할 수 있도록 하는 구조입니다(그림 10-5).

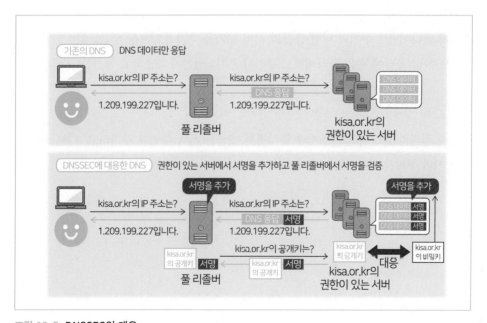

그림 10-5 **DNSSEC의 개요**

DNSSEC은 받은 응답의 출처(존의 관리자가 설정한 데이터일 것)와 무결성(데이터의 누락이나 위조가 없을 것)을 질의한 쪽에서 검증할 수 있도록 하는 기능을 DNS에 추가합니다.

DNS 쿠키의 개요

DNS 쿠키(DNS cookies)는 HTTP에서 이용되고 있는 쿠키와 똑같은 구조를 DNS의 질의와 응답에서 실현하기 위한 구조입니다. HTTP의 쿠키는 웹 서버가 웹 브라우저에 응답할 때 발행됩니다. 쿠키를 받은 웹 브라우저는 다음번에 웹 서버로 요청을 보낼 때 그 쿠키를 추가합니다. 쿠키를 받은 웹 서버는 쿠키를 대조해서 이번에 요청을 보내온 웹 브라우저가 이전의 응답을 받았던, 즉 이전에 요청을 보내온 웹 브라우저와 같은 상대임을 판단할 수 있습니다. 또한, HTTP의 쿠키에는 이 밖에도 다양한 용도와 기능이 있습니다.

DNS 쿠키에는 질의에 추가하는 '클라이언트 쿠키'와 응답에 추가하는 '서버 쿠키'로 두 종류가 있으며, **질의하는 쪽과 응답하는 쪽이 각각의 쿠키를 사용해서 상대방을 서로 확인한다**는 특징이 있습니다(그림 10-6).

• 질의하는 쪽

질의에 클라이언트 쿠키와 이전 응답의 서버 쿠키를 추가하고(처음 질의할 때는 클라이언트 쿠키만 추가), 응답에 같은 클라이언트 쿠키가 추가되었는지 대조하고 확인합니다.

• 응답하는 쪽

응답에 질의의 클라이언트 쿠키와 즉석에서 계산한 서버 쿠키를 추가하고, 다음 질의에 해당 서버 쿠키가 추가되었는지 대조하고 확인합니다.

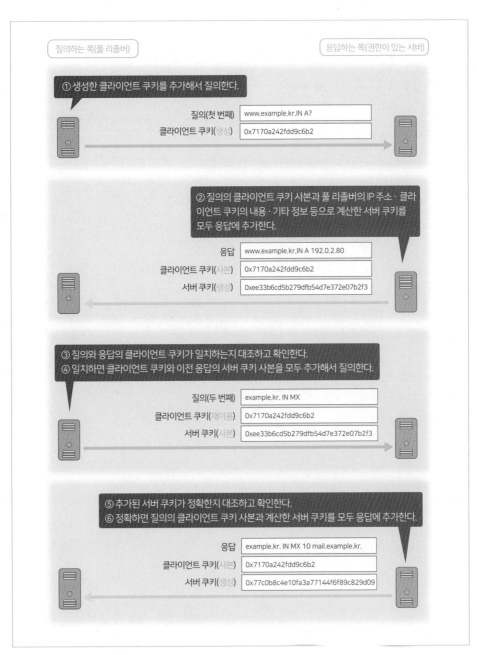

질의하는 쪽(풀 리졸버)

응답하는 쪽(권한이 있는 서버)

① 생성한 클라이언트 쿠키를 추가해서 질의한다.

| 질의(첫 번째) | www.example.kr.IN A? |
| 클라이언트 쿠키(생성) | 0x7170a242fdd9c6b2 |

② 질의의 클라이언트 쿠키 사본과 풀 리졸버의 IP 주소·클라이언트 쿠키의 내용·기타 정보 등으로 계산한 서버 쿠키를 모두 응답에 추가한다.

응답	www.example.kr.IN A 192.0.2.80
클라이언트 쿠키(사본)	0x7170a242fdd9c6b2
서버 쿠키(생성)	0xee33b6cd5b279dfb54d7e372e07b2f3

③ 질의와 응답의 클라이언트 쿠키가 일치하는지 대조하고 확인한다.
④ 일치하면 클라이언트 쿠키와 이전 응답의 서버 쿠키 사본을 모두 추가해서 질의한다.

질의(두 번째)	example.kr. IN MX
클라이언트 쿠키(재이용)	0x7170a242fdd9c6b2
서버 쿠키(사본)	0xee33b6cd5b279dfb54d7e372e07b2f3

⑤ 추가된 서버 쿠키가 정확한지 대조하고 확인한다.
⑥ 정확하면 질의의 클라이언트 쿠키 사본과 계산한 서버 쿠키를 모두 응답에 추가한다.

응답	example.kr. IN MX 10 mail.example.kr.
클라이언트 쿠키(사본)	0x7170a242fdd9c6b2
서버 쿠키(생성)	0x77c0b8c4e10fa3a77144f6f89c829d09

그림 10-6 **DNS 쿠키를 추가한 질의와 응답의 흐름**

실전편

CHAPTER 10

03

DNSSEC과 DNS 쿠키의 개요

Advanced
Guide to
DNS

CHAPTER 11
DNS 설정 및 운용 노하우

이 장에서는 DNS 설정 및 운용에서 자주 보는 트러블과 설정 실수에 대응하는 방법 그리고 노하우와 주의점에 대해 구체적인 예시를 들어 설명합니다. 또한, 응답 사이즈가 큰 DNS 메시지에 대응하기 위한 EDNS0의 운용과 그 주의점, 역방향 DNS의 현재 상황에 대해서 설명합니다.

이 장의 키워드

- lame delegation
- 국제화 도메인 이름(IDN)
- Punycode
- 최대 전송 단위(MTU)

- 존 정점의 도메인 이름
- A-label
- EDNS0
- 역방향 DNS

- $TTL
- U-label
- IP 단편화
- 파라노이드 체크

CHAPTER 11
Advanced
Guide to
DNS

01

<자주 있는 트러블과 설정 실수>
lame delegation

이 장의 01절부터 05절까지는 DNS를 운용하면서 자주 겪는 트러블과 설정 실수에 대해서 구체적인 예시를 들어 소개하고 설명합니다. 또한, 그러한 트러블을 미리 막고 적절히 대응하는 방법에 대해서도 설명합니다.

lame delegation은 위임자(부모) 존에 위임 정보로 등록된 권한이 있는 서버가 위임처(자식) 존의 권한이 있는 서버로 작동하지 않는 상태를 말합니다. lame delegation은 10장에서 간단히 소개했지만 여기서 다시 그 개요와 영향을 되짚어봅니다. 또한, lame delegation을 일으키지 않도록 하기 위한 운용상의 주의점과 레지스트리의 대처도 설명합니다.

lame delegation은 DNS의 운용이 시작된 직후부터 문제였습니다. 1992년에는 이미 'Lame Delegation에 대한 대응'[1]이라는 제목의 논문이 나왔으며 1994년에 발행된 RFC 1713에도 'lame delegation은 DNS 설정에서 지금도 (너무나도) 자주 있는 중대한 오류다'[2]라고 소개되었습니다.

lame delegation의 예시

권한이 있는 서버가 lame delegation인 경우와 그 구체적인 예시를 아래에 나타냅니다.

---

1 〈Dealing With Lame Delegations〉, 〈https://web.mit.edu/darwin/src/modules/bind/bind/contrib/umich/lame-delegation/LISA-VI-paper.ps〉
2 RFC 1713: 'Tools for DNS'

• 응답 그 자체를 반환하지 않는다

위임자(부모)에 등록된 위임 정보가 잘못되어 있어 권한이 있는 서버의 역할을 하지 않는
IP 주소로 질의가 보내졌을 때나 권한이 있는 서버가 어떤 이유로 정지되었을 때 lame
delegation입니다.

• 요청을 거부한 응답(응답 코드 5: REFUSED)을 반환한다

존 설정을 하지 않은 권한이 있는 서버로 그 존에 대한 질의가 보내져 REFUSED가 반환
되었을 때 lame delegation입니다.

• 서버 쪽의 이상으로 이름 풀이에 실패한 응답
  (응답 코드 2: SERVFAIL)을 반환한다

존 전송의 실패로 인해 갖고 있는 존 데이터가 기간 만료되어 SERVFAIL 응답이 반
환되었을 때나 존 설정을 하지 않은 권한이 있는 서버로 그 존에 대한 질의가 보내져
SERVFAIL 응답이 반환되었을 때 lame delegation입니다.

• 권한을 갖지 않는 응답을 반환한다(응답에 AA 비트가 설정되지 않았다)

권한이 있는 서버와 풀 리졸버를 같은 IP 주소로 통용하고 있을 때, 어떤 존의 권한이
있는 서버 설정이 비활성화된 경우 lame delegation입니다. 이 경우는 그 존의 질의에 대
해 풀 리졸버로 작동하며 권한을 갖지 않는 응답을 반환합니다.

lame delegation이 발생하면 왜 나쁜가?

DNS에서는 존의 위임처로 여러 권한이 있는 서버 호스트 이름을 설정할 수 있으며 각
권한이 있는 서버 호스트 이름에 여러 IP 주소를 설정할 수 있습니다. 풀 리졸버는 이름
풀이를 할 때 그 권한이 있는 서버들 중 어느 서버에 질의를 보내도 상관이 없습니다. 만
약 어떤 권한이 있는 서버가 응답하지 않거나 이상한 응답을 반환했을 때, 풀 리졸버는
정확한 응답을 얻을 때까지 설정된 모든 권한이 있는 서버로 질의를 보냅니다.

응답이 없음을 판단하기 위해서 타임아웃을 기다려야 하기에 시간이 걸립니다. 이름 풀이를 할 대상 존에 lame delegation인 권한이 있는 서버가 있으면, 그 존에 대한 이름 풀이에 원래는 필요 없는 타임아웃 대기와 다른 권한이 있는 서버로 재질의를 해야 할 확률이 높아져 이름 풀이에 걸리는 시간이 길어집니다.

DNS의 구조는 견고(robust)하므로 위임처의 권한이 있는 서버 중 하나만 정확한 응답을 반환하면 이름 풀이를 계속할 수 있습니다. 그리고 풀 리졸버는 그 정보를 캐시하며 그 이후의 이름 풀이는 캐시에 있는 데이터를 참고해 고속으로 실행됩니다. 그렇기에 lame delegation이더라도 권한이 있는 서버 중 일부가 정확하게 설정되어 있다면 이름 풀이에 성공하며, 캐시 효과에 의해 지연도 첫 번째 이름 풀이에서밖에 발생하지 않아서 설정 실수를 눈치채기 어려워집니다.

또한, 위임처의 권한이 있는 서버가 모두 lame deleagation일 때, 풀 리졸버는 모든 권한이 있는 서버가 응답을 반환하지 않음을 확인해야 하기에 이름 풀이에 걸리는 시간이 길어지며 최종적으로는 이름 풀이에 실패합니다. 또한, 권한이 있는 서버로부터 응답을 얻을 수 없으면 외부로부터 가짜 응답이 주입될 가능성이 높아져 캐시 포이즈닝에 대한 위험도 상승합니다(9장 05절의 '캐시 포이즈닝' 참고).

이러한 이유에서 각 존의 관리자는 자기 존의 권한이 있는 서버를 적절하게 설정하고 lame delegation을 발생시키지 않도록 운용해야 합니다.

lame delegation 발생의 예방

lame delegation을 발생시키지 않도록 하기 위해서는 권한이 있는 서버를 설정할 때뿐만 아니라 일상적인 운용에서도 서버나 네트워크의 작동 상태를 계속 확인해야 합니다. 확인을 위해서는 8장에서 설명한 명령줄 도구나 DNS 체크 사이트, 감시 도구를 이용할 수 있습니다.

특히, 8장 05절 '유용한 DNS 체크 사이트'에서 소개한 Zonemaster에서는 레지스트리에 위임 정보를 등록하기 전의 체크, 즉 위임 전 체크가 가능합니다. 이러한 도구를 잘 활용하면 lame delegation의 발생을 줄일 수 있습니다.

레지스트리의 대처

몇 군데의 도메인 이름 레지스트리나 역방향 존을 관리하는 IP 주소 레지스트리가 lame delegation을 줄이기 위한 구조를 구현 및 운용하고 있습니다.

구체적으로는 레지스트리에 위임 정보를 등록할 때의 설정 확인, 등록된 도메인 이름에 대한 정기적인 lame delegation 확인과 통지, lame delegation이 장기간에 걸쳐 지속되었을 때 위임 정보 자동 삭제 등을 꼽을 수 있습니다. 운용 중인 구조의 구체적인 항목이나 내용은 각 레지스트리에 따라 다릅니다.

02

\<자주 있는 트러블과 설정 실수\>
존 전송에서의 트러블

존 전송에 트러블이 발생하면 권한이 있는 서버 간의 존 데이터에 불일치가 발생합니다 (10장 02절의 '권한이 있는 서버 간의 존 데이터 불일치' 참고). 또한, 설정 실수나 장기간에 걸친 존 전송 오류에 의해 세컨더리 서버 쪽의 존 데이터가 기간 만료되어 lame delegation이 발생하는 경우가 있습니다.

이러한 존 전송의 트러블을 막기 위해서는 존 전송을 설정한 후, 프라이머리 서버에서 존 데이터인 SOA 리소스 레코드의 SERIAL 값만 갱신해 존 전송을 실행하고, 모든 세 컨더리 서버의 SOA 리소스 레코드의 SERIAL 값을 확인합니다. SOA 리소스 레코드의 SERIAL 값만 갱신함으로써 다른 존 데이터에는 영향을 주지 않고 존 전송만 테스트할 수 있습니다.

CHAPTER 11
Advanced
Guide to
DNS

03

<자주 있는 트러블과 설정 실수>
존 파일 유지 보수에서의 트러블

존 파일의 유지 보수에서 자주 있는 트러블 중 하나로 SOA 리소스 레코드의 SERIAL 값 갱신을 잊어버리는 것을 꼽을 수 있습니다.

6장 02절의 '존 전송의 구조'에서 설명한 것처럼 존 전송을 할 때는 세컨더리 서버가 프라이머리 서버로 그 존의 SOA 리소스 레코드를 질의하며, 얻은 SOA 리소스 레코드의 SERIAL 값과 자신이 가진 존 데이터의 SOA 리소스 레코드 SERIAL 값을 비교해 증가했다면 존 전송을 실행합니다. 그렇기에 SERIAL 값 갱신을 잊어버리면 프라이머리 서버로부터 세컨더리 서버로 존 전송이 이루어지지 않아 존 데이터가 동기화되지 않습니다. 또한, 존 파일의 설정을 잘못하여 문법 오류가 발생하면 그 권한이 있는 서버는 새로운 존 파일을 읽어 들이지 않게 됩니다. 그때 권한이 있는 서버에 따라서는 낡은 데이터로 서비스를 계속하기도 해서 갱신 오류를 눈치채기 어려워집니다.

이러한 트러블을 막기 위해서 존 데이터를 갱신했을 때는 로그를 확인해 존 정보가 정확하게 읽어 들여졌는지 확인해야 합니다(로그 수집과 확인은 8장 06절의 '언제 무엇이 일어났는가?(시스템 로그 수집과 확인)' 참고). 나아가, 변경한 도메인 이름과 타입, 그 존의 SOA 리소스 레코드를 모든 권한이 있는 서버로 질의해 응답 내용에 불일치가 없음을 확인해 둡니다.

04

\<자주 있는 트러블과 설정 실수\>
방화벽이나 OS의 접근 제한으로 인한 트러블

네트워크를 타고 오는 공격으로부터 권한이 있는 서버나 풀 리졸버를 지키려고 방화벽이나 OS 등으로 접근 제한을 적용할 때가 있습니다. 그때 **DNS는 UDP 53번 포트만 접근 허용을 하면 된다는 잘못된 인식으로 인해 TCP 53번 포트를 접근 제한해** 버립니다.

DNS 사양에서는 통신 수단으로 **TCP와 UDP 어느 쪽을 사용해도 좋다**고 되어 있으며 TCP는 UDP의 대체 수단이 아닌 일반적인 통신 수단으로 사용됩니다. 그렇기에 권한이 있는 서버와 풀 리졸버에 대해서는 **UDP 53번 포트에 더해 TCP 53번 포트도 접근을 허용**해야 합니다. 또한, IP 패킷은 단편화되는 경우가 있습니다.[3] IP 패킷이 단편화되면 처음 패킷 이외에는 UDP나 TCP 헤더가 존재하지 않기에 처음 패킷 이외에는 버리도록 접근 제한 설정을 하기 쉽습니다. 그러한 접근 제한을 해두면 특정 조건의 통신만 통과하지 못하게 되는, 즉 트러블 슈팅을 하기 어려운 장애 상황이 발생하게 됩니다.

이러한 장애를 막기 위해서 권한이 있는 서버나 풀 리졸버가 수신하는 패킷의 규칙을 방화벽이나 OS 등으로 설정할 때는 UDP/TCP 53번 포트만이 아닌 단편화된 패킷도 수신할 수 있도록 규칙을 설정하거나, 단편화된 패킷을 재조립하고 나서 판단하는 고급 기능을 가진 방화벽을 사용하거나, IP 단편화가 발생하지 않는 범위에서 운용하는(11장 09절의 'IP 단편화에 대한 대응'에서 해설하는 것처럼 EDNS0의 데이터 사이즈를 1220이나 1232바이트로 설정) 등의 대응이 필요합니다. 또한, 권한이 있는 서버 중 프라이머리 서버는 존 전송을 할 때 세컨더리 서버로 DNS NOTIFY를 보냅니다(6장 02절의 '존 전송의 구조' 참고). 그렇기에 **프라이머리 서버가 세컨더리 서버와 통신할 때 사용하는 53번 포트에 대한 통신을 허용**해야 합니다.

---

3 IP 패킷이 단편화되는 것을 **IP 단편화**라고 하며 이 장 후반에서 설명합니다.

CHAPTER 11
Advanced
Guide to
DNS

<자주 있는 트러블과 설정 실수>
서버의 종류와 접근 제한의 설정

지금까지 설명한 것처럼 DNS 서버에는 스터브 리졸버로부터의 질의, 즉 이름 풀이 요구를 접수하는 풀 리졸버와 풀 리졸버로부터의 질의를 접수하는 권한이 있는 서버의 두 종류가 있습니다. **이 두 종류는 기능, 서비스 대상, 서비스 제공 범위가 다르기에(표 11-1) 그에 맞는 접근 제한을 설정해야 합니다.**

표 11-1 서버/서비스 종류에 따른 기능·서비스 대상·서비스 제공 범위의 차이

서버의 종류	권한이 있는 서버	풀 리졸버	
서비스의 종류	(기본적인 서비스)	(기본적인 서비스)	퍼블릭 DNS 서비스
기능	계층 구조를 구성하며 이름 정보를 관리한다	계층 구조를 따라가 이름 풀이를 제공한다	
서비스 대상	인터넷상의 풀 리졸버	ISP 내 또는 조직 내의 이용자	인터넷 이용자
서비스 제공 범위	인터넷 전체	ISP 내 또는 조직 내	인터넷 전체

권한이 있는 서버는 인터넷 전체로부터의 질의에 대응해야 하기 때문에 서비스 제공 범위를 한정해서는 안 됩니다. 한편, 퍼블릭 DNS 서비스를 제공하지 않는 풀 리졸버는 ISP 내와 조직 내로만 서비스 제공 범위를 한정합니다. 또한, 풀 리졸버의 네트워크를 방화벽으로 보호할 때는 풀 리졸버가 이름 풀이에 사용하는 출발지 IP 주소에 대해서 외부 목적지 IP 주소와 통신할 수 있도록 UDP, TCP 53번 포트를 허용하고 돌아오는 패킷도 허용해야 합니다.

11장 04절 '방하벽이나 OS의 접근 제한으로 인한 트러블'에서 설명한 것처럼 권한이 있는 서버로부터 풀 리졸버로 보내지는 응답은 단편화되어 있을 가능성이 있습니다. 그렇기에 단편화된 두 번째 이후의 패킷도 받을 수 있도록 규칙을 설정하거나, 단편화된 패

킷을 재조립하고 나서 판단하는 고급 기능을 가진 방화벽을 사용하거나, 단편화가 발생하지 않는 범위에서 운용하는 등의 대응이 필요합니다.

CHAPTER 11
Advanced
Guide to
DNS

06

'www'가 붙지 않는 호스트 이름의 설정 방법

존 정점에 A/AAAA 리소스 레코드 설정

위임을 받은 도메인 이름, 즉 존 정점(6장 04절의 '존 자체에 관한 정보: SOA 리소스 레코드' 참고)의 도메인 이름을 웹사이트의 도메인 이름으로 사용할 수 있습니다. 그러한 호스트 이름을 설정하기 위해서는 존 정점의 SOA 리소스 레코드나 NS 리소스 레코드와 같은 위치에 A 또는 AAAA 리소스 레코드를 설정합니다.

6장에서 설명한 존 파일의 일부를 아래에 나타냅니다. 존 정점의 도메인 이름은 '@'으로 설정되어 있기에 이 설정에 A 또는 AAAA 리소스 레코드를 추가합니다. 아래 예시에서는 A와 AAAA 리소스 레코드를 추가했습니다.

존 파일의 일부(6장에서 설명한 것)

```
①    $ORIGIN        example.kr.
②    $TTL           3600
③    @              IN SOA   (
④                            ns1.example.kr.            ; MNAME
⑤                            postmaster.example.kr.     ; RNAME
⑥                            2018013001                 ; SERIAL
⑦                            3600                       ; REFRESH
⑧                            900                        ; RETRY
⑨                            604800                     ; EXPIRE
⑩                            3600                       ; MINIMUM
⑪                            )
⑫                   NS       ns1
⑬                   NS       ns2
⑭                   MX       10       mx1
⑮                   MX       20       mx2
⑯                   TXT      "EXAMPLE Co., Ltd."
⑰                   TXT      "v=spf1 +mx -all"
(추가)
⑱                   A        192.0.2.1
⑲                   AAAA     2001:db8::1
```

CDN 서비스와의 관계

자신의 도메인 이름으로 CDN 서비스를 사용할 때는 CDN 서비스 제공자로부터 CNAME 리소스 레코드를 지정하도록 요청받을 때가 있습니다(6장 05절의 '외부 서비스를 자사 도메인 이름으로 이용하기' 참고). 구체적인 설정은 아래와 같습니다.

```
www.example.kr.      IN    CNAME    cdn.example.com.
```

그러나 **존 정점의 도메인 이름에는 CNAME 리소스 레코드를 설정할 수 없습니다.** 왜냐하면 6장 04절 '도메인 이름의 관리와 위임을 위해 설정하는 정보'에서 설명한 것처럼 존 정점에는 SOA 리소스 레코드와 NS 리소스 레코드가 존재하며, CNAME 리소스 레코드를 설정한 도메인 이름에는 CNAME 이외의 리소스 레코드를 설정해서는 안 된다는 조건에 반하기 때문입니다(그림 11-1).

그래서 일부 CDN 서비스나 클라우드 서비스를 제공하는 사업자는 이 문제를 해결하기 위해서 독자적인 DNS 서비스를 개발하고 제공하고 있습니다. 예를 들면, Amazon이 제공하는 Route 53에서는 앨리어스(Alias) 레코드, Cloudflare가 제공하는 Cloudflare DNS에서는 CNAME Flattening이라는 서비스를 제공하고 있습니다.

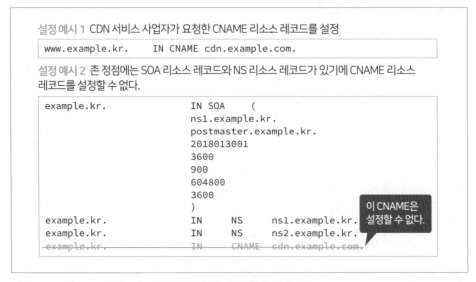

설정 예시 1 CDN 서비스 사업자가 요청한 CNAME 리소스 레코드를 설정

```
www.example.kr.    IN CNAME cdn.example.com.
```

설정 예시 2 존 정점에는 SOA 리소스 레코드와 NS 리소스 레코드가 있기에 CNAME 리소스 레코드를 설정할 수 없다.

```
example.kr.              IN SOA    (
                         ns1.example.kr.
                         postmaster.example.kr.
                         2018013001
                         3600
                         900
                         604800
                         3600
                         )
example.kr.              IN    NS    ns1.example.kr.
example.kr.              IN    NS    ns2.example.kr.
example.kr.              IN    CNAME cdn.example.com.
```

이 CNAME은 설정할 수 없다.

그림 11-1 CNAME 리소스 레코드를 존 정점에는 설정할 수 없다

이 독자적인 서비스에서는 존 정점의 도메인 이름에 사업자가 제공하는 CDN 서비스나 클라우드 서비스의 설정을 넣을 수 있습니다. 이때는 대상이 될 존 정점의 도메인 이름의 IPv4/IPv6 주소를 질의하면, 대응하는 CDN 서비스나 클라우드 서비스의 IPv4/IPv6 주소를 A/AAAA 리소스 레코드로서 반환하도록 설정됩니다. 따라서 독자적인 DNS 서비스를 사용해서 자신의 서비스를 제공할 때는 서비스 제공용 서버(웹 서버 등)와 권한이 있는 서버 모두 해당 DNS 서비스를 제공하는 사업자에게 맡기게 됩니다.

07

$TTL을 설정할 때의 주의점

$TTL로 TTL 값의 기본값을 지정

존 파일의 맨 앞에 '$TTL'로 시작하는 줄(**$TTL 디렉티브**)을 설정하면 TTL 값의 기본값을 지정할 수 있습니다. 존 파일 안에 있는 리소스 레코드의 TTL 값을 생략하면, 그 값은 $TTL로 지정한 값이 됩니다.

예를 들면, 아래와 같이 설정했을 때 www.example.kr과 www2.example.kr의 A 리소스 레코드의 TTL 값은 둘 다 300(초)이 됩니다.

```
$TTL 300
www.example.kr. IN A 192.0.2.1
www2.example.kr. IN A 192.0.2.2
```

권한이 있는 서버의 NS/A/AAAA의 TTL 값은 길어야 좋다

$TTL로 TTL 값의 기본값을 지정하는 것은 편리해서 널리 사용되고 있습니다. 최근에는 설정 변경을 할 때, 변경 전의 IP 주소(A 또는 AAAA 리소스 레코드)의 캐시가 빨리 초기화되는(결과적으로 새로운 IP 주소로 빠르게 전환되는) 것을 노리고 $TTL에 짧은 값(300 정도)을 설정하는 경우가 많은 것 같습니다. 다만, $TTL에 짧은 값을 설정할 때는 주의해야 할 점이 있습니다.

DNS의 리소스 레코드를 이름 풀이의 관점에서 보면, 애플리케이션(스터브 리졸버)이 이름 풀이를 할 때 질의하는 것과 애플리케이션은 질의하지 않고 풀 리졸버가 계층 구조를 따라갈 때 이용하는 것으로 두 종류로 나뉩니다. 이 경우 일반적인 A, AAAA, MX 등의 리소스 레코드가 전자, NS 리소스 레코드와 권한이 있는 서버의 호스트 이름으로 설정되는 A/AAAA 리소스 레코드가 후자입니다.

후자인 리소스 레코드의 TTL 값이 짧으면, 풀 리졸버가 부모 존의 권한이 있는 서버부터 이름 풀이를 빈번히 다시 하게 되어 이름 풀이에 필요한 부하가 늘어납니다. 또한, 풀 리졸 버로부터 권한이 있는 서버로의 질의 횟수도 늘어나게 됩니다. 후자에 관한 설정은 일반적 인 DNS 운용에서는 단시간에 변화하지 않기에 앞에서 설명한 이름 풀이의 부하나 소요 시간 단축 등의 관점에서 TTL 값에 긴 값(3600 이상)을 설정하는 것이 바람직합니다. **그러 나 $TTL로 짧은 값을 설정하면 이 리소스 레코드에도 짧은 TTL 값이 설정되어 버립니다.**

그래서 이런 경우는 다음 중 어느 한 가지 설정을 하도록 합니다.

- $TTL로 긴 값을 설정하고, 짧은 값을 설정하고 싶은 리소스 레코드에만 짧은 TTL 값을 개별 적으로 설정한다.
- $TTL로 짧은 값을 설정하고, NS 리소스 레코드와 권한이 있는 서버의 호스트 이름으로 설 정하는 A/AAAA 리소스 레코드에는 긴 TTL 값을 개별적으로 설정한다.

이와 같이 설정하면 $TTL의 편의성을 해치지 않으면서 이름 풀이의 부하나 소요 시간 을 줄일 수 있습니다.

CHAPTER 11
Advanced
Guide to
DNS

08

국제화 도메인 이름의 설정 방법

인터넷의 기원이 된 ARPANET의 HOSTS 파일(1장 참고)은 호스트 이름에 영숫자와 '-'
만 사용하도록 되어 있었습니다. 그 규칙을 계승해 인터넷에서도 호스트 이름의 라벨에
는 영숫자와 '-'만 사용하도록 되어 있습니다.

> **COLUMN** 맨 앞 글자가 '_'로 시작하는 라벨
>
> DNS에서는 맨 앞 글자가 '_'로 시작하는 라벨도 사용되고 있습니다. 예를 들면, 서비스의 지역을 나타내는
> SRV 리소스 레코드에 사용되는 '_sip._udp.example.kr'과 같은 형식의 라벨이나, 인증서의 관리를 자동
> 화하기 위한 프로토콜인 ACME의 DNS 인증에 사용되는 '_acme-challenge.www.example.kr'과 같은
> 형식의 라벨 등이 있습니다.

그러나 인터넷이 미국 이외의 나라로 보급되면서 동아시아, 유럽, 중동 등의 비영어권에서
각국의 언어로 표시된 이름을 도메인 이름으로 사용하고자 하는 바람이 생겨났고, 이로써
국제화 도메인 이름(Internationalized Domain Names, IDN)의 표준화 작업이 개시되었습니다.

앞에서 설명한 것처럼 인터넷 도메인 이름의 라벨에는 영숫자와 '-'만 사용할 수 있다는
제한이 있습니다. 그러나 DNS 프로토콜에는 그러한 제한이 없으며 도메인 이름의 라벨
에는 임의의 문자 코드, 즉 0~255까지의 모든 값을 사용할 수 있습니다(값이 0인 바이트
열을 포함한 라벨을 사용하는 것조차 가능합니다).

그러나 2000년대 전반부에 진행된 국제화 도메인 이름의 표준화에서는 인간의 이해와
기존 소프트웨어와의 호환성을 위해서 국제화 도메인 이름의 라벨을 영숫자와 '-'이라는
기존 도메인 이름의 라벨과 같은 문자열로 변환해서 처리하기로 했습니다. 이 ASCII 문
자로 표현되는 국제화 도메인 이름의 라벨을 **A-label**이라고 합니다. 또한, 변환 전의 국제
화 도메인 이름의 라벨을 **U-label**이라고 합니다.

DNS에서 설정하는 국제화 도메인 이름에는 A-label 표현을 사용합니다. A-label로 변환함으로써 존 파일이나 설정 파일을 기존의 ASCII 문자로 된 도메인 이름처럼 설정할 수 있습니다. 아래에 그 예시를 나타냅니다.

> U-label: 도메인이름예시
>
> A-label: xn--hq1b22i2ra76y85dmqc1a

맨 앞 글자인 'xn--'은 라벨이 국제화 도메인 이름의 A-label임을 나타내는 접두사입니다. 그리고 'hq1b22i2ra76y85dmqc1a' 부분이 '도메인이름예시'라는 문자열을 **Punycode**(퓨니코드) 방식으로 변환한 문자열입니다. 이 양쪽을 합친 'xn--hq1b22i2ra76y85dmqc1a'가 A-label입니다.

COLUMN   Punycode

RFC 3492에서 정의된 국제화 도메인 이름을 애플리케이션에서 취급할 수 있도록 하는 구조 중 하나입니다. Punycode는 Unicode의 코드 포인트(문자마다 할당된 고유 번호)를 ASCII 문자만 사용한 형태로 부호화(encode)해서 표현합니다.

Punycode는 Unicode 문자열을 고유하면서도 되돌릴 수 있는 ASCII 문자열로 변환합니다. 즉, U-label에 대응하는 A-label은 항상 고유하며 U-label과 A-label은 상호 변환이 가능합니다.

한국어 도메인 이름을 A-label 표현으로 변환할 때는 KISA가 제공하는 '퓨니코드 변환기'(URL https://한국인터넷정보센터.한국/jsp/resources/domainInfo/punyCode.jsp)를 이용합니다(그림 11-2). 또한, 대량의 변환이 필요할 때는 IDN 명령어를 사용합니다(그림 11-3).

그림 11-2 퓨니코드 변환기의 실행 예시

```
echo "도메인이름예시.kr" | idn -a ↵
xn--hq1b22i2ra76y85dmqc1a.kr
```

그림 11-3 IDN 명령어의 사용 예시

한국어 도메인 이름이나 gTLD의 국제화 도메인 이름은 레지스트리나 레지스트라의 Whois에서 A-label을 확인할 수 있습니다. KISA Whois에서 '한국.kr'을 검색한 예시를 그림 11-4에 나타냅니다.

그림 11-4 **KISA Whois에서 A-label의 확인 예시**

그림 11-5에 국제화 도메인 이름을 설정한 존 파일의 예시(도메인이름예시.kr 존)를 나타냅
니다.

```
; xn--hq1b22i2ra76y85dmqc1a.kr. == 도메인이름예시.kr.
$ORIGIN xn--hq1b22i2ra76y85dmqc1a.kr.
$TTL 3600
@ IN SOA ns1 postemaster (
                1000000001
                3600
                900
                1814400
                900
```

(계속)

```
   )
;
   IN NS ns1
   IN NS ns2
   IN MX 10 mx
   IN A 192.0.2.80
;
ns1              IN A 192.0.2.53
ns2              IN A 198.51.100.53
www              IN A 192.0.2.80
mx               IN A 192.0.2.25
```

그림 11-5 국제화 도메인 이름을 설정한 존 파일의 예시(도메인이름예시.kr 존)

CHAPTER 11
Advanced
Guide to
DNS

응답 사이즈가 큰 DNS 메시지에 대한 대응

DNS는 통신 수단으로 UDP 또는 TCP를 사용합니다. 그중에서도 일반적인 질의는 빈번한 주고받기를 고속으로 진행할 수 있도록 비연결형인 UDP를 사용합니다. 또한, 개발 당시의 DNS는 UDP DNS 메시지 사이즈가 512바이트 이하로 제한되어 있었습니다.

COLUMN UDP DNS 메시지 사이즈가 512바이트로 제한된 이유

왜 UDP DNS 메시지 사이즈는 최대 512바이트로 정해진 것일까요?

IP(IPv4)의 사양에서는 한 번에 수신 가능한 데이터그램(헤더를 포함한 패킷)으로서 576바이트를 보장해야 한다고 정해져 있습니다. 이 값은 컴퓨터가 처리하기 쉬운 2의 제곱수, 64바이트인 헤더와 512바이트인 데이터 블록을 저장할 수 있는 크기로 선택한 것입니다(RFC 791 3.1. Internet Header Format). 이에 따라 **UDP DNS 메시지 사이즈의 최대 길이를 512바이트까지로 함으로써 IPv4 네트워크에서 반드시 하나의 패킷으로 송수신할 수 있습니다**(그림 11-6). 이는 통신의 신뢰성이 높지 않았던 당시의 인터넷에서 DNS를 실용적으로 사용할 수 있도록 하기 위한 중요한 요소였습니다.

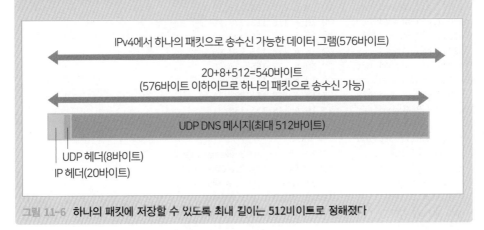

그림 11-6 하나의 패킷에 저장할 수 있도록 최대 길이는 512바이트로 정해졌다

그러나 DNS의 이용 범위가 넓어짐에 따라 DNS 메시지 사이즈가 증가 경향을 보여 512 바이트로는 불충분한 사례가 생겼습니다. 그림 11-7에 A 리소스 레코드의 검색 결과가 512바이트를 넘은 사례(dig 명령어의 결과)를 나타냅니다. 또한, 이 출력 결과는 2012년 3월 14일 시점의 것이며 현재의 설정은 이 결과와는 다릅니다.

```
% dig appldnld.apple.com ↵
;; Truncated, retrying in TCP mode. ──── TCP로 수신

; <<>> DiG 9.7.2-P2 <<>> appldnld.apple.com
;; global options: +cmd
;; Got answer:
;; ->>HEADER<<- opcode: QUERY, status: NOERROR, id: 52420
;; flags: qr rd ra; QUERY: 1, ANSWER: 13, AUTHORITY: 10, ADDITIONAL: 0

;; QUESTION SECTION:
;appldnld.apple.com.       IN A

;; ANSWER SECTION:
appldnld.apple.com.       3600 IN CNAME appldnld.apple.com.akadns.net.
appldnld.apple.com.akadns.net. 300 IN CNAME appldnld2.apple.com.edgesuite.net.
appldnld2.apple.com.edgesuite.net. 21600 IN CNAME  appldnld2.apple.com.edgesuite.
net.globalredir.akadns.net.
appldnld2.apple.com.edgesuite.net.globalredir.akadns.net. 300 IN CNAME a2047.gi3.
akamai.net.
a2047.gi3.akamai.net.     20 IN A 118.155.230.16
a2047.gi3.akamai.net.     20 IN A 118.155.230.19
a2047.gi3.akamai.net.     20 IN A 118.155.230.26
a2047.gi3.akamai.net.     20 IN A 118.155.230.49
a2047.gi3.akamai.net.     20 IN A 118.155.230.65
a2047.gi3.akamai.net.     20 IN A 118.155.230.66
a2047.gi3.akamai.net.     20 IN A 118.155.230.67
a2047.gi3.akamai.net.     20 IN A 118.155.230.75
a2047.gi3.akamai.net.     20 IN A 118.155.230.81

;; AUTHORITY SECTION:
gi3.akamai.net.           13223 IN NS n2gi3.akamai.net.
gi3.akamai.net.           13223 IN NS n4gi3.akamai.net.
gi3.akamai.net.           13223 IN NS a0gi3.akamai.net.
gi3.akamai.net.           13223 IN NS n7gi3.akamai.net.
gi3.akamai.net.           13223 IN NS a1gi3.akamai.net.
gi3.akamai.net.           13223 IN NS n5gi3.akamai.net.
gi3.akamai.net.           13223 IN NS n6gi3.akamai.net.
gi3.akamai.net.           13223 IN NS n0gi3.akamai.net.
```

(계속)

```
gi3.akamai.net.          13223 IN NS n1gi3.akamai.net.
gi3.akamai.net.          13223 IN NS n3gi3.akamai.net.

;; Query time: 3 msec
;; SERVER: xxx.xxx.xxx.xxx#53(xxx.xxx.xxx.xxx)
;; WHEN: Wed Mar 14 10:44:01 2012
;; MSG SIZE rcvd: 558
```

※2012년 3월 14일 시점의 검색 결과. 현재는 설정이 변경됨

그림 11-7 A 리소스 레코드의 검색 결과가 512바이트를 넘은 사례

appldnld.apple.com은 당시 Apple의 iOS 배포에 사용되었습니다. 이때 512바이트를 넘는 응답을 정확하게 처리할 수 없는 일부 이용자의 환경에서 접속 장애가 발생했습니다.

응답 사이즈가 큰 DNS 메시지에 대응하기 위한 기능 확장

이러한 문제를 해결하기 위해서 생긴 것이 DNS 확장 방식인 **EDNS0**입니다. EDNS0를 사용하면 512바이트가 넘는 DNS 메시지를 UDP로 처리할 수 있게 됩니다. EDNS0는 IPv6의 구현이나 DNSSEC의 표준화 과정에서 512바이트보다 큰 DNS 데이터를 UDP로 처리하기 위해 만들어졌습니다. 또한, 처리할 수 있는 UDP 데이터의 사이즈를 지정할 수 있으며 대부분 1220이나 4096과 같은 값을 지정합니다.

> **COLUMN** EDNS0의 확장 기능
>
> EDNS0는 UDP DNS 메시지 사이즈의 확장에 더해 DNS 플래그나 응답 코드도 확장합니다. 또한, DNS 질의에 기능을 추가할 수 있도록 해줍니다. DNS를 DNSSEC이나 IPv6에 대응시킬 때는 EDNS0에 대한 대응이 필수적입니다. 또한, 10장에서 소개한 DNS 쿠키도 EDNS0를 이용합니다.
>
> EDNS0의 정보는 OPT 유사 리소스 레코드(존 데이터로서는 보유되지 않고 통신 중인 DNS 메시지에만 존재하는 리소스 레코드)로서 Additional 섹션에 저장됩니다.

EDNS0를 활성화하면 512바이트를 넘는 응답을 UDP로 얻을 수 있습니다. 그림 11-8에 BIND 9.9 이후 버전의 dig 명령어로 +norec 옵션과 +edns 옵션을 붙여서, M 루트 서버로 루트 존의 NS 리소스 레코드를 질의한 결과를 나타냅니다. 또한, 이 질의는 풀 리졸버가 프라이밍을 실행할 때 이루어집니다(프라이밍은 7장의 칼럼 '힌트 파일과 프라이밍' 참고).

dig 명령어를 통해서 'OPT PSEUDOSECTION:'이라는 필드가 출력되어 EDNS0가 활성화 상태이고, dig 명령어가 수신할 수 있는 UDP 데이터 사이즈로 4096을 지정했고, 응답 사이즈가 811바이트임을 알 수 있습니다.

```
% dig +norec +edns @202.12.27.33 . ns ↵

; <<>> DiG 9.9.4-RedHat-9.9.4-29.el7_2.3 <<>> +norec +edns @202.12.27.33 . ns
; (1 server found)
;; global options: +cmd
;; Got answer:
;; ->>HEADER<<- opcode: QUERY, status: NOERROR, id: 58171
;; flags: qr aa; QUERY: 1, ANSWER: 13, AUTHORITY: 0, ADDITIONAL: 27

;; OPT PSEUDOSECTION:
; EDNS: version: 0, flags:; udp: 4096
;; QUESTION SECTION:
;.                      IN NS

;; ANSWER SECTION:
.                  518400 IN NS i.root-servers.net.
.                  518400 IN NS c.root-servers.net.
.                  518400 IN NS m.root-servers.net.
.                  518400 IN NS k.root-servers.net.
.                  518400 IN NS a.root-servers.net.
.                  518400 IN NS h.root-servers.net.
.                  518400 IN NS g.root-servers.net.
.                  518400 IN NS d.root-servers.net.
.                  518400 IN NS e.root-servers.net.
.                  518400 IN NS b.root-servers.net.
.                  518400 IN NS j.root-servers.net.
.                  518400 IN NS l.root-servers.net.
.                  518400 IN NS f.root-servers.net.

;; ADDITIONAL SECTION:
a.root-servers.net.    3600000 IN A 198.41.0.4
b.root-servers.net.    3600000 IN A 199.9.14.201
c.root-servers.net.    3600000 IN A 192.33.4.12
d.root-servers.net.    3600000 IN A 199.7.91.13
e.root-servers.net.    3600000 IN A 192.203.230.10
f.root-servers.net.    3600000 IN A 192.5.5.241
g.root-servers.net.    3600000 IN A 192.112.36.4
h.root-servers.net.    3600000 IN A 198.97.190.53
i.root-servers.net.    3600000 IN A 192.36.148.17
```

(계속)

```
j.root-servers.net.      3600000 IN A 192.58.128.30
k.root-servers.net.      3600000 IN A 193.0.14.129
l.root-servers.net.      3600000 IN A 199.7.83.42
m.root-servers.net.      3600000 IN A 202.12.27.33
a.root-servers.net.      3600000 IN AAAA 2001:503:ba3e::2:30
b.root-servers.net.      3600000 IN AAAA 2001:500:200::b
c.root-servers.net.      3600000 IN AAAA 2001:500:2::c
d.root-servers.net.      3600000 IN AAAA 2001:500:2d::d
e.root-servers.net.      3600000 IN AAAA 2001:500:a8::e
f.root-servers.net.      3600000 IN AAAA 2001:500:2f::f
g.root-servers.net.      3600000 IN AAAA 2001:500:12::d0d
h.root-servers.net.      3600000 IN AAAA 2001:500:1::53
i.root-servers.net.      3600000 IN AAAA 2001:7fe::53
j.root-servers.net.      3600000 IN AAAA 2001:503:c27::2:30
k.root-servers.net.      3600000 IN AAAA 2001:7fd::1
l.root-servers.net.      3600000 IN AAAA 2001:500:9f::42
m.root-servers.net.      3600000 IN AAAA 2001:dc3::35

;; Query time: 278 msec
;; SERVER: 202.12.27.33#53(202.12.27.33)
;; WHEN: Sun May 23 19:04:26 KST 2021
;; MSG SIZE rcvd: 811
```

그림 11-8 EDNS0를 활성화했을 때의 질의 예시

IP 단편화에 대한 대응

IP 단편화는 사이즈가 큰 IP 패킷을 그 IP 패킷의 사이즈보다 작은 **최대 전송 단위 (Maximum Transmission Unit, MTU)**를 갖는 네트워크를 통해서 중계할 때 필요한 구조입니다. 각 네트워크에는 MTU가 정해져 있으며 MTU를 넘는 큰 패킷은 그대로 전송되지 않습니다. 따라서 MTU를 넘는 IP 패킷은 MTU를 넘지 않는 사이즈로 단편화되며, 단편화된 IP 패킷은 그대로 전송됩니다(그림 11-9). 초기 이더넷[Local Area Network(LAN)에서 이용되는 대표적인 규격]에서 처리할 수 있는 MTU가 1500이었기 때문에 대부분의 경우 1500바이트까지의 IP 패킷이 통과할 수 있습니다.

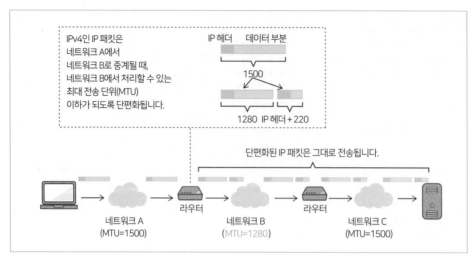

IPv4인 IP 패킷은 네트워크 A에서 네트워크 B로 중계될 때, 네트워크 B에서 처리할 수 있는 최대 전송 단위(MTU) 이하가 되도록 단편화됩니다.

IP 헤더   데이터 부분

1500

1280 IP 헤더 + 220

단편화된 IP 패킷은 그대로 전송됩니다.

네트워크 A
(MTU=1500)

라우터

네트워크 B
(MTU=1280)

라우터

네트워크 C
(MTU=1500)

그림 11-9 **IP 단편화**

네트워크 기기가 처리할 수 있는 MTU를 넘는 DNS 메시지를 UDP로 보내면 IPv4일 때는 통신로의 어딘가에서, IPv6일 때는 송신 쪽 기기에서 IP 패킷을 단편화해 여러 IPv4/IPv6 패킷으로 나눠서 보내게 됩니다. 단편화된 IP 패킷을 받은 호스트는 모든 단편이 도착할 때까지 기다리며 원래의 IP 패킷을 재조립하고서 DNS 소프트웨어로 전달합니다. 이를 통해 큰 DNS 데이터도 UDP로 주고받을 수 있습니다.

IP 단편화가 발생해서 여러 단편으로 분할된 뒤, 그중 하나가 통신 도중에 분실되었을 때(패킷 로스)는 전체를 복원할 수 없습니다. 또한, 11장 04절 '방화벽이나 OS의 접근 제한으로 인한 트러블'에서 설명한 것처럼 IP 패킷이 단편화되었을 때는 맨 처음 패킷 이외에는 UDP나 TCP 헤더가 존재하지 않습니다. 그렇기에 방화벽의 종류나 설정에 따라서는 단편화된 패킷을 통과시키지 않을 가능성이 있습니다.

그래서 IP 단편화를 회피하면서 가능한 한 큰 패킷을 처리할 수 있도록 IPv6의 최소 MTU인 1280를 유용해, 1280바이트에서 IPv6 헤더 40바이트와 UDP 헤더 8바이트를 뺀 1232바이트나, DNSSEC에서 지원해야 하는 최솟값인 1220바이트를 EDNS0의 데이터 사이즈로 정하는 경우가 많아졌습니다. 모든 IPv6 환경과 대부분의 IPv4 환경에서 IP 단편화의 발생을 피하기 위해서는 DNSSEC에서 지원해야 하는 최솟값인 1220바이트를 지정하는 것이 좋습니다.

CHAPTER 11
Advanced
Guide to
DNS

10

역방향 DNS의 설정

역방향 DNS에서 사용되는 도메인 이름과 리소스 레코드

4장 04절 '정방향과 역방향'에서 설명한 것처럼 DNS에는 도메인 이름에 대응하는 IP 주소를 검색하는 기능에 더해, IP 주소에 대응하는 도메인 이름을 검색하는 기능도 있으며 이것을 '역방향'이라고 합니다. 역방향 DNS는 이용자의 접속을 받은 쪽이 그 신원을 확인할 때 사용합니다.

6장의 칼럼 '역방향을 설정하기 위한 PTR 리소스 레코드'에서 다루었듯이 DNS는 도메인 이름의 계층 구조를 사용해서 역방향을 구현합니다. IPv4에서는 IP 주소의 표기를 역순으로 한 뒤 'in-addr.arpa.'를 마지막에 붙인 도메인 이름이, IPv6에서는 니블(4비트)로 구분한 IP 주소를 점으로 연결해 역순으로 한 뒤 'ip6.arpa.'를 마지막에 붙인 도메인 이름이 사용됩니다.

- IPv4 주소 192.0.2.25에 대응하는 도메인 이름

  ⇒ 25.2.0.192.in-addr.arpa.

- IPv6 주소 2001:db8::1에 대응하는 도메인 이름

  ⇒ 1.0.0.0.0.0.0.0.0.0.0.0.0.0.0.0.0.0.0.0.0.0.0.0.8.b.d.0.1.0.0.2.ip6.arpa.

역방향을 설정할 때는 도메인 이름에 대한 PTR 리소스 레코드를 IP 주소 배포자의 권한이 있는 서버에 설정하도록 요청하거나, 역방향 존의 위임을 받고서 자신의 권한이 있는 서버에 PTR 리소스 레코드를 설정해야 합니다.

역방향 DNS의 이용 사례

역방향을 상대방의 인증에 사용하는 예시로 메일 서버의 메일 수신 허가가 있습니다. 특히, 2013년 8월에 Google의 메일 서비스인 Gmail은 IPv6 역방향 설정이 필수화되어 이 내용이 다시 주목받게 되었습니다. 아래에 G Workspace 관리자 고객센터의 내용을 인용해 나타냈습니다.

<IPv6 인증 오류 수정>

IPv6 인증 오류는 발신 서버의 PTR 레코드에서 IPv6를 사용하지 않기 때문일 수 있습니다. 이 메일 서비스 제공업체의 서비스를 사용하는 경우 IPv6 PTR 레코드를 사용하고 있는지 확인하세요.

Gmail 사용자에게 보낸 메일이 차단되거나 스팸으로 분류되는 것을 방지하기: G Workspace 관리자 고객센터 (https://support.google.com/a/answer/81126?hl=ko)에서 인용

또한, 위에서 인용한 것처럼 Gmail은 역방향으로 얻은 호스트 이름을 이름 풀이(AAAA 리소스 레코드를 검색)해서 얻은 IPv6 주소와 대조합니다. IP 주소를 역방향으로 한 결과를 다시 정방향으로 바꾸고, 그 결과를 원래의 IP 주소와 대조하는 수법은 **파라노이드 체크(paranoid check)**라고 불리며, IP 주소와 DNS의 대응을 이용한 전통적인 인증 방법 중 하나로 1980년대부터 사용되고 있습니다.

그림 11-10에 IP 주소 블록 192.0.2.0/24를 할당받은 조직이 역방향 존의 위임을 받았을 때, 역방향 DNS를 설정하는 예시를 나타냅니다.

```
$ORIGIN 2.0.192.in-addr.arpa.
$TTL 3600
@       IN SOA ns1.example.kr. postmaster.example.kr. (
                1000000001
                3600
                900
                1814400
                900
        )
;
```

(계속)

```
        IN NS ns1.example.kr. ; 역방향 위임을 받은 권한이 있는 서버의 호스트 이름을 설정
        IN NS ns2.example.kr. ; 역방향 위임을 받은 권한이 있는 서버의 호스트 이름을 설정
;
25      IN PTR mx.example.kr.
53      IN PTR ns1.example.kr.
80      IN PTR www.example.kr.
```

그림 11-10 **역방향 DNS의 설정 예시**

또한, 호스팅 서비스에는 보다 알기 쉬운 형태로 역방향 DNS를 설정할 수 있는 것도 있으며 그런 서비스의 대부분은 IP 주소에 대응하는 도메인 이름을 직접 입력하고 설정하는 방식으로 되어 있습니다.

CHAPTER **12**
권한이 있는 서버의 이전
(DNS의 이사)

Advanced
Guide to
DNS

이 장에서는 존을 관리하는 권한이 있는 서버의 이전, 특히 호스팅 사업자 이전에
따른 권한이 있는 서버의 이전에 대해서 고려해야 할 항목과 작업을 진행할 때의
주의점을 설명합니다.

이 장의 키워드

- 권한이 있는 서버의 이전　　　• DNS의 이사　　　　　• 두 개의 이전 대상

- 존 데이터의 이전　　　　　　• 병행 운용 기간

- 풀 리졸버에 따른 작동의 차이

- 위임 정보 변경의 타이밍

- 비협조적인 DNS 운용자(Non-Cooperating DNS Operators)

- TTL 값의 단축　　　　　　• 유령 도메인 이름 취약점

CHAPTER 12
Advanced
Guide to
DNS

01

호스팅 사업자 이전에 따른 권한이 있는 서버의 이전

권한이 있는 서버의 이전은 DNS의 운용에서 트러블이 발생하기 쉬운 항목 중 하나입니다. 특히, 호스팅 사업자 이전에 따라서 권한이 있는 서버를 이전할 때 다양한 트러블 사례가 보고되고 있습니다.

호스팅 사업자 이전의 일례를 그림 12-1에 나타냅니다. 호스팅 사업자를 이전할 때는 권한이 있는 서버를 포함한 모든 서버를 원래 사업자(그림 12-1에서 사업자 A)에서 새로운 사업자(그림 12-1에서 사업자 B)로 이전합니다. 그리고 서비스 연속성의 관점에서 외부에 공개 중인 웹사이트의 URL이나 이메일 주소는 대부분 사용 중인 것을 그대로 사용합니다.

DNS의 관점에서 보면 이 예시는 아래 두 항목으로 정리할 수 있습니다.

1. 해당 존에 있는 모든 권한이 있는 서버의 IP 주소를 변경한다.
2. 메일 서버나 웹 서버 등, 해당 존에 있는 서버의 호스트 이름은 변경하지 않고 IP 주소만 변경한다.

이 장에서는 이 형태로 진행하는 권한이 있는 서버의 이전을 **DNS의 이사**라고 하겠습니다.

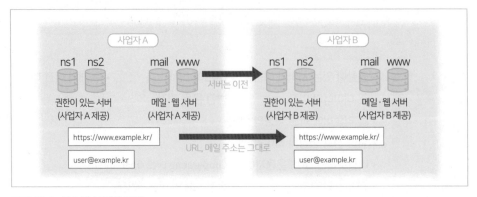

그림 12-1 호스팅 사업자 이전

CHAPTER 12
Advanced
Guide to
DNS

02

DNS를 이사할 때 고려해야 할 항목

DNS를 이사할 때 고려해야 할 항목을 순서대로 설명합니다.

두 개의 이전 대상(권한이 있는 서버와 존 데이터)

DNS를 이사할 때는 두 개의 이전 대상을 고려해야 합니다. 하나는 **권한이 있는 서버 자체의 이전**, 다른 하나는 권한이 있는 서버가 관리하는 **존 데이터의 이전**입니다.

이 두 개는 원래 **다른 타이밍에서 실시해야 합니다**. DNS를 이사할 때 대부분의 트러블은 **이 두 개를 동시에 하려고 하거나** 어떤 이유로 인해 **다른 타이밍에서는 실시할 수 없을 때** 발생합니다.

병행 운용 기간

DNS를 이사할 때는 **NS 리소스 레코드**, 즉 **권한이 있는 서버가 변경 대상이 됩니다**. 그렇기에 기존 권한이 있는 서버와 신규 권한이 있는 서버를 모두 작동시키는 **병행 운용 기간**을 설정해야 합니다.

DNS의 데이터를 변경할 때는 **캐시의 존재**를 고려해야 합니다. 예를 들면, 서버의 IP 주소를 변경함에 따라 A 또는 AAAA 리소스 레코드를 변경했습니다. 그러면 외부로부터의 접근은 변경 전의 A 또는 AAAA 리소스 레코드의 TTL 값으로 지정한 시간 동안 **변경 전의 서버나 변경 후의 서버, 즉 어느 서버에도 도달할 가능성이 있습니다**. 병행 운용 기간이 충분히 설정되지 않았거나 어떤 이유로 인해 설정할 수 없을 때에는 다양한 트러블로 이어집니다.

풀 리졸버에 따른 작동의 차이

DNS를 이사할 때는 **일시적으로 부모-자식 간에 다른 NS 리소스 레코드를 설정하게** 됩니다. DNS에서는 NS 리소스 레코드를 부모 존과 자식 존 모두에 설정합니다. 또한, 일반적으로 부모의 NS 리소스 레코드와 자식의 NS 리소스 레코드에는 같은 내용을 설정합니다.

부모-자식 간에 다른 NS 리소스 레코드가 설정되어 있을 때 풀 리졸버의 작동은 **일정하지 않으며** DNS 소프트웨어의 종류나 버전, 캐시 상태 등에 의해 달라지게 됩니다.[1] 따라서 적절한 방법으로 DNS의 이사가 불가능한 경우에는 **어느 특정한 풀 리졸버를 사용 중인 사용자만 이사가 잘 되지 않는** 등의 상황이 발생할 수 있습니다.

접근 타이밍에 따른 캐시 상태의 차이

풀 리졸버에는 권한이 있는 서버에 대한 위임 정보, 메일 서버의 MX 리소스 레코드, 메일 서버나 웹 서버의 A/AAAA 리소스 레코드 등이 캐시됩니다. 풀 리졸버의 캐시 상태는 이용자의 스터브 리졸버로부터 접수한 이름 풀이 요구의 내용과 그 타이밍에 의존합니다. 그렇기에 캐시 상태는 풀 리졸버마다 다르며, 각각의 풀 리졸버에서 언제 새로운 데이터를 제공하게 될지는 해당 풀 리졸버의 캐시 상태에 의존하게 됩니다.

위임 정보 변경의 타이밍

DNS를 이사할 때는 부모에게 등록한 위임 정보, 즉 부모 존의 NS 리소스 레코드와 글루 레코드 정보를 변경합니다. 레지스트리가 변경 신청을 접수하고 나서 변경을 실시하기까지의 시간은 레지스트리마다 다릅니다. 이사 작업을 진행할 때는 이 점도 고려해야 합니다.

---

[1] RFC 2181에 정해져 있는 방식으로는 자식의 NS 리소스 레코드의 설정 내용이 우선됩니다. 또한, 미국 Akamai가 판매하고 있는 CacheServe처럼 계층 구조를 따라갈 때는 자식의 NS 리소스 레코드를 사용하지 않는 방법도 알려져 있습니다.

비협조적인 DNS 운용자

DNS를 이사할 때는 호스팅 사업자 간의 협조가 필요합니다. 다음 절에서 설명할 이사 순서에서는 기존 호스팅 사업자의 협조, 구체적으로는 기존 권한이 있는 서버의 NS 리소스 레코드에 신규 권한이 있는 서버만 설정할 수 있어야 합니다.

그러나 기존 호스팅 사업자의 관점에서 봤을 때 이전 대상인 존을 관리하는 고객은 서비스를 해약하는, 즉 **나가는 고객**이 됩니다. 이러한 이유로 이전 작업을 할 때 협조를 얻지 못할 때가 있습니다. 또한, DNSSEC의 운용을 정의하고 있는 RFC 6781에서는 이런 운용자에 대해 **비협조적인 DNS 운용자**(non-cooperating DNS operators)라는 명칭을 붙였고 이 책에서도 이 명칭을 그대로 사용합니다.

03

정식 이사 순서

여기서는 호스팅 사업자 변경에 따른 정식 이사 순서를 설명합니다. 이 순서에서는 존 데이터의 이전, 즉 메일 서버나 웹 서버를 먼저 이전하고 권한이 있는 서버의 이전은 그 후에 실시했습니다. 또한, 부모와 자식 양쪽 NS 리소스 레코드의 TTL 값으로 지정된 시간을 병행 운용 기간으로 설정함으로써 풀 리졸버 작동의 차이에 기인하는 위험 발생을 막았습니다.

또한, 이 순서에서는 12장 02절의 '비협조적인 DNS 운용자'에서 설명한 것처럼 기존 권한이 있는 서버의 NS 리소스 레코드에 신규 권한이 있는 서버만 설정할 수 있어야 합니다. 또한, 이 순서에서 DNSSEC에 대해서는 고려하지 않습니다.

신규 서버 준비

새로운 사업자와 계약하고 신규 서버(권한이 있는 서버, 메일 서버, 웹 서버 등)를 준비합니다. 신규 권한이 있는 서버에는 신규 존 데이터, 즉 신규 메일 서버나 웹 서버를 지정한 MX/A/AAAA 리소스 레코드를 설정합니다(그림 12-2).

또한, 이 예시에서는 신규 메일 서버나 웹 서버의 MX/A/AAAA의 TTL 값을 다음 항인 '현재 설정되어 있는 MX/A/AAAA의 TTL 값 단축'에서 설명하는 짧은 값으로 설정했습니다. 이를 통해 이사를 할 때 트러블이 발생하여 이사하기 전으로 되돌리는 데 필요한 시간을 줄일 수 있습니다.

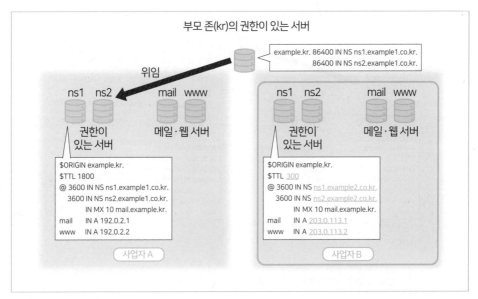

그림 12-2 **신규 서버 준비(계약)**

현재 설정되어 있는 MX/A/AAAA의 TTL 값 단축

서비스를 중단하지 않고 호스팅 사업자를 변경할 때는 인터넷상의 풀 리졸버가 변경 전의 정보를 캐시하고 있기 때문에 캐시가 사라질 때까지 기다려야 합니다. 그렇기에 12장 02절의 '병행 운용 기간'에서 설명한 병행 운용 기간을 설정하지 않았거나 기간이 충분하지 않으면 메일 수신에 실패하거나 웹 페이지에 접근하지 못하는 등의 트러블이 발생할 수 있습니다. 반드시 충분한 병행 운용 기간을 설정하기 바랍니다.

메일 서버나 웹 서버 이전에 필요한 병행 운용 기간은 기존 권한이 있는 서버에 설정된 MX/A/AAAA 리소스 레코드의 캐시가 만료되기 전까지입니다. 병행 운용 기간을 짧게 하고 싶다면 해당 리소스 레코드의 TTL 값을 300 정도로 짧게 하거나 필요에 따라서 더 작은 값으로 사전에 설정해 두면 좋습니다(그림 12-3). TTL 값을 변경한 후, 변경 전의 TTL 값만큼 기다렸다가 다음 단계로 넘어갑니다. 그러면 그동안에 인터넷상의 풀 리졸버에 있는 변경 전의 TTL 값 캐시가 사라집니다.

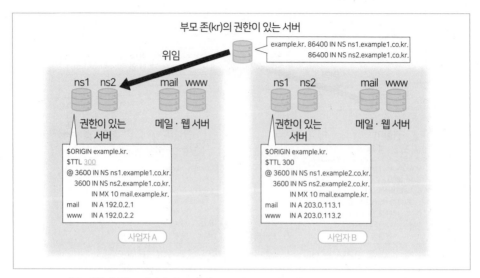

그림 12-3 **기존 권한이 있는 서버에서 MX/A/AAAA의 TTL 값 단축**

메일 서버, 웹 서버 등의 이전

기존 권한이 있는 서버에 설정된 메일 서버, 웹 서버 등의 MX/A/AAAA 리소스 레코드 설정을 새로운 내용으로 변경합니다(**존 데이터의 이전**, 그림 12-4).

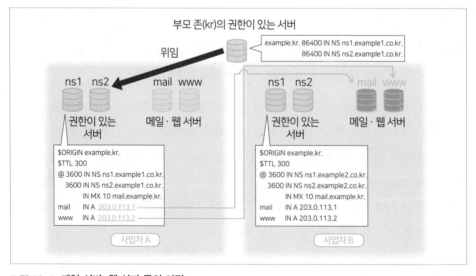

그림 12-4 **메일 서버, 웹 서버 등의 이전**

기존 권한이 있는 서버에 설정된 낡은 MX/A/AAAA 리소스 레코드의 캐시가 인터넷상의 풀 리졸버에서 사라진 시점에서 메일 서버, 웹 서버 등의 이전이 완료됩니다.

인터넷상의 풀 리졸버 캐시에 낡은 MX/A/AAAA 리소스 레코드가 남아 있는 동안은 기존 메일 서버와 신규 메일 서버 양쪽에 메일이 도착합니다. 그렇기에 기존 메일 서버의 메일도 받아두고, 기존 메일 서버에서 신규 메일 서버로 메일을 전송하는 설정을 추가하는 등의 대응이 필요합니다. 또한, 전송 지연이 발생해도 되는 경우라면 MX 리소스 레코드를 변경할 때 기존 메일 서버를 정지해도 상관없습니다. 이때는 기존 MX 리소스 레코드와 메일 서버에 대한 A/AAAA 리소스 레코드의 캐시가 풀 리졸버에서 사라진 시점에 신규 메일 서버로 자동적으로 재전송됩니다.

병행 운용 기간에는 웹 서버로의 접근이 기존 및 신규 서버로 도달하게 됩니다. 그렇기에 세션이나 쿠키 처리 등의 대응이 필요합니다. 실제로 웹사이트에 대해서는 다양한 대응 방법이 있으나 이 책의 범위를 넘기 때문에 설명을 생략합니다.

권한이 있는 서버 이전

메일 서버나 웹 서버의 이전, 즉 존 데이터를 이전하고 난 후에 권한이 있는 서버를 이전합니다.

권한이 있는 서버의 이전은 NS 리소스 레코드와 글루 레코드의 설정을 변경하는 것으로 시작됩니다. NS 리소스 레코드는 부모-자식 양쪽에 설정되어 있기 때문에 **양쪽의 설정을 변경**합니다. 구체적으로는 **기존 자식 존의 NS 리소스 레코드를 신규 내용으로 변경하고, 부모 존의 위임 정보 변경을 신청**합니다(그림 12-5). 만약 기존 및 신규 권한이 있는 서버가 같은 호스트 이름을 사용 중일 때에는 글루 레코드만 변경합니다.

12장 02절의 '위임 정보 변경의 타이밍'에서 설명한 것처럼 부모 존의 위임 정보를 변경할 때는 시간이 필요합니다. 그래서 권한이 있는 서버를 이전할 때는 부모-자식 간에 다른 NS 리소스 레코드가 설정되어 있는 상황이 발생합니다.

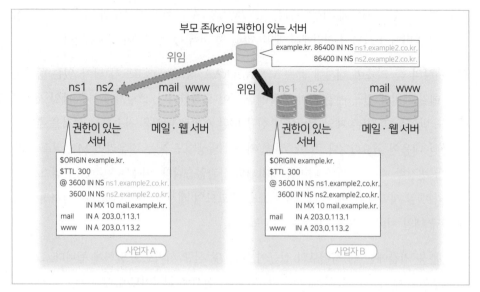

그림 12-5 **권한이 있는 서버의 이전**

그러나 12장 03절의 '메일 서버, 웹 서버 등의 이전'에서는 웹 서버, 메일 서버 등을 먼저 이전하였고, 기존 및 신규 권한이 있는 서버가 같은 웹 서버, 메일 서버 등의 정보를 반환하기 때문에 대응을 필요로 하는 문제는 발생하지 않습니다.

부모-자식 양쪽의 NS 리소스 레코드를 변경했기 때문에 병행 운용 기간은 아래와 같이 설정합니다.

1. 자식 존의 낡은 NS 리소스 레코드 캐시가 인터넷상의 풀 리졸버에서 사라질 때까지의 시간

2. 부모 존의 낡은 NS 리소스 레코드 캐시가 인터넷상의 풀 리졸버에서 사라질 때까지의 시간

또한, 부모 존의 NS 리소스 레코드 TTL 값은 TLD마다 다릅니다. 대부분의 TLD는 1일 (86400)에서 2일(172800) 정도로 설정되어 있습니다. 이전을 할 때는 이런 값을 사전에 확인해야 합니다. 1과 2의 병행 운용 기간이 종료되면 이사가 완료됩니다. 그리고 기존 권한이 있는 서버의 데이터를 삭제(서비스를 해약)합니다(그림 12-6).

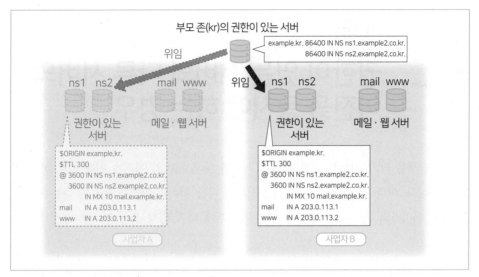

그림 12-6 **기존 서버 정지(해약)**

MX/A/AAAA의 TTL 값 복구

작업 완료 후, MX/A/AAAA 리소스 레코드의 TTL 값을 작업 전의 설정으로 복구합니다(그림 12-7).

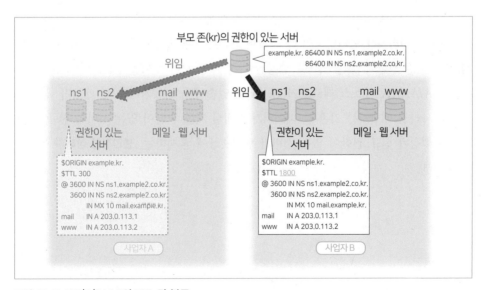

그림 12-7 **MX/A/AAAA의 TTL 값 복구**

04

권한이 있는 서버와 다른 서버의 이전을 동시에 하는 경우

트러블 발생을 막기 위해서 권한이 있는 서버와 다른 서버의 이전은 원래 따로 하는 것이 좋습니다. 어쩔 수 없이 권한이 있는 서버와 다른 서버의 이전을 동시에 하는 경우라도 기존 서비스의 해약은 이전 작업이 완료된 후에 하며 병행 운용 기간을 설정해야 합니다.

새로운 사업자와 계약하고 신규 서버(권한이 있는 서버, 메일 서버, 웹 서버 등)를 준비합니다. 이전 절에서 설명한 것처럼 원래라면 기존 권한이 있는 서버의 존 데이터를 신규 존데이터로 변경하고 나서 NS 리소스 레코드(부모의 위임 정보와 기존 권한이 있는 서버의 설정 모두)를 변경하는 것이 이상적이지만 기존 호스팅 사업자의 서비스 사양에 따라 기존 권한이 있는 서버의 NS 리소스 레코드를 변경하지 못하거나, 자사 서버 이외를 참조하는 A/AAAA 리소스 레코드를 설정하지 못하는 일이 생길 수도 있습니다.

기존 권한이 있는 서버의 존 데이터를 이전하지 않고(못하고) 부모의 위임 정보를 변경했을 때 그 시점에는 인터넷상의 풀 리졸버 캐시에 기존 권한이 있는 서버에 대한 위임 정보나, 기존 권한이 있는 서버에 설정된 기존 메일 서버의 MX 리소스 레코드 및 웹 서버의 A/AAAA 리소스 레코드가 캐시되어 있습니다. 그렇기에 이런 캐시가 풀 리졸버에서 사라질 때까지는 기존 존 데이터가 설정된 기존 권한이 있는 서버와 신규 존 데이터가 설정된 신규 권한이 있는 서버가 인터넷상에 혼재하는, **불안정한 상태**가 됩니다 (그림 12-8).

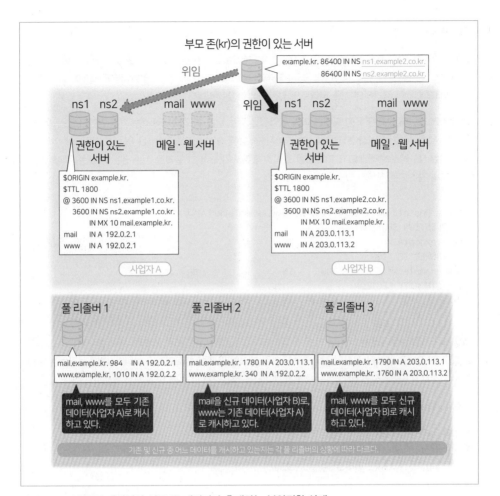

부모 존(kr)의 권한이 있는 서버

위임

example.kr. 86400 IN NS ns1.example2.co.kr.
86400 IN NS ns2.example2.co.kr.

ns1 ns2   mail www   위임   ns1 ns2   mail www

권한이 있는   메일 · 웹 서버   권한이 있는   메일 · 웹 서버
서버   서버

$ORIGIN example.kr.
$TTL 1800
@ 3600 IN NS ns1.example1.co.kr.
  3600 IN NS ns2.example1.co.kr.
       IN MX 10 mail.example.kr.
mail   IN A 192.0.2.1
www   IN A 192.0.2.1

$ORIGIN example.kr.
$TTL 1800
@ 3600 IN NS ns1.example2.co.kr.
  3600 IN NS ns2.example2.co.kr.
       IN MX 10 mail.example.kr.
mail   IN A 203.0.113.1
www   IN A 203.0.113.2

사업자 A   사업자 B

풀 리졸버 1   풀 리졸버 2   풀 리졸버 3

mail.example.kr. 984   IN A 192.0.2.1
www.example.kr. 1010 IN A 192.0.2.2

mail.example.kr. 1780 IN A 203.0.113.1
www.example.kr. 340 IN A 192.0.2.2

mail.example.kr. 1790 IN A 203.0.113.1
www.example.kr. 1760 IN A 203.0.113.2

mail, www를 모두 기존
데이터(사업자 A)로 캐시
하고 있다.

mail을 신규 데이터(사업자 B)로,
www는 기존 데이터(사업자 A)
로 캐시하고 있다.

mail, www를 모두 신규
데이터(사업자 B)로 캐시
하고 있다.

기존 및 신규 중 어느 데이터를 캐시하고 있는지는 각 풀 리졸버의 상황에 따라 다르다.

그림 12-8 기존 존 데이터와 신규 존 데이터가 혼재하는 불안정한 상태

이 기간에는 기존 및 신규 양쪽의 메일 서버로 메일이 도착할 가능성이 있습니다. 기존 서비스를 해약하기 전에 도착한 메일을 확보해 두는 것이 좋습니다. 또한, 기존 및 신규 양쪽의 웹 서버로 접속이 이루어집니다. 이런 불안정한 상태를 **DNS 침투 대기**나 **반영 대기**라고 부르는 사례를 볼 수 있습니다. 그러나 DNS 캐시에는 침투나 반영이라는 구조는 없기 때문에 부적절한 표현입니다.

COLUMN 유령 도메인 이름 취약점

현재의 풀 리졸버 구현으로는 DNS를 이사하는 데 '불안정한 상태'(이번 절 참고)를 거쳐 가는 경우라도 캐시된 리소스 레코드의 TTL 시간(부모 존의 NS 리소스 레코드 TTL, 기존 권한이 있는 서버의 NS/MX/A/AAAA 리소스 레코드 TTL)이 경과하면 기존 서버로의 접근은 없어질 것입니다.

그러나 2012년에 발표된 **유령 도메인 이름 취약점**을 갖는 낡은 풀 리졸버에서는 기존 권한이 있는 서버의 응답인 Authority section(8장 02절의 'DNS 메시지의 형식' 참고)에 포함되는 NS 리소스 레코드에 의해, 이미 캐시된 NS 리소스 레코드가 TTL 값을 포함해 덮어쓰기 되어 그 결과로 기존 권한이 있는 서버의 데이터가 계속 참조되는 경우가 있습니다.

```
$ dig @ns-old.example.kr +norec www.example.kr A ⏎
;; QUESTION SECTION:
;www.example.kr.                 IN      A
;; ANSWER SECTION:
www.example.kr.          300     IN      A       192.0.2.1
;; AUTHORITY SECTION:
example.kr.              86400   IN      NS      ns-old.example.kr.
```

> 이 Authority section에 의해 이미 캐시된 NS 리소스 레코드가 덮어 쓰기 되는 경우가 있다.

그렇기에 기존 권한이 있는 서버에 기존 존 데이터가 설정 및 공개된 채로 있으면, 부모 존의 NS 리소스 레코드 TTL 값으로 설정된 시간이 지나더라도 기존 데이터가 계속 참조되기도 합니다. 이에 해당하는 구체적인 사례로서 비협조적인 DNS 운용자가 존 데이터를 삭제하지 않을 때 이 문제가 발생하게 됩니다.

유령 도메인 이름 취약점의 상세 내용은 아래 문서를 참고해 주세요.

'ghost domain names(유령 도메인 이름)' 취약점에 대해서

URL https://www.ndss-symposium.org/ndss2012/ndss-2012-programme/ghost-domain-names-revoked-yet-still-resolvable/

CHAPTER **13**
DNSSEC의 구조

Advanced
Guide to
DNS

이 장에서는 DNS의 안정성을 높이는 DNSSEC의 구조를 설명합니다.

이 장의 키워드

- 전자 서명
- 서명 검증
- 비밀키
- DNSKEY 리소스 레코드
- 신뢰의 연쇄
- 다이제스트값
- 루트 존 KSK 롤 오버
- ZSK(존 서명키)
- NSEC 리소스 레코드
- NSEC3PARAM 리소스 레코드

- 출처 인증
- 서명자
- 공개키
- RRSIG 리소스 레코드
- DS 리소스 레코드
- 신뢰의 기점
- 키 갱신
- 부재 증명
- NSEC3 리소스 레코드

- 무결성 검증
- 공개키 암호 방식
- 키 쌍(키 페어)
- 검증자
- 해시값
- 트러스트 앵커
- KSK(키 서명키)

- 존 열거

01

전자 서명의 구조와
DNSSEC에의 적용

DNSSEC에서는 **전자 서명**이라는 구조를 사용해 응답을 검증합니다. 여기서는 전자 서명의 구조와 DNSSEC에 적용하는 방법에 대해 설명합니다.

전자 서명의 구조

전자 서명은 데이터 이용자가 그 데이터의 **출처 인증**과 **무결성 검증**을 할 수 있도록 데이터 생성자가 추가하는 정보입니다. 이용자가 전자 서명을 검증함으로써(**서명 검증**) 아래 두 가지를 확인할 수 있습니다.

1. 생성자, 즉 **서명자**가 생성한 데이터다.

   (데이터의 출처 인증: data origin authentication)

2. 이용자가 받은 데이터에 위조나 누락이 보이지 않는다.

   (데이터의 무결성 검증: data integrity validation)

공개키 암호 방식을 이용한 전자 서명의 생성과 검증의 구조를 그림 13-1에 나타냅니다.

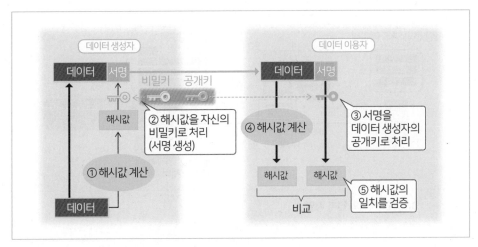

그림 13-1 **공개키 암호 방식을 이용한 전자 서명의 생성과 검증**

전자 서명에서는 서명에 사용하는 **비밀키**와 서명을 검증하는 **공개키**로 구성되는 **키 쌍(키 페어)**을 이용하며 서명자가 비밀키를 보유하고 공개키를 널리 배포합니다.

전자 서명을 DNSSEC에 적용하기

DNS에서는 위임마다 존이 만들어집니다. 그래서 DNSSEC에서는 각 존의 관리자가 전자 서명의 데이터 생성자, 즉 서명자가 되며 존 데이터의 리소스 레코드 세트(RRset)가 서명 대상인 데이터가 됩니다.

서명자는 서명된 존 데이터와 서명에 사용한 키 페어의 공개키를 존 데이터로서 권한이 있는 서버로 공개합니다(그림 13-2). DNSSEC에서는 서명자가 서명에 사용한 그 존의 공개키를 **DNSKEY 리소스 레코드**로, 각 리소스 레코드 세트에 추가된 전자 서명을 **RRSIG 리소스 레코드**로 공개합니다(그림 13-3).

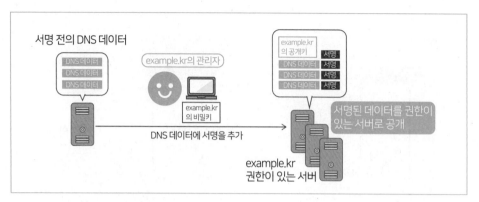

그림 13-2 **DNSSEC에서의 전자 서명**

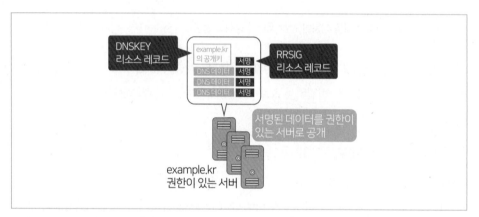

그림 13-3 **DNSKEY 리소스 레코드와 RRSIG 리소스 레코드**

DNSKEY 리소스 레코드와 RRSIG 리소스 레코드의 형식과 설정 예시를 그림 13-4와 그림 13-5에 나타냅니다. 또한, 앞으로의 설명에서는 전자 서명을 간단히 '서명'이라고 합니다.

그림 13-4 DNSKEY 리소스 레코드의 형식과 설정 예시

그림 13-5 RRSIG 리소스 레코드의 형식과 설정 예시

서명 검증

서명을 검증하기 위해서는 비밀키에 대응하는 공개키가 필요합니다. 앞에서 언급한 것처럼 공개키는 권한이 있는 서버가 DNSKEY 리소스 레코드로서 공개하므로 DNSSEC 검증을 하는 풀 리졸버는 DNSKEY 레코드를 추가로 질의해서 필요한 공개키를 얻고 서명을 검증합니다(그림 13-6).

DNSSEC에서는 리졸버(스터브 리졸버와 풀 리졸버)가 전자 서명의 데이터 이용자, 즉 **검증자**(validator)가 됩니다. 풀 리졸버와 스터브 리졸버 모두 검증자가 될 수 있지만 일반적으로는 풀 리졸버가 검증자인 경우가 많습니다.

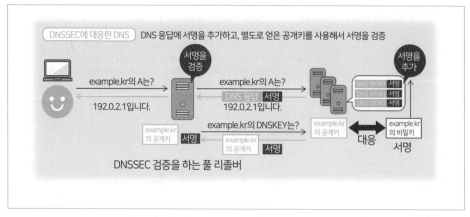

그림 13-6 DNSSEC에서의 서명 검증

CHAPTER 13
Advanced
Guide to
DNS

02

신뢰의 연쇄

공개키로 서명을 검증하기 위해서는 그 공개키를 신뢰할 수 있어야 합니다. 그러므로 DNSSEC에서는 그 존의 공개키에 대응하는 정보를 위임 정보처럼 부모 존에 등록하고, 부모 존의 비밀키로 서명하여 공개함으로써 그 공개키의 신뢰성을 부모 존으로부터 보증받습니다. 이 구조를 부모-자식 간 **신뢰의 연쇄**라고 합니다.

부모 존에 공개키를 등록하는 것과 부모에 의한 서명 및 공개, 즉 신뢰의 연쇄를 구축하는 것은 그 공개키(DNSKEY 리소스 레코드)에 대응하는 **DS 리소스 레코드**로 합니다(그림 13-7).

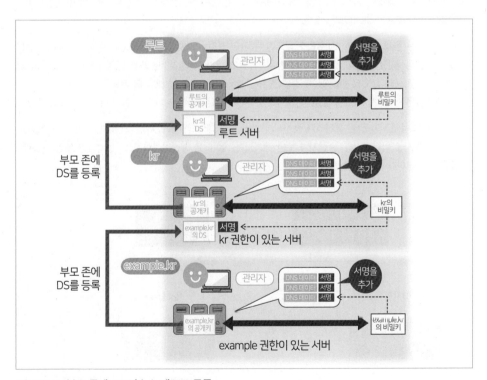

그림 13-7 부모 존에 DS 리소스 레코드 등록

DS 리소스 레코드의 형식과 설정 예시를 그림 13-8에 나타냅니다. DS 리소스 레코드에는 공개키의 **해시값**이 저장됩니다.

형식

도메인 이름	TTL	클래스	타입	데이터
도메인 이름	TTL	IN	DS	키태그 알고리즘 다이제스트타입 다이제스트

설정 예시

```
example.kr. 7200   IN     DS   47911 8 2 (
                                8156BE0D101EBBC0E0F4D0B2AC061BB9BC8045D1845D
                                943337FDB1F93FCC53E3 )
```

그림 13-8 **DS 리소스 레코드의 형식과 예시**

COLUMN 해시값이란?

해시값(hash value)이란 원래 데이터를 해시 함수라고 불리는 미리 정해진 계산 순서로 처리한 결과이며 **다이제스트값(digest value)**이라고도 불립니다.

해시 함수로는 원래 데이터가 1비트라도 다르면 큰 차이를 갖는 해시값이 생성되는(같은 해시값이 되는 일이 사실상 없는) 방식이 선택됩니다. 또한, 해시 함수가 갖는 일방향성(역함수 계산이 불가능하거나 매우 어려운)이라는 성질로 인해 해시값으로 원래 데이터를 복원하는 것은 불가능하거나 매우 어렵습니다. 그러한 특징으로 인해 해시값은 패스워드의 보관 및 검증, 데이터 송수신 시의 무결성(누락이 없는) 확인 등에 이용됩니다.

그림 13-9에 수신자가 받은 데이터가 송신자가 보낸 원래 데이터와 같은지를 확인하기 위해서 해시값을 이용하는 예시를 나타냅니다. 송신자가 보낸 해시값과 데이터로 계산한 해시값이 일치하면 통신 도중에 데이터의 누락이나 위조가 없었음을 확인할 수 있습니다.

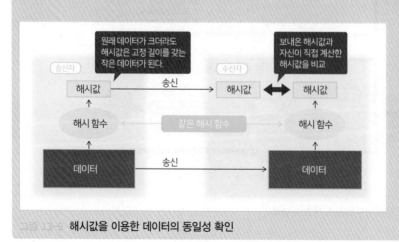

그림 13-9 **해시값을 이용한 데이터의 동일성 확인**

DS 리소스 레코드는 위임 정보와는 달리 부모 존이 권한을 갖는 정보이며 부모 존의 비밀키로 서명됩니다. 부모 존의 권한이 있는 서버는 위임 정보로서 NS 리소스 레코드와 글루 레코드를 응답할 때, 그 존에 대한 DS 리소스 레코드를 추가합니다(그림 13-10).

```
$ dig +multi +dnssec +norec kisa.or.kr a @210.101.60.1 ↵

; <<>> DiG 9.9.4-RedHat-9.9.4-72.el7 <<>> +multi +dnssec +norec kisa.or.kr a ⇒
@210.101.60.1
;; global options: +cmd
;; Got answer:
;; ->>HEADER<<- opcode: QUERY, status: NOERROR, id: 58499
;; flags: qr; QUERY: 1, ANSWER: 0, AUTHORITY: 4, ADDITIONAL: 3

;; OPT PSEUDOSECTION:
; EDNS: version: 0, flags: do; udp: 1232
;; QUESTION SECTION:
;kisa.or.kr.             IN A

;; AUTHORITY SECTION:
kisa.or.kr.             86400 IN NS center.kisa.or.kr.
kisa.or.kr.             86400 IN NS hera.kisa.or.kr.
kisa.or.kr.             86400 IN DS 22671 7 2 (
                               9DC833C3EEDEB399FE5C7665040E2D08D6BEDEEA5AEC
                               F6670362DB6FF6F88367 )
kisa.or.kr.             86400 IN RRSIG DS 8 3 86400 (
                               20210627193029 20210528193029 1278 or.kr.
                               kWlA0EDnUNM1rNWIF24TWUme87/FzV0EOkpYMoMYRqu7
                               Y5EnXsV4+9sXAVyPx8DC5kzO/7syeHn1ZIDnazr5y5m2
                               3mGomGw1Xw/gDlRGHOA17CfF42XoUTRgVmQLqLEVL5wC
                               SKJqp1GesfhNJXzLLTtXLo7fdIE0ChwkmEI3cqk= )

;; ADDITIONAL SECTION:
hera.kisa.or.kr.        86400 IN A 211.252.150.20
center.kisa.or.kr.      86400 IN A 211.252.150.11

;; Query time: 4 msec
;; SERVER: 210.101.60.1#53(210.101.60.1)
;; WHEN: Sat May 29 17:44:30 KST 2021
;; MSG SIZE  rcvd: 324
```
(⇒는 줄 바꿈 없음을 의미합니다.)

그림 13-10 위임 정보에 추가된 DS 리소스 레코드와 그 서명(RRSIG 리소스 레코드)

각 존의 관리자가 DS 리소스 레코드를 부모 존에 등록 및 공개하고, **신뢰의 기점**인 **트러스트 앵커(trust anchor)**가 될 루트 존의 공개키 또는 그 해시값을 DNSSEC 검증을 하는 풀 리졸버에 미리 설정(인스톨)함으로써 DNSSESC 검증에 사용할 모든 존의 공개키를 검증할 수 있게 됩니다(그림 13-11).

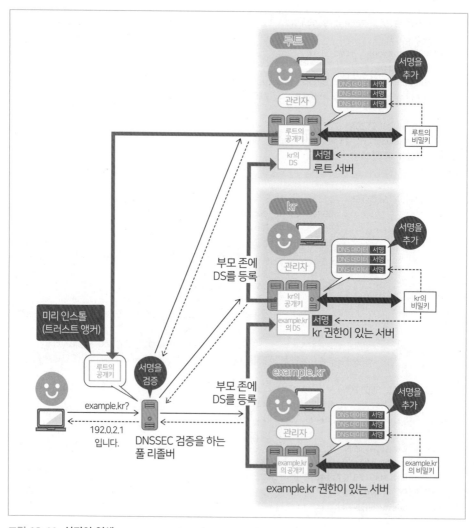

그림 13-11 신뢰의 연쇄

COLUMN 루트 존 KSK 롤 오버

DNSSEC에서는 신뢰의 기점이 될 루트 존의 KSK[키 서명키: 다음 절 'DNSSEC에서 사용되는 두 종류의 키(KSK와 ZSK)' 참고]를 트러스트 앵커로서 DNSSEC 검증을 하는 모든 풀 리졸버에 설정해야 합니다.

보안상의 이유로 루트 존의 KSK는 운용 개시로부터 5년 정도 시점에 갱신하는 것이 운용 정책으로 정해져 있습니다. 그렇기에 DNSSEC 검증을 하는 모든 풀 리졸버는 이 갱신에 대응해야 합니다. 이 풀 리졸버에 설정되어 있는 트러스트 앵커를 갱신하기 위한 일련의 작업 절차가 **루트 존 KSK 롤 오버**입니다.

현재 사용되고 있는 주요 풀 리졸버라면 최신 버전으로 업데이트하고 트러스트 앵커의 자동 갱신을 활성화함으로써 갱신이 자동으로 처리됩니다. 루트 존 KSK 롤 오버를 하는 기간에는 일시적으로 현행과 신규로 두 개의 트러스트 앵커가 설정되지만 어느 쪽의 트러스트 앵커를 이용하더라도 DNSSEC 검증이 성공하면 결과적으로 검증에 성공한 것으로 판단합니다.

COLUMN DNSSEC의 키 생성 및 운용

전자 서명에 사용할 키의 생성과 운용을 데이터의 생성자가 합니다. 13장 01절의 '전자 서명을 DNSSEC에 적용하기'에서 설명한 것처럼 DNSSEC에서는 각 존의 관리자가 전자 서명에서의 데이터 생성자, 즉 키의 생성 및 운용자가 됩니다. 루트 존은 ICANN이 관리 운용의 책임을 지며, Verisign이 존 파일을 생성합니다. 그렇기에 루트 존의 키는 ICANN과 Verisign이 생성하며 운용합니다.[1]

kr이나 com과 같은 TLD는 KISA나 Versign과 같은 TLD 레지스트리가 관리하며 존 파일을 생성합니다. 그렇기에 TLD의 키는 각 TLD 레지스트리가 생성하고 운용합니다. 마찬가지로 각 조직의 존은 각 존의 관리자가 관리하며 존 파일을 생성합니다. 그렇기에 각 조직의 존을 DNSSEC에 대응시킬 때 그 존의 키는 각 존의 관리자가 생성하고 운용해야 합니다.

또한, DNS 서비스를 제공하는 사업자가 고객이 맡긴 존의 키 생성과 운용, 존 파일에 서명과 공개를 부가 서비스로 제공하기도 합니다. 이러한 서비스를 이용할 때는 사업자가 그 존의 관리자로부터 서명되지 않은 존 파일을 받아서 키의 생성과 운용, 서명과 공개를 대행합니다.

---

1 KSK는 ICANN이 관리하며 ZSK는 Verisign이 관리하고 있습니다. KSK와 ZSK는 다음 절 'DNSSEC에서 사용되는 두 종류의 키(KSK와 ZSK)'를 참고해 주세요.

03

DNSSEC에서 사용되는 두 종류의 키(KSK와 ZSK)

DNSSEC에서는 존마다 두 종류의 키를 사용하는 방식이 채택되었습니다. 각각의 키를 **Key Signing Key(KSK: 키 서명키)**와 **Zone Signing Key(ZSK: 존 서명키)**라고 부릅니다. 여기서는 존마다 두 종류의 키를 사용하는 방식이 채택된 이유를 설명합니다.

DNSSEC에서는 존마다 비밀키를 관리합니다. 그리고 비밀키에 대응하는 공개키의 정보를 DS 리소스 레코드의 형태로 부모 존에 등록합니다. 그리고 안전성을 확보하기 위해 정기적인 **키 갱신**이 필요합니다. 키 갱신에도 정해진 방법이 있지만 이 책에서는 설명을 생략합니다.

키를 갱신할 때는 부모 존에 등록한 DS 리소스 레코드의 갱신도 필요합니다. 부모 존의 DS 리소스 레코드를 갱신하는 일은 부모에게 의뢰, 즉 신청 작업이 필요하므로 시간이 걸립니다. 따라서 부모 존에 등록하는 키는 장기간 사용할 수 있도록 암호 강도가 강력한 것을 사용하는 것이 좋다고 볼 수 있습니다.

그러나 암호 강도가 강한 키는 서명에 드는 비용(계산량)이 커집니다. 즉, 서명에 암호 강도가 강한 키를 사용하면 서명 비용이 커진다는 단점이 발생합니다. 특히 RSA(이 장의 칼럼 'RSA란?' 참고)를 통한 서명에서는 암호 강도를 강하게 하면 서명의 사이즈가 커지기 때문에 응답 사이즈도 커지게 됩니다. 이런 이유로 부모 존에 등록하여 부모-자식 간 신뢰의 연쇄를 구축하기 위한 키와 자기 존에 서명하기 위한 키를 분리해, 존마다 두 종류의 키를 사용하는 방식이 채택되었습니다.

COLUMN RSA란?

1977년에 개발된 암호 방식으로 DNSSEC을 포함한 많은 분야에서 사용되고 있습니다. 'RSA'라는 이름은 이 방식을 발명한 암호 연구자 세 명의 머리글자(Ron Rivest, Adi Shamir, Leonard Adleman)에서 유래합니다. RSA는 큰 합성수의 소인수분해가 어려운 점을 이용해 안전성을 확보합니다.

CHAPTER 13
Advanced
Guide to
DNS

KSK와 ZSK를 사용한 서명과 검증의 흐름

KSK와 ZSK를 사용한 각 존의 서명은 그림 13-12와 같습니다.

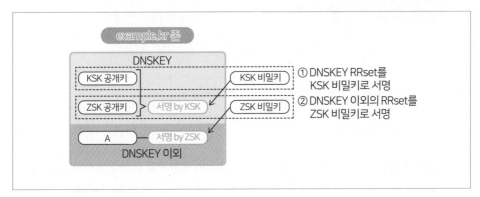

그림 13-12 KSK와 ZSK를 사용한 서명

그림 내용은 다음과 같습니다.

① 그 존의 DNSKEY 리소스 레코드 세트(KSK와 ZSK의 공개키가 포함되는 리소스 레코드 세트)를 KSK의 비밀키로 서명한다.

② 그 존의 DNSKEY 이외의 리소스 레코드 세트(그림 13-12에서는 A)를 ZSK의 비밀키로 서명한다.

이런 형태로 서명된 존의 신뢰의 연쇄를 검증하는 흐름을 그림 13-13에 나타냅니다.

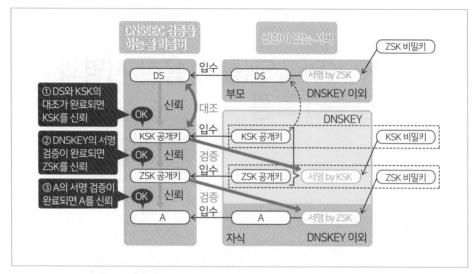

그림 13-13 **ZSK와 KSK로 서명된 존의 신뢰의 연쇄를 검증하는 흐름**

그림 내용은 다음과 같습니다.

① 부모 존의 권한이 있는 서버로부터 얻은 DS 리소스 레코드와 자식 존의 권한이 있는 서버로부터 얻은 DNSKEY 리소스 레코드 세트를 대조하고, 대조가 완료된 DNSKEY 리소스 레코드(KSK의 공개키)를 신뢰한다.

② 신뢰한 KSK의 공개키로 그 존의 DNSKEY 리소스 레코드 세트를 서명 검증한다. 검증에 성공하면 그 존의 DNSKEY 리소스 레코드 세트에 포함된 모든 DNSKEY 리소스 레코드를 신뢰한다. 서명 검증이 완료된 이 DNSKEY 리소스 레코드 세트에는 ZSK의 공개키가 포함되어 있기에 ZSK를 신뢰한 것이 된다.

③ 신뢰한 ZSK의 공개키로 그 밖의 리소스 레코드 세트를 서명 검증한다.

트러스트 앵커를 기점으로 하여 신뢰의 연쇄를 검증하는 예시를 그림 13-14에 나타냅니다. 예시에서는 example.kr의 A 리소스 레코드를 서명 검증합니다.

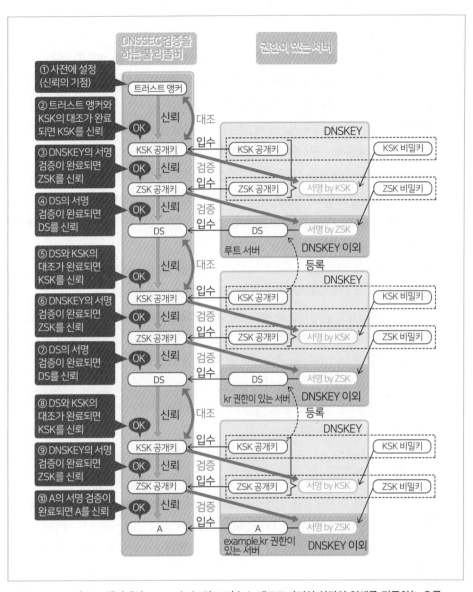

그림 13-14 트러스트 앵커에서 example.kr의 A 리소스 레코드까지의 신뢰의 연쇄를 검증하는 흐름

그림 내용은 아래와 같습니다.

① 사전에 설정된 루트 존의 트러스트 앵커(DS 또는 DNSKEY)를 신뢰의 기점으로 한다.

② 트러스트 앵커와 루트 존의 DNSKEY 리소스 레코드 세트를 대조하고, 일치하는 DNSKEY 리소스 레코드(루트 존의 KSK 공개키)를 신뢰한다.

③ 신뢰한 루트 존의 DNSKEY 리소스 레코드로 루트 존의 DNSKEY 리소스 레코드 세트를 서명 검증한다. 검증에 성공하면 루트 존의 DNSKEY 리소스 레코드 세트에 포함되는 모든 DNSKEY 리소스 레코드를 신뢰한다. 이 안에는 루트 존의 ZSK 공개키가 포함되어 있다.

④ 루트 존에 등록된 kr의 DS 리소스 레코드를 서명 검증한다. kr의 DS 리소스 레코드는 루트 존의 ZSK 비밀키로 서명되어 있기 때문에 ③에서 신뢰한 루트 존의 ZSK 공개키로 검증할 수 있다.

⑤ kr의 DS 리소스 레코드와 kr 존의 DNSKEY 리소스 레코드 세트를 대조하고, 일치하는 DNSKEY 리소스 레코드(kr 존의 KSK 공개키)를 신뢰한다.

⑥ 신뢰한 kr 존의 KSK 공개키로 kr 존의 DNSKEY 리소스 레코드 세트를 서명 검증한다. 검증에 성공하면 kr 존의 DNSKEY 리소스 레코드 세트에 포함되는 모든 DNSKEY 리소스 레코드를 신뢰한다. 이 안에는 kr 존의 ZSK 공개키가 포함되어 있다.

⑦ kr 존에 등록되어 있는 example.kr의 DS 리소스 레코드를 서명 검증한다. example.kr의 DS 리소스 레코드는 kr 존의 ZSK 비밀키로 서명되어 있기 때문에 ⑥에서 신뢰한 kr 존의 ZSK 공개키로 검증할 수 있다.

⑧ example.kr의 DS 리소스 레코드와 example.kr 존의 DNSKEY 리소스 레코드 세트를 대조하고, 일치하는 DNSKEY 리소스 레코드(example.kr 존의 KSK 공개키)를 신뢰한다.

⑨ 신뢰한 example.kr 존의 KSK 공개키로 example.kr 존의 DNSKEY 리소스 레코드 세트를 서명 검증한다. 검증에 성공하면 example.kr 존의 DNSKEY 리소스 레코드 세트에 포함되는 모든 DNSKEY 리소스 레코드를 신뢰한다. 이 안에는 example.kr 존의 ZSK 공개키가 포함되어 있다.

⑩ example.kr 존에 등록되어 있는 example.kr의 A 리소스 레코드를 서명 검증한다. example.kr의 A 리소스 레코드는 example.kr 존의 ZSK 비밀키로 서명되어 있기 때문에 ⑨에서 신뢰한 example.kr 존의 ZSK 공개키로 검증할 수 있다.

CHAPTER 13
Advanced
Guide to
DNS

DNSSEC의 부재 증명에 사용되는 리소스 레코드

DNSSEC에서는 응답한 리소스 레코드의 출처 인증과 무결성 검증에 더해, 데이터가 존재하지 않는다는 증명도 필요합니다. 데이터가 존재하지 않음을, 존재하는 데이터로 나타냄으로써 증명합니다(이 장의 칼럼 '부재 증명이 필요한 이유' 참고). 이를 **부재 증명**이라고 합니다.

DNSSEC의 부재 증명에 사용되는 리소스 레코드는 **NSEC**, **NSEC3**, **NSEC3PARAM**의 세 개가 있습니다. 이 리소스 레코드들의 형식과 설정 예시를 그림 13-15에 나타냅니다.

NSEC의 형식

도메인 이름	TTL	클래스	타입	데이터
도메인 이름	TTL	IN	NSEC	다음도메인이름 타입비트맵

NSEC의 설정 예시

```
arpa.        86400  IN       NSEC      as112.arpa. NS SOA RRSIG NSEC DNSKEY
```

NSEC3의 형식

도메인 이름	TTL	클래스	타입	데이터
도메인 이름	TTL	IN	NSEC3	해시알고리즘 플래그 반복 솔트 다음해시이름 ⇒ 타입비트맵

(⇒은 줄 바꿈 하지 않음을 의미함)

NSEC3의 설정 예시

```
UUT50V3R0K2GPK6KU2TI3I13OELK98D1.example.kr. 86400 IN NSEC3 1 0 6 0DC1C01E (
                      0C5HINFN00CS70ESITPONTK9S431KBVU
                      A NS SOA MX TXT AAAA RRSIG DNSKEY NSEC3PARAM SPF )
```

NSEC3PARAM의 형식

도메인 이름	TTL	클래스	타입	데이터
도메인 이름	TTL	IN	NSEC3PARAM	해시알고리즘 플래그 반복 솔트

NSEC3PARAM의 설정 예시

```
example.kr. 0      IN       NSEC3PARAM   1 0 6 0DC1C01E
```

그림 13-15 NSEC/NSEC3/NSEC3PARAM 리소스 레코드의 설정 예시

COLUMN 부재 증명이 필요한 이유

전자 서명에서는 존재하는 데이터에 서명을 추가합니다. 그렇기에 질의(도메인 이름, 타입)에 대응하는 데이터가 존재하지 않음은 증명할 수 없습니다. 때문에 존 데이터를 서명할 때, 존 도메인 이름의 대문자를 소문자로 변환하고 ASCII 코드(알파벳) 순서로 정렬합니다. 그리고 그 도메인 이름에 존재하는 리소스 레코드의 리스트와 알파벳 순서상으로 다음 도메인 이름을 나타내는 **NSEC 리소스 레코드**를 존 데이터에 추가하고, 부재 응답에 추가함으로써 데이터의 부재를 증명할 수 있도록 했습니다(그림 13-16).

```
$ dig @a.in-addr-servers.arpa +multi +norec +dnssec 30.in-addr.arpa A ↵
...
;; AUTHORITY SECTION:
...
3.in-addr.arpa.        3600 IN NSEC 31.in-addr.arpa. NS DS RRSIG NSEC
3.in-addr.arpa.        3600 IN RRSIG NSEC 8 3 3600 (
                            20180906145104 20180816040004 60309 in-addr.arpa.
                            vmK+KmF7L7f9kqKLyKOW3NiGD1utSaSXeMLnO0v4LkZX
                            bAW6fo3XwNWc81av7zQWEbph6o0HsqoMRoHxQxmU+ymD
                            2podwIvgpibN/hbTtxCueGAQ3VO8Pq+I2vfZeSucUWX8
                            glv/hsL1xKbzUuPl8IUBhi9WgaFav4DBSuc19rc= )
```

[예시 1] in-addr.arpa의 권한이 있는 서버로 30.in-addr.arpa의 A 리소스 레코드를 질의한 결과(일부). NSEC 리소스 레코드에 의해 3.in-addr-arpa의 다음 도메인이 31.in-addr.arpa임을 나타내고 있다. 이를 통해 질의한 30.in-addr. arpa의 부재가 증명된다.

```
$ dig @a.in-addr-servers.arpa +multi +norec +dnssec in-addr.arpa A ↵
...
;; AUTHORITY SECTION:
...
in-addr.arpa.          3600 IN NSEC 1.in-addr.arpa. NS SOA RRSIG NSEC DNSKEY
in-addr.arpa.          3600 IN RRSIG NSEC 8 2 3600 (
                            20180906002709 20180816020004 60309 in-addr.arpa.
                            Q4HuiSgRfOHCaCv+3mh44jl+sTpcw8udqXU63ndxEPlD
                            +fWqyPCLBGOHtmkTO41r+BQRBfZ3UA2TQz6oADhgk6Ea
                            PxuxdkJBeLv53mmQeQ7Khtc7u4e9+nb9eb691Lhu2cxy
                            PM86+pQ1VYm7v83sDoKX4GARmExDTV73mEJA+kU= )
```

[예시 2] in-addr.arpa의 권한이 있는 서버로 in-addr.arpa의 A 리소스 레코드를 질의한 결과(일부). NSEC 리소스 레코드에 의해 in-addr.arpa에는 NS, SOA, RRSIG, NSEC, DNSKEY 리소스 레코드가 존재함을 나타내고 있다. A 리소스 레코드가 포함되어 있지 않기에 in-addr-arpa에 대해서 A 리소스 레코드의 부재가 증명된다.

그림 13-16 NSEC 리소스 레코드에 의한 부재 증명

그러나 NSEC 리소스 레코드를 이용한 부재 증명은 NSEC 리소스 레코드의 다음 이름을 외부에서 순서대로 검색함으로써 모든 존 데이터를 얻을 수 있게 됩니다. 이를 존 **열거(zone enumeration)**라고 합니다.

NSEC3 리소스 레코드는 존 열거를 어렵게 하기 위해서 이름 대신에 이름의 해시값을 이용하도록 대책을 마련한 것입니다. 그렇기에 존 데이터가 공개되어 있는 루트 존이나 in-addr.arpa 존에서는 NSEC 리소스 레코드에 의한 부재 증명이 사용되고 있습니다.

CHAPTER **14**

Advanced
Guide to
DNS

DNS에서의 프라이버시
개요와 구현 상황

이 장에서는 DNS에서의 프라이버시와 관련해서 우려되는 점을 살펴보며, 이러한
부분을 해결하기 위해 개발된 기술의 개요와 구현 상황에 대해 설명합니다.

이 상의 키워드

- Pervasive Monitoring
- QNAME minimisation
- 캡슐화
- 기밀성
- DNS over TLS
- DNS 프라이버시
- DNS over HTTPS

CHAPTER 14
Advanced
Guide to
DNS

01

DNS에서 프라이버시와 관련하여 우려되는 점과 그 해결책

이용자의 프라이버시 보호에 대한 의식 향상이나 2013년에 미국 국가안보보안국(NSA)에 의한 극비의 통신 감시 프로그램 PRISM이 폭로된 것 등을 계기로, **pervasive monitoring**(광역적이면서 망라적인 통신의 감청·수집)에 대응하기 위한 다양한 활동이 이루어지고 있습니다. DNS도 예외가 아니며 통신의 암호화나 통신 프로토콜의 개량을 통해 **기밀성**(confidentiality: 정당한 권한을 갖는 자만이 정보에 접근할 수 있음)을 확보하기 위한 표준화 활동이 IETF에서 진행되고 있으며 일부는 이미 구현되어 보급되기 시작했습니다.

여기서는 DNS에서 프라이버시와 관련하여 우려되는 점과 그 해결책으로서 개발 및 구현되고 있는 기술을 설명합니다.

프라이버시와 관련하여 우려되는 점

DNS에서 프라이버시와 관련하여 우려되는 점을 그림 14-1에 나타냅니다. DNS 통신은 암호화되지 않고 평문으로 네트워크상에 흐르고 있습니다. 그렇기에 스터브 리졸버, 즉 PC나 스마트폰 등의 클라이언트에서 풀 리졸버로 향하는 통신을 모니터링함으로써 언제(시각), 어느 호스트가(IP 주소), 무엇을(도메인 이름, 타입) 질의했는가라는 정보를 얻을 수 있습니다(**우려되는 점 1**).

또한, 풀 리졸버에서 로그를 수집함으로써 풀 리졸버로 향하는 통신을 모니터링함과 마찬가지로, 클라이언트가 언제(시각), 어느 호스트가(IP 주소), 무엇을(도메인 이름, 타입) 질의했는가라는 정보를 얻을 수 있습니다(**우려되는 점 2**).

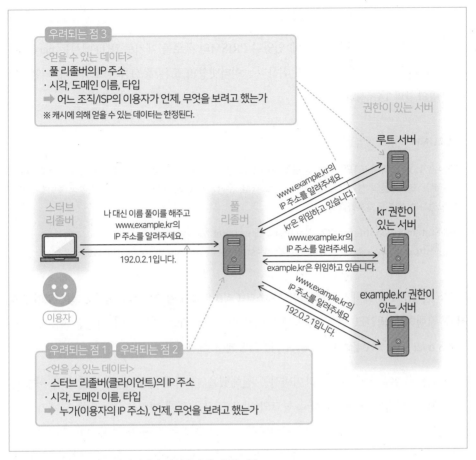

그림 14-1 DNS에서 프라이버시와 관련하여 우려되는 점

그리고 기초 편에서 설명한 것처럼 풀 리졸버는 스터브 리졸버로부터 접수한 질의 내용, 즉 질의의 도메인 이름과 타입을 권한이 있는 서버군(루트 서버, TLD의 권한이 있는 서버, 각 조직의 권한이 있는 서버 등)에 그대로 질의합니다. 따라서 루트 서버나 TLD의 권한이 있는 서버에서는 풀 리졸버를 통해서 클라이언트가 질의한 도메인 이름과 타입을 어느 정도 얻을 수 있습니다(**우려되는 점 3**).[1]

---

1 단, 풀 리졸버의 캐시 효과에 의해서 권한이 있는 서버군이 클라이언트의 모든 접근 정보를 얻을 수 있는 것은 아닙니다.

우려되는 점에 대한 해결책

이 절의 서두에서 소개한 2013년에 있었던 PRISM의 폭로를 계기로 IETF에서는 pervasive monitoring은 공격이라는 입장을 취하며[2], 인터넷상의 모든 통신을 암호화하게 되었습니다(이 장의 칼럼 'IAB 성명문' 참고).

COLUMN　IAB 성명문

2014년 11월 13일에 IETF의 활동 방침과 인터넷 표준화 프로세스를 감독하는 IAB(Internet Architecture Board)가 프로토콜의 설계자, 프로그램의 개발자 및 운용자 모두에 대해서 인터넷의 기밀성 확보를 강력히 요청하는 성명을 발표했습니다.

IAB Statement on Internet Confidentiality | Internet Architecture Board
URL https://www.iab.org/2014/11/14/iab-statement-on-internet-confidentiality/

우려되는 점 1에 대해서는 **클라이언트(스터브 리졸버)에서 풀 리졸버로 향하는 통신로의 암호화**를 진행하게 되었고 이를 위한 프로토콜이 표준화되었습니다. 이 내용은 이 장 03절 'DNS over TLS'와 04절 'DNS over HTTPS'에서 설명합니다.

우려되는 점 2에 대해서는 프라이버시를 침해했을 때 관계 법령 등에 의해 법적 처벌 대상이 될 수 있습니다. 단, 회사나 학교와 같은 조직은 관계 법령을 적용받는 단체가 아니기 때문에 각 조직에서 독자적인 모니터링이나 그 결과를 이용한 블록킹과 필터링을 실시하기도 합니다. 또한, 퍼블릭 DNS 서비스 중에는 사용 이력을 기록에 남기지 않고, 얻은 접근 정보를 이용하지 않음을 프라이버시 정책으로 명기해 둔 것이 있습니다(7장 02절의 '퍼블릭 DNS 서비스' 참고).

우려되는 점 3에 대해서는 **풀 리졸버가 최소한의 질의를 보낸다**는 해결책이 표준화되었습니다. 이 내용은 다음 절 'QNAME minimisation'에서 설명합니다.

2　RFC 7258: "Pervasive Monitoring Is an Attack"

02

QNAME minimisation

QNAME minimisation의 개요

QNAME minimisation(질의 정보의 최소화)은 기존 풀 리졸버의 이름 풀이 알고리즘을 변경하고, 루트 서버나 TLD의 권한이 있는 서버에는 이름 풀이에 필요한 최소한의 정보만 질의하도록 하는 기술입니다. 14장 01절의 '프라이버시와 관련하여 우려되는 점'에서 설명한 것처럼 풀 리졸버는 클라이언트(스터브 리졸버)로부터 접수한 질의 내용(도메인 이름, 타입)을 권한이 있는 서버군에 그대로 보냅니다. 루트 서버는 위임 정보로서 TLD의 권한이 있는 서버를 응답하고, 풀 리졸버는 그 정보를 사용해 TLD의 권한이 있는 서버로 질의를 보냅니다.

그렇기에 루트 서버나 TLD의 권한이 있는 서버는 풀 리졸버를 통해서 클라이언트의 질의 내용을 알 수 있습니다. 실제로는 풀 리졸버의 캐시 구조로 인해 클라이언트의 모든 질의가 루트 서버나 TLD의 권한이 있는 서버로 전달되는 것은 아니지만, 루트 서버나 TLD의 권한이 있는 서버로 보내지는 질의에 포함되는 정보를 확인함으로써 다양한 정보를 얻을 수 있습니다.

QNAME minimisation은 실험적 프로토콜로서 RFC 7816으로 표준화되었습니다. 구체적으로는 루트 서버에는 TLD의 NS 리소스 레코드를 질의하고, TLD의 권한이 있는 서버에는 2LD/3LD/4LD의 NS 리소스 레코드를 응답 내용에 따라서 질의하며, 스터브 리졸버가 질의한 도메인 이름과 타입은 각 조직의 권한이 있는 서버에만 질의하도록 이름 풀이 알고리즘을 변경합니다. QNAME minimisation를 통하여 클라이언트가 질의한 도메인 이름과 타입을 루트 서버나 TLD의 권한이 있는 서버로 송신하지 않게 됩니다. 따라서 루트 서버는 TLD의 NS 리소스 레코드에 대한 질의가 있었다고만 알 수 있으며, TLD 내부의 도메인 이름이나 타입은 알 수 없게 됩니다.

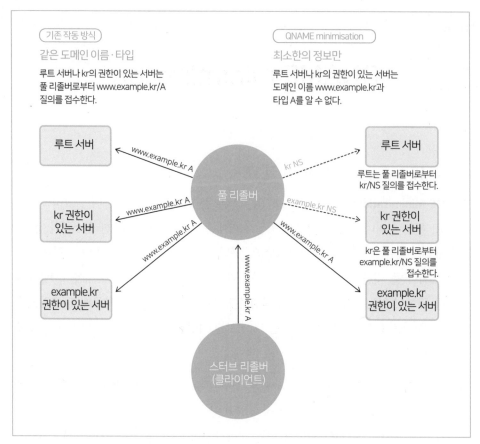

그림 14-2 **풀 리졸버의 기존 작동 방식(왼쪽)과 QNAME minimisation(오른쪽)의 비교**

마찬가지로 TLD의 권한이 있는 서버도 그 조직의 NS 리소스 레코드에 대한 질의가 있었다고만 알 수 있으며, 조직 내의 도메인 이름이나 타입은 알 수 없게 됩니다(그림 14-2). 단, 이 책에서 설명한 것처럼 도메인 이름의 라벨 구분에는 존 컷(6장 04절의 '존 자체에 관한 정보: SOA 리소스 레코드' 참고)이 반드시 존재하는 것은 아니라서 권한이 있는 서버에 대해 불필요한 질의가 발생할 수 있습니다.[3]

---

3 라벨의 구분에 NS 리소스 레코드가 없을 때, 풀 리졸버는 NS 리소스 레코드를 질의할 계층을 하나 낮춰서 다시 질의합니다.

QNAME minimisation의 구현 상황

현재 몇몇의 풀 리졸버가 QNAME minimisation을 구현했습니다.

CZ.NIC이 개발한 Knot Resolver는 2016년부터 QNAME minimisation을 구현하고 있으며 기본적으로 활성화되어 있습니다. 또한, NLnet Labs가 개발한 Unbound는 1.7.3 버전부터 QNAME minimisation이 기본적으로 활성화되어 있습니다. 가장 많은 점유율을 차지하는 BIND도 9.14.0 버전부터 QNAME minimisation이 기본적으로 활성화되어 있습니다. Knot Resolver나 Unbound는 권한이 있는 서버의 버그에 의한 장애나 이름 풀이 효율의 저하를 회피하기 위해서 RFC 7816에 기술된 회피책에 더해, 추가적인 문제의 회피책도 같이 구현했습니다.

퍼블릭 DNS 서비스에서는 1.1.1.1이 QNAME minimisation을 구현했으며 기본적으로 활성화 설정이 되어 있습니다.

03

DNS over TLS

DNS over TLS의 개요

DNS over TLS는 도청 리스크에 대응하기 위해 DNS 통신을 TLS로 보호(암호화)하기 위한 기술입니다. DNS 통신을 암호화하는 데 당초의 IETF에서는 다양한 암호 방식이 제안되었습니다. 워킹 그룹에서 의론한 결과, 최종적으로 TLS와 그 UDP 버전인 DTLS를 이용한 'DNS over TLS'와 'DNS over DTLS'로 두 가지가 표준화되었습니다. DNS over TLS는 2016년 5월에 RFC 7858로 발행되고, DNS over DTLS는 2017년 2월에 실험적인 프로토콜인 RFC 8094로 발행되었습니다.

DNS over TLS 통신에는 TCP 853번 포트가, DNS over DTLS 통신에는 UDP 853번 포트가 할당되었습니다. DNS over TLS는 접속을 받으면 그 즉시 TLS 처리를 개시합니다. 통신의 내용은 기존의 TCP DNS와 같습니다. DNS over TLS는 클라이언트(스터브 리졸버)와 풀 리졸버 간의 통신에서 사용하는 것이 예상되며, DNS over TLS를 사용함으로써 클라이언트와 풀 리졸버 간의 통신이 보호되어 통신 내용을 감청할 수 없게 됩니다.

COLUMN TLS란?

TLS(Transport Layer Security)는 TCP와 같은 연결형 통신을 보호하기 위한 프로토콜입니다. 이전에는 SSL(Secure Sockets Layer)이라는 이름으로 개발되었지만 IETF의 표준화 과정에서 TLS라는 명칭으로 변경되었습니다.

TLS는 인터넷 통신을 보호하고 아래 네 개의 항목을 실현합니다.

1. 통신 상대방의 신원 확인: 사칭 방지
2. 통신로 암호화: 도청으로부터 보호
3. 통신 내용 보호: 통신 내용의 변조 검출
4. 통신 내용의 부인 방지(※): 통신한 사실과 내용의 사후 증명

※ 송신자가 데이터를 보냈다는 것과 그 내용을 사후에 부정할 수 없게 되는 것

DNS over TLS의 구현 상황

DNS over TLS는 NLnet Labs가 개발한 Unbound, CZ.NIC이 개발한 Knot Resolver가 구현하고 있습니다. 퍼블릭 DNS 서비스에서는 Google Public DNS, Quad9, 1.1.1.1이 DNS over TLS를 구현하고 있습니다. 또한, 스터브 리졸버로는 getdns API(URL https://getdnsapi.net/)가 구현하고 있습니다.

덧붙여 Android 9 이후의 스터브 리졸버에는 DNS over TLS가 표준 탑재되어 있으며, 설정한 풀 리졸버가 DNS over TLS를 사용할 때 자동적으로 활성화됩니다.

COLUMN 풀 리졸버와 권한이 있는 서버 간의 통신 암호화

DNS over TLS는 클라이언트(스터브 리졸버)와 풀 리졸버 간의 통신에서 사용하는 것을 예상하여 개발되었습니다. IETF는 앞으로 풀 리졸버와 권한이 있는 서버 간의 통신 암호화에 대해서도 표준화 작업을 진행할 예정입니다.

04

DNS over HTTPS

이전 절에서 설명한 DNS over TLS는 TCP 853번 포트를 사용합니다. 그러나 제한된 네트워크 환경에서는 TCP 853번 포트가 막혀 있을 가능성이 있어 그러한 네트워크에서는 DNS over TLS를 사용하지 못할 수 있습니다. 그런 배경에서 DNS 통신로에 웹 통신에서 사용되는 HTTPS를 사용하는 아이디어가 제안되었습니다. 이를 실현하는 기술이 **DNS over HTTPS(DoH)**입니다.

DNS over HTTPS는 HTTPS의 GET/POST 메소드를 통해 DNS 패킷을 그대로 처리합니다. 예를 들면, GET으로 아래와 같은 요구를 보내면 DNS 패킷의 응답이 그대로 반환됩니다.

```
:method = GET
:scheme = https
:authority = dnsserver.example.net
:path = /dns-query?dns=AAABAAABAAAAAAAAA3d3dwdleGFtcGxlA2NvbQAAAQAB
accept = application/dns-message
```

DNS over HTTPS에서의 통신은 웹 통신과 마찬가지로 HTTPS로 보호됩니다.

DNS over HTTPS의 구현 상황

퍼블릭 DNS 서비스인 Google Public DNS, Quad9, 1.1.1.1이 DNS over HTTPS를 구현하고 있습니다. 1.1.1.1은 접근 로그(14장 01절의 '프라이버시와 관련하여 우려되는 점'에서 소개한 우려되는 점 2)에 대해서 1.1.1.1의 운용과 연구 목적에 한정해 사용할 것과 24시간 이내 삭제할 것을 표명하고 있습니다.

스터브 리졸버로는 웹 브라우저인 Firefox 60 이후, Chrome 83 이후 버전에서 DNS over HTTPS를 구현하고 있습니다. 또한, 2018년 10월 3일에 Alphabet(Google의 지주 회사)의 자회사인 Jigsaw가 DNS over HTTPS를 구현한 안드로이드 앱 'Intra'를 공개했습니다.

COLUMN 'OOO over XXX'란?

'OOO over XXX'는 XXX라는 프로토콜의 데이터에, OOO라는 프로토콜을 처리 정보(프로토콜 헤더)도 포함해 그대로 담아서 운반하는 것을 의미합니다. 이는 OOO를 XXX로 **캡슐화(encapsulation)**한다고 합니다. 캡슐화를 통해 원래의 프로토콜에는 구현되지 않은 기능을 사용하거나, 직접 연결되어 있을 때에만 사용할 수 있는 프로토콜을 원격지에 있는 기기 간에서 사용할 수 있게 됩니다.

예를 들면, NTT 동일본과 서일본이 제공하는 FLET'S 서비스의 PPPoE(PPP over Ethernet)에서는 원래 두 거점 간의 데이터 통신을 위해서 이용되는 PPP(Point-to-Point Protocol)를 이더넷으로 캡슐화함으로써 다이얼 업 회선에서의 PPP 인증을 ADSL이나 광 회선에서도 이용할 수 있도록 했습니다. DNS over TLS나 DNS over HTTPS는 TLS나 HTTPS로 보호된 통신로에서 DNS 통신을 캡슐화하는 형태입니다.

캡슐화는 화물을 실은 트럭을 그대로 화물 열차에 태워서 목적지까지 운송하는 피기백(piggyback) 운송에 비유할 수 있습니다(그림 14-3).

그림 14-3 DNS 통신의 캡슐화

DNS와 관련한 주요 RFC

DNS와 관련한 주요 RFC에 대해 이 책에서 개요를 설명한 것을 중심으로 소개합니다.
IETF에서는 현재도 표준화 작업이 진행되고 있으며 새로운 RFC가 발행되고 있습니다.

■ **DNS와 관련한 RFC**

RFC 번호	발행연월	개요	이 책의 장·절
RFC 1034-1035	1987년 11월	DNS의 기본 사양	전체
RFC 1886	1995년 12월	IPv6 대응(AAAA 리소스 레코드의 추가)	6장 05절
RFC 1995	1996년 8월	IXFR의 사양	6장 02절
RFC 1996	1996년 8월	DNS NOTIFY의 사양	6장 02절
RFC 2136	1997년 4월	Dynamic Update의 사양	–
RFC 2181	1997년 7월	DNS 사양의 명확화	전체
RFC 2308	1998년 3월	네거티브 캐시의 사양	4장 03절
RFC 2782	2000년 2월	SRV 리소스 레코드의 추가	–
RFC 5358	2008년 10월	풀 리졸버에서 DNS 반사 공격의 방지	9장 06절
RFC 5890-5895	2010년 8월	국제화 도메인(IDN)의 사양	11장 08절
RFC 5936	2010년 6월	존 전송의 사양	4장 03절
RFC 6891	2013년 4월	EDNS0의 사양	11장 09절
RFC 7208	2014년 4월	SPF의 사양	6장 06절
RFC 7489	2015년 3월	DMARC의 사양	6장 06절
RFC 7766	2016년 3월	DNS 통신에서 TCP 사용 방법의 변경	–
RFC 7816	2016년 3월	QNAME minimisation의 사양	14장 02절
RFC 7858	2016년 5월	DNS over TLS의 사양	14장 03절
RFC 7873	2016년 5월	DNS 쿠키의 사양	10장 02절
RFC 8020	2016년 11월	이름 부재의 처리에 관한 사양의 명확화	–
RFC 8109	2017년 3월	프라이밍 질의의 방식	7장 01절
RFC 8484	2018년 10월	DNS over HTTPS의 사양	14장 04절
RFC 8499	2019년 1월	DNS 용어의 정의	4장 01절
RFC 8945	2020년 11월	TSIG(공유키를 통한 인증)의 사양	–

■ DNSSEC과 관련한 RFC

RFC 번호	발행연월	개요	이 책의 장·절
RFC 3658	2003년 12월	DS 리소스 레코드의 추가	13장 02절
RFC 4033-4035	2005년 3월	DNSSEC의 기본 사양	13장
RFC 5011	2007년 9월	트러스트 앵커의 자동 갱신	13장 02절
RFC 5155	2008년 3월	NSEC3 리소스 레코드를 통한 부재 증명	13장 05절
RFC 6781	2012년 12월	DNSSEC 운용 가이드 라인	13장
RFC 6840	2013년 2월	DNSSEC 사양의 명확화와 구현상의 주의점	13장
RFC 7129	2014년 2월	부재 증명의 배경과 상황의 설명	13장 05절
RFC 8198	2017년 7월	부재 증명을 활용한 이름 풀이의 성능 향상	-
RFC 8624	2019년 6월	DNSSEC의 알고리즘 구현 요건과 사용 가이드라인	-

찾아보기